JÖRG THALMANN
WEGE ZU KAFKA

Jörg Thalmann

WEGE ZU KAFKA

Eine Interpretation des Amerikaromans

Verlag Huber
Frauenfeld und Stuttgart

Quellennachweis der Abbildungen

Umschlag:	Franz Kafka (Bildarchiv der Österreichischen Nationalbibliothek, Fonds Albertina)
Nach Seite 80:	Die Großeltern Jakob und Franziska Kafka (Dr. Klaus Wagenbach, Berlin)
Nach Seite 112:	Julius Schnorr von Carolsfeld, Der Maler Friedrich von Olivier (Deutsche Romantiker-Zeichnungen, Prestel Verlag Frankfurt am Main 1935)

Satz und Druck: Huber & Co. AG, Frauenfeld
Printed in Switzerland

MEINEN ELTERN

Ich danke allen, Lehrern, Freunden und Studienkollegen, die mich durch Ratschlag und Gespräch förderten; vor allem aber Professor Emil Staiger, in dessen Geist und Schule das Buch entstand.

INHALT

Wie ein Weg im Herbst: Kaum ist er rein gekehrt,
bedeckt er sich wieder mit den trockenen Blättern.

An den skeptischen Leser

Viel ist über Kafka schon geschrieben worden, und dennoch bleiben die Liebhaber unzufrieden, die gern etwas zu hören wünschen, was sie näher an sein verschlüsseltes Werk heranführt. Noch ist das Buch, bei welchem sich das Gefühl beruhigender Sicherheit im Umgang mit diesem schwierigen Dichter einstellt, nicht geschrieben. Seit einigen Jahren gilt zwar Wilhelm Emrichs Darstellung als Standardwerk. Nun hat Emrich ungeheuer viel Material zusammengetragen und eine gewaltige Anstrengung unternommen, um Kafkas Schöpfungen in einer Gesamtkonzeption zu bewältigen. Allein, man wird seines Werkes nicht froh. Der nicht germanistisch geschulte Liebhaber wird durch den philosophisch-wissenschaftlichen Gewaltmarsch, den ihm Emrich vorexerziert, überfordert; die Fachwelt aber übersah im Bann von Emrichs geballter Energie, modischer Gesellschaftskritik und unbestrittener Einzelerrungenschaften, wie gewaltsam er die Schöpfungen des scheuen Dichters in ein vorgefaßtes Gedankenschema preßte[1].

Nun legt ein junger Germanist einen neuen Versuch vor, Kafka in die Bücher zu schauen, und das Publikum, gegen die Kafka-Ausleger mißtrauisch geworden, fragt mit Recht, wie er den Fallen entgehen will, in die anerkannte Kapazitäten geraten sind. Sollten nicht die Schwierigkeiten Emrichs, des berühmten Entschlüßlers von Faust II, sollte nicht das Scheitern so intensiver Bemühungen um Kafka das Zeichen dafür sein, daß dieser Dichter rätselhaft bleiben muß; daß sein Wesen, seine Aufgabe gerade darin besteht, nur als Rätsel zu existieren, um das man sich ohne Erfolg bemüht?

[1] Der Leser, der diese Kritik überprüfen möchte, findet Emrichs Thesen über den Amerikaroman an verschiedenen Stellen dieses Buchs mit dem Inhalt des Originals konfrontiert; zum Beispiel S. 105ff., 127, 153ff. Die bedenklichsten Muster für Emrichs willkürliches Umspringen mit Kafkas Text habe ich am Anfang kurz zusammengefaßt (S. 18–19).

Der Schluß klingt nach all den Mißerfolgen verführerisch. Aber er schießt übers Ziel hinaus. Der Verfasser des vorliegenden Versuchs hat probeweise einen neuen Weg eingeschlagen. Es stellte sich dabei, so schien ihm, heraus, daß sich der scheue Kafka dem verständigen Leser so öffnen kann wie jeder andere Dichter; man muß sich ihm nur behutsam und unvoreingenommen nähern und nicht gleich von Anfang an ein modernes Welträtsel erwarten.

Nun mag sich freilich der Leser skeptisch erinnern, daß ihm schon manche Kafka-Interpreten mit ähnlichen Worten eine entscheidende Entdeckung angeboten und ihn dann doch enttäuscht haben. Natürlich ist es nicht möglich, dem Leser den Inhalt meiner Arbeit in einem Vorwort so zu Füßen zu legen, daß er sich über ihren Wert schon ein Urteil machen könnte; aber ich spüre, daß ich ihm eine kurze Andeutung darüber schuldig bin, was er erwarten darf.

Überblickt man die lange Reihe der Bemühungen um Kafka, so fällt auf, wie verbissen sie darauf zielen, immer gleich ganze Aufklärung über seine Rätselwelt zu bieten. Das ist ebenso begreiflich wie verhängnisvoll. Der Eindruck, daß Kafkas brüchige Welt unsere ganze Existenz in die Schranken fordert, ist so stark, daß sich die Interpreten offenbar auch verpflichtet fühlten, eine ganze Antwort und nicht weniger zu geben, und so schritten sie aus Angst, ins unverbindliche Ästhetisieren zu geraten, über die schlichte Aufgabe hinweg, festzustellen, was eigentlich bei Kafka stehe. So kam denn immer gleich eine Gesamtkonzeption heraus: Kafka übertrage einen Vater- und Autoritätskomplex auf die Welt; er demonstriere die Haltlosigkeit der modernen Gesellschaft, die Verzweiflung des von Gott Verlassenen, oder gar (wie Brod) einen Hoffnungsschimmer in dieser gottverlassenen Welt ... Und erst wenn man diese Konzeptionen hinterher mit Kafkas Text konfrontierte, zeigte sich, daß die Gleichung nicht aufging, daß hier dunkle Flecken, dort offene Widersprüche zwischen Interpretation und Original zutage traten, und so ging das gewaltige, verwirrende Hin und Her von Behauptungen, Gegenthesen, Angriffen, Kritiken und Kontroversen los, in dem sich die Forschung, den Laien der größten Ratlosigkeit überlassend, bisher hoffnungslos verstrickte.

Der ganze hier vorgelegte Versuch hat kein anderes Ziel, als die vergessene Etappe auf dem Weg zu Kafka nachzuholen. Darum wird der Leser keine Gesamtantworten auf die Herausforderung Kafkas an die moderne Welt darin finden. Nicht daß ich diese Aufgabe gering achtete! Es ist mir klar, daß wir Kafka erst dann gerecht werden, wenn wir seine Herausforderung ohne Ausflucht annehmen. Aber solange seine einfachen Sätze, Motive, Beschreibungen noch im gefährlichen Halbdunkel schweben und solange es noch ungestraft Mode ist, großartig ins Ganze moderner Existentialität schweifend Behauptungen in die Luft zu setzen, die durch einen nüchternen Blick in Kafkas Bücher widerlegt würden, sind wir offensichtlich noch gar nicht zur großen Aufgabe gerüstet. In einem Anlauf ist sie offenbar nicht zu lösen; darum beschränkt sich diese Arbeit von allem Anfang an auf das bescheidenere Ziel, in einer ersten Etappe solide und gründliche Kenntnisse über Kafka zu erwerben, ohne schon gebannt auf ein Endergebnis zu starren. Unvoreingenommen feststellen, was Kafka sagt; sorgsam die Elemente seiner Gedanken- und Gefühlswelt sammeln; vorsichtig die Zusammenhänge nachzeichnen, die darunter sichtbar werden – mit einem Wort, uns einfühlen lernen in Kafkas Art, die Welt zu sehen: Das sind die Aufgaben, in denen wir uns zuerst einüben müssen, soll unsere Gesamtschau später nicht auf tönernen Füßen stehen.

Für diese Aufgabe schien es mir nötig, ein einzelnes Werk in den Mittelpunkt zu stellen. Das Gesamtwerk ist auf Anhieb kaum zu bewältigen; wie man sehen wird, gibt ein einzelnes für eine erste Etappe gerade genug zu tun, und im übrigen wollen wir uns nicht sklavisch an die äußerlichen Grenzen halten und den Blick, wenn es tunlich erscheint, auch in die Nachbargebiete schweifen lassen. Andrerseits brauchen wir doch eine gewisse Mindest-Basisbreite für die Arbeit; so drängte sich die Wahl eines Romans auf. Der Amerikaroman scheint für unsere Absichten besonders geeignet, weil sich Kafka in diesem Erstling noch nicht weit weg von allem Gewohnten befindet, sondern gerade daran ist, sich von den traditionellen Romankulissen her langsam, fast schüchtern zu den verstörenden Regionen seiner bildnerischen Phantasie vorzutasten.

Dabei werden wir ihm Schritt für Schritt folgen und in ein faszinierendes Abenteuer geraten. Überrascht werden wir uns zuerst in bekannteren Gegenden wiederfinden; dann mehr und mehr Eigenwilligem, Merkwürdigem begegnen – doch meist nicht von jener Art, die wir nach dem ersten Eindruck erwarten. Wenn ich dem Leser schließlich eine Gesamtschau der tieferen Zusammenhänge vorzulegen wage, mag er das als Einladung verstehen, sie auf Grund des gesammelten Materials kritisch zu prüfen. Spektakuläres wird ihn nicht erwarten; ich hoffe ihm aber zeigen zu können, daß sich auch Kafkas Welt dem unvoreingenommenen Blick in wohltuender Klarheit öffnet. Wenn ihn diese Einübung im Umgang mit Kafka instandstellt, selbständig in dessen größere und reifere Werke einzudringen, wäre eine Hauptabsicht dieser Arbeit erfüllt. Natürlich hoffe ich auch, daß sich die Ergebnisse als brauchbare Bausteine auf dem Weg der wissenschaftlichen Kafka-Forschung erweisen werden.

Zum Titel des Amerikaromans

Max Brod hat als Herausgeber von Kafkas erstem Roman den Lesern und Forschern ein unbequemes Titelproblem aufgegeben. Das Manuskript trägt nach Brods Angaben im Nachwort (S. 356) keine Überschrift. Wenn Kafka das Werk in Briefen erwähnte, sprach er meist einfach vom «Roman» (bis 1914, als der «Prozeß» entstand, war seinen Freunden und Bekannten klar, welches Werk er damit meinte) oder vom «Heizer»; diesen Ausdruck verwendete er sowohl für das veröffentlichte erste Kapitel wie für das ganze Werk. Ebenso hält es Kafka im Tagebuch; hier tritt als Bezeichnung für das ganze Werk «Der Verschollene» hinzu (in der Jahresbilanz seiner Werke vom Silvester 1914, S. 453). Zu Janouch – der vom unveröffentlichten Rest des Romans nichts wußte – sprach Kafka immer nur vom «Heizer».

Brod fügt aus eigener Erinnerung hinzu (Nachwort und Biographie), Kafka habe das Werk den «Heizer» oder seinen «amerikanischen Roman» genannt; und er nahm sich deswegen als Herausgeber die Freiheit heraus, die Dichtung unter dem Titel «Amerika» zu veröffentlichen, was ihm heftige Vorwürfe eingetragen hat. Tatsächlich kann man sich nur schwer vorstellen, daß Kafka diese schroffe Bezeichnung gebilligt hätte, welche dem Werk – offensichtlich der Auffassung Brods entsprechend – eine optimistischere Färbung gibt. Wie später in den Kapiteln über das Oklahomafragment und das Traumland Amerika dargelegt werden wird, glaube ich zwar, daß es Augenblicke gab, da Kafka ein freundlicheres Ende von Karl Roßmanns Schicksal ins Auge fassen konnte; allein es ist wohl ausgeschlossen, daß das mehr als momentane Anwandlungen waren.

Anderseits kursiert das Buch nun einmal unter dem unangebrachten Titel «Amerika», und es dürfte für die nächste Zeit unmöglich sein, diesen Zustand zu ändern. Es wirkt – leider – immer noch gezwungen, wenn jemand nur vom «Verschollenen» spricht. Ich habe mir so zu helfen versucht, daß ich hie und da den Ausdruck «Amerika» verwende und sonst entweder vom «Verschollenen» oder neutral vom «Amerikaroman» spreche. Die Bezeichnung «Heizer» brauche ich, um Verwechslungen vorzubeugen, nur für das erste Kapitel.

Zitate

Zitate sind immer in Anführungszeichen gefaßt (« »), direkte Rede oder weitere Zitate innerhalb des zitierten Textes in hohe Anführungszeichen (‘ ’); die Herkunft des Zitates steht in Klammern dabei mit Band oder Buch und Seitenzahl. Wo in der Klammer bloß eine Seitenzahl steht, bezieht sie sich auf das im Text gerade genannte Buch; ist aber vorher kein Buch genannt, so gilt sie für die vorliegende Untersuchung selbst. Hie und da sind für die Bände der Kafka-Ausgabe Abkürzungen verwendet: T. für die Tagebücher, H. für den Band «Hochzeitsvorbereitungen auf dem Lande», J. für Janouchs «Gespräche».

EINLEITUNG

Der erste Eindruck und die Deutungen des Romans

Wenn wir uns nach der Lektüre von Kafkas bekannteren Romanen «Der Prozeß» und «Das Schloß» seinem frühesten Romanwerk zuwenden, empfängt uns gleich im ersten Abschnitt eine unerwartete Atmosphäre.

«Als der sechzehnjährige Karl Roßmann, der von seinen armen Eltern nach Amerika geschickt worden war, weil ihn ein Dienstmädchen verführt und ein Kind von ihm bekommen hatte, in dem schon langsam gewordenen Schiff in den Hafen von New York einfuhr, erblickte er die schon längst beobachtete Statue der Freiheitsgöttin wie in einem plötzlich stärker gewordenen Sonnenlicht. Ihr Arm mit dem Schwert ragte wie neuerdings empor, und um ihre Gestalt wehten die freien Lüfte.»

Erstaunt stellen wir fest, daß Kafka seinen jungen Helden in den ersten Abschnitten des Romans lachend und übermütig, unter dem aufstrahlenden Licht der Freiheitsgöttin in den Hafen von New York einfahren läßt, das Tor zum Land der unbegrenzten Möglichkeiten. Daß Kafka solche Helligkeit beschwört, sticht so auffällig von seinem üblichen Gebaren ab, daß wir uns nicht der Vermutung enthalten können, dem liege eine mehr oder minder deutliche Absicht des Dichters zugrunde. Sollte er sich anstrengen, einmal das Dunkle, Bedrohliche seines Gemüts durch das Aufbieten hellerer Kräfte zu bannen?

Lassen wir uns einmal probeweise von diesem ersten Eindruck leiten! Unsere Ahnung, daß auch dunklere Kräfte eine Rolle spielen werden, scheint sich gleich in den nächsten Abschnitten zu bestätigen. Unmittelbar nach dem verheißungsvollen Anfang führt Kafka Karl Roßmann auf der Suche nach dem vergessenen Regenschirm in die unteren Gänge des weiten Schiffsbauchs zurück, wo er sich hoffnungslos verirrt. Wir empfinden es nun als das Walten von Kafkas unbewußter Einbildungskraft, daß er im Einleitungsabschnitt der Freiheitsgöttin statt der Fackel ein Schwert in die Hand gibt. Das würde darauf hindeuten, daß Kafka ein gefährliches Wagnis unternimmt, wenn wirklich der Roman zum Ort bestimmt sein sollte, wo er seine unausgegorenen Neigungen einen Kampf austragen läßt, und mit besorgter Spannung folgen wir ihm in dieses Abenteuer hinein.

Als Träger von Kafkas Lebens- und Freiheitswillen könnten wir mit guten Gründen den jungen Helden des Romans, Karl Roßmann, in Anspruch nehmen. Der Dichter stattet ihn beim Start gerade mit so viel äußerer Mitgift aus, daß er nicht verhungert; einen Koffer mit der nötigsten Ausrüstung in der Hand, reist er in Amerika ein und muß da, auf sich selbst gestellt, ein neues Leben aufbauen. Und tatsächlich strebt er in allen Lebenslagen unermüdlich nach dem Guten, will sich bewähren, setzt sich für das Gerechte ein, ohne andere Hilfe als seinen guten Willen, und noch in den verzweifeltsten Situationen gibt er den Kampf nicht auf. Indessen scheinen starke Kräfte am Werk zu sein, die dieses Streben durchkreuzen. Wie von einem undurchsichtigen Schicksal gesteuert, treffen ihn immer wieder die Schläge, welche alle Anstrengungen zunichte machen und ihn aus den erlangten Stellungen hinausdrängen; einmal entgeht er gar nur knapp dem Gefängnis. Auch die Menschen, mit denen es Karl zu tun bekommt, könnten wir zwanglos in diese Deutung einordnen. Es gibt Böse im Roman, wie Green, Delamarche und den Oberportier, und Gute, wie die Oberköchin und Therese; auch die übrigen Personen erhalten ihr charakteristisches Profil je nach ihrer Einstellung zu Karls Streben: Der Onkel ist undurchsichtig, Pollunder und Robinson sind gutmütig, aber verständnislos und ohne Einfluß, der Oberkellner rücksichtslos, ohne die Einfühlung, die das Gute und Gerechte nötig hat.

In dieser Weise etwa könnten wir uns die Vorkommnisse in diesem Roman nicht ungeschickt und ohne offene Widersprüche zurechtlegen. In der Tat ist man allgemein darüber, daß es darin um einen Kampf von guten und bösen Kräften gehe, ziemlich einer Meinung; in der Diskussion um Kafka ein seltener Fall. Da Kafka aber den Roman nicht zu Ende geführt hat, entzündete sich ein Streit über der Frage, wie wohl dieser Kampf hätte ausgehen sollen; und da man von der Antwort sogar öfters auf

Kafkas Haltung zur Welt überhaupt schloß, nahm die Auseinandersetzung überaus heftige Formen an. War es Kafka möglich, die Welt weniger beklemmend zu erleben? Diese Ansicht vertritt entschieden sein Freund Max Brod. Er stützt sich auf Kafkas mündliche Andeutungen über einen glücklichen Ausgang und kann als direkte Zeugnisse den nie erlahmenden Eifer Karls im Lebenskampf, seine jugendliche Unschuld und seinen ausgeprägten Gerechtigkeitssinn anführen. Oder sollte gerade umgekehrt gezeigt werden, daß auch der beste Wille des Einzelnen in der modernen Gesellschaft scheitern muß? Für diese Deutung erheben sich gewichtige Stimmen, und ihr stärkstes Argument ist die bekannte Tagebuchnotiz vom 30. September 1915:

«Roßmann und K., der Schuldlose und der Schuldige, schließlich beide unterschiedslos strafweise umgebracht, der Schuldlose mit leichterer Hand, mehr zur Seite geschoben als niedergeschlagen.»

Daß Kafka das Thema von «Amerika» im Oklahomakapitel noch einmal aufgenommen und visionäre Ausblicke gegeben, aber bald auch diesen Ansatz wieder abgebrochen hat, spielt in der Diskussion eine verhängnisvolle Rolle. Das Kapitel rief die wildesten Deutungen hervor. Norbert Fürst will im vollendeten Roman, so wie er ihn rekonstruiert, eine streng aufgebaute Allegorie des Menschenlebens in seinem sozialen Aspekt sehen, und Alfred Borchardt kommt gar zum Schluß, Kafka habe mit diesem Roman das Gesuch um Aufnahme in die katholische Kirche gestellt (S. 201). Gemäßigtere Forscher schreiben etwa:

«Karl Roßmann möchte nicht in der seelenlosen Maschinerie der modernen Welt zermalmt werden» (H. S. Reiß, S. 116);

«Der Heizer, ein prägnanter Untergebener im Konflikt mit seinen Vorgesetzten, verliert den letzten Versuch um Gerechtigkeit mangels konventioneller Glätte» (W. G. Klee, S. 21/22);

«Die innere Gewißheit des Rechts scheitert an der 'Disziplin' der Gesellschaft» (Emrich, S. 234);

«Das Fortschreiten von 'Amerika' ist eine Entwicklung der Welt, eine Offenbarung ihrer Mächte, so wie sie sich an Karl ausspielen» (Herbert Tauber, S. 36).

Daß es in «Amerika» um einen Kampf zweier Mächte geht, nehmen also alle ernsthafte Deuter als Grundlage an, und fast einhellig, außer Tauber, sehen sie die Antagonisten als «Individuum und moderne Gesellschaft». Von diesen zwei Voraussetzungen können wir nur die erstere mit gutem Gewissen übernehmen; gegen die zweite, die sozialkritische Deutung des Antagonismus, erheben sich bedeutende Widerstände. Einen Roman mit dem angedeuteten Inhalt als Lebensbeschreibung eines unschuldigen Einzelnen zu empfinden, der gegen eine böswillige Umwelt kämpft, liegt zwar nahe; diese Auskunft befriedigt aber vor allem dann nicht, wenn man sich ganz auf seine eigentümliche Atmosphäre einläßt. Sollte er wirklich nichts anderes sein als eine Anklage gegen die moderne Massengesellschaft? Mit diesem Ziel und mit demselben Handlungsgerüst hätte man beliebig viele Romane ausstatten können, die nichts mit der unverwechselbaren, sich in jedem Satz ausdrückenden Eigenart des «Verschollenen» gemein hätten.

Sind wir gegen die sozialkritische Auslegung einmal mißtrauisch geworden, dann entdecken wir auch, daß sich ihre Anhänger meist nicht unvoreingenommen dem Eindruck des Werks hingeben, sondern es in ein vorgegebenes Schema von Kafkas Welt pressen. Alfred Borchardt gibt dafür nur das abschreckendste Beispiel. Die Willkür regiert auch in Norbert Fürsts Untersuchung; zwar betont er angelegentlich seine Werktreue, unterstellt sie aber dem erklärten Ziel, Kafkas Werke als Allegorien zu entlarven. Wolfhart Gotthold Klee ist aus der Voreingenommenheit kein Vorwurf zu machen, denn ihm geht es um das Sammeln von Motiven und Leitideen der expressionistischen Erzählliteratur; damit kann und will er gar nicht Kafkas Individualität erfassen. Max Brod selber hat nie verborgen, daß er bei allem Kommentieren der Werke seines Freundes die Hauptaufgabe darin sah, die düsteren Züge von Kafkas Welt aufzuhellen, und dafür findet er neben den Reflexionen vor allem im «Verschollenen» Gelegenheit, dessen Titel er schon in «Amerika» abänderte. Wohltuend diskret wirkt H. S. Reiß. Er geht sorgfältig den Ideen nach, die Kafka bei der Abfassung seiner Werke geleitet haben. Auch damit erfaßt er aber nur eine isolierte Schicht; Kafkas Werke erscheinen bei ihm als Illustrationen zu modernen Gedanken über das Thema «Das heutige Leben», und dem «Verschollenen» sind darin nur fünf zusammenhängende Seiten gewidmet, in denen natürlich sein verschlungenes Ganzes nicht sichtbar werden kann.

Die größten Überraschungen erwarten uns aber in Emrichs Buch. Wegen der gewaltigen Arbeit, die dahinter steckt, seiner Vollständigkeit und vielen verdienstvollen Einsichten muß es heute als Standardwerk gelten. Umso betrüblicher sind seine gefährlichen Mängel. Um seine Thesen zu beweisen, manipuliert Emrich nicht selten Kafkas Aussagen sehr willkürlich. Im dreißigseitigen «Amerika»-Kapitel stellt er damit sein ganzes Deutungsgebäude in Frage. Wir schlagen einige seiner Zitate im Original nach und finden beim Vergleich:

Emrich, S. 228: «Entsprechend 'war' den 'Hafenbeamten ... die Taschenuhr, die sie jetzt vor sich liegen hatten ... wichtiger als alles, was im Zimmer vorging und vielleicht noch geschehen konnte'.»

«Amerika», S. 40: An der zweiten Stelle, wo Pünktchen sind, steht ein einziges Wort: «wahrscheinlich». Emrich hat es offenbar unterdrückt, weil es dem Zitat den objektiven Charakter genommen, die Aussage, die er brauchte, zur momentanen Stimmung degradiert hätte.

Auf Seite 227 schließt Emrich aus dem Abschnitt über den ruhelosen Hafenbetrieb («Amerika», S. 25): «Der Mensch ist nicht Herr seiner Arbeitswelt, sondern 'hilflos' ihr ausgesetzt wie in Urzeiten die Primitiven den Naturgewalten der 'Elemente'. Die Industriewelt vollzieht, ohne es zu ahnen, die Rückkehr in die archaische Vorzeit ...»

Dabei ist auch diese Stelle im Heizerkapitel bloßes Stimmungsbild; noch kurze Zeit vorher (S. 19) sieht Karl das Meer als fröhliche Bewegung, die ihm ein Gefühl von Sicherheit gibt. Davon ist bei Emrich nicht die Rede.

Auf Seite 259 sagt Emrich, um den Unterschied zur Gesinnung Josef K.s hervorzuheben, von Karl Roßmann: «Er hält sich nicht für unschuldig: 'Schuld also bin ich', sagt er beim Verhör (A 211).» Man ist beim Nachschlagen höchlich erstaunt, den vollständigen Satz bei Kafka so zu lesen:

«'Schuld also bin ich', sagte Karl und machte eine Pause, als warte er auf ein freundliches Wort seiner Richter, das ihm Mut zur weiteren Verteidigung geben könnte, aber es kam nicht, 'schuld bin ich nur daran, daß ich den Mann – er heißt Robinson, ist ein Irländer – in den Schlafsaal gebracht habe. Alles andere, was er gesagt hat, hat er aus Betrunkenheit gesagt und ist nicht richtig.'»

Man kann aus diesen drei Beispielen (sicher die Hälfte von Emrichs Zitaten aus «Amerika» ließe sich auf ähnliche Weise anfechten!) herauslesen, woran alle diese Auslegungen kranken: Sie übernehmen ungeprüft alle Urteile und Darstellungen aus «Amerika» als weltanschauliche Beiträge Kafkas zu einer Kritik der modernen Welt und Industriegesellschaft; sobald man sie aber im Zusammenhang der Stelle liest, erkennt man, daß sie nichts anderes wiedergeben als eine momentane Stimmung, gesehen mit den Augen eines Sechzehnjährigen, der sich, fast kindlicher noch, als es seinem Alter entspräche, als bloßer Spielball von guten und bösen Mächten vorkommt. Ob dahinter Kafkas eigene Ansicht steht – das, meinen wir, ist aus dem Roman nicht auszumachen, mindestens nicht auf Grund der Argumente, die bisher vorgelegt wurden.

Wir wollen das an Beispielen anschaulich machen und sehen uns dazu die Geschichte mit dem Heizer an. So unglaublich es klingt: Auch bei genauer Prüfung des Textes finden wir kein explizites Zeugnis, keine Andeutung dafür, daß die Gerechtigkeit beim Streit mit dem Obermaschinisten Schubal auf seiten des Heizers steht. Aus dem Kapitel wird bloß deutlich, daß Karl dem Heizer die Anschuldigungen aufs Wort glaubt und sofort mit jugendlichem Eifer für ihn Partei ergreift. Erfahrene Menschen würden mit dem Urteil zurückhalten und zumindest befinden, daß der Fall zu jenen gehört, wo aus der Antipathie zweier Menschen fast notwendig Streit entsteht, ohne daß man dem einen oder andern die Schuld zumessen könnte. Und genau so verhalten sich auch, nach allem, was im Roman von ihnen berichtet wird, die Schiffsoffiziere im Kapitänsbüro. Die Äußerung des Kapitäns über den Fall, von der wir erfahren, zeugt vom Willen, gerecht zu urteilen; auf die Anwürfe des Oberkassiers gegen den Heizer antwortet er:

«Hören wir den Mann doch einmal an. Der Schubal wird mir sowieso mit der Zeit viel zu selbständig, womit ich aber nichts zu Ihren Gunsten gesagt haben will» (S. 23/24).

Und wenn wir uns ganz unbeirrt von Karl Roßmanns Perspektive an die bloßen Tatsachen halten, die in ihr mitgeteilt werden, so kommen wir kaum zu einem günstigen Urteil über den Heizer. Im ersten Gespräch mit Karl weckt er kein Vertrauen. So redet nicht die ruhige Sicherheit des Mannes, der sich im Recht weiß, sondern gekränkte Eitelkeit. Seine Klage über Schubal (S. 14) wird nicht durch das Gefühl erlittenen Unrechts ausgelöst, sondern durch Karls Verdacht gegen fremde Ausländer, der ihm sofort sein eigenes Ressentiment entlockt. Er behandelt Karl zuerst mit mitleidigem Wohlwollen, alsbald wieder verärgert, wie ein Junge, der einen noch Jüngeren seine Überlegenheit fühlen lassen will. Auch bei der Verhandlung seines Falles im Kapitänsbüro zeigt sich diese Unausgeglichenheit; zuerst ist er übereilt, gleich darauf musterhaft ruhig, dann muß Karl selbst feststellen, daß man aus seinen vielen Reden nichts Eigentliches erfahre, schließlich redet er verworrenes Zeug durcheinander und beginnt sogar mit Karl zu streiten – all das nach Karl Roßmanns eigenen Beobachtungen. Und das soll ein «prägnanter Untergebener im Kampf gegen konventionelle Glätte» sein! Viel eher glauben wir dem Urteil des Oberkassiers, der ihn als bekannten Querulanten bezeichnet. Zu seinen Gunsten finden wir im ganzen Kapitel nichts als seine eigenen Aussagen – und sein Bild in Karls Augen, auf welches die Interpreten so bedenkenlos bauen.

Und wie vertrauenswürdig ist dieses Bild? Nach dem ersten Ausbruch des Heizers über die ungerechte Behandlung, die ihm zuteil wird, hat Karl seine Meinung gemacht und jede Fähigkeit, die Dinge abzuwägen, verloren; ja er sieht sie überhaupt nicht mehr unverfälscht. Vor den Schiffsoffizieren legt er Wort für Wort dar, was er vom Heizer ein einziges Mal gehört hat; er verschweigt absichtlich die kurze Dauer ihrer Bekanntschaft, um seine Glaubwürdigkeit zu erhöhen (S. 22), und lügt vorsätzlich zum Vorteil des Heizers (S. 27). Dafür tritt er Schubal von vornherein mit Abneigung entgegen. Ohne ihn je gesehen zu haben, nur auf die gehässigen Anklagen des Heizers sich stützend, erklärt er den Offizieren: «Es ist hier ein gewisser Schubal, der ihm aufsitzt.» Wie Schubal eintritt, ist Karls unmittelbare Reaktion: «Und da war also der Feind.» Schubals Bosheit setzt er sofort als feste Größe in seine nun folgenden Überlegungen ein:

«Wenn sich auch Schubal gut verstellen konnte, er mußte es doch durchaus nicht bis zum Ende aushalten können. Ein kurzes Aufblitzen seiner Schlechtigkeit sollte genügen, um sie den Herren sichtbar zu machen, dafür wollte Karl schon sorgen» (30).

Kein Wunder, daß er in Schubals erster Rede, obwohl sie ihm einen klaren Eindruck macht, sofort Löcher sucht und findet (31).

Meinen Eindruck vom Heizerkapitel würde ich etwa so zusammenfassen: Wir begegnen einem sechzehnjährigen Jungen mit allen Kennzeichen seines Alters. Unsicher in der Welt, unterliegt er starken Stimmungsschwankungen. Man denke daran, wie er das Meer empfindet – einmal fröhlich bewegt, einmal unruhig und bedrohlich. Er hat ein starkes Bedürfnis, sich fürs Gerechte einzusetzen, weiß aber nicht, wie schwer es in der Praxis vom Unrechten zu scheiden ist. So übernimmt er ungeprüft die Anklagen des Heizers gegen Schubal und setzt sofort seine ganze Jugendkraft für diesen Kampf ein, dessen Ausgang er nicht mehr erlebt; die Entscheidung wird aber unzweifelhaft und vermutlich gerecht gegen den Heizer ausfallen.

Eine solche Konzeption steht nicht nur im klaren Gegensatz zu den vorliegenden Deutungen von «Amerika», sondern ist geeignet, auch das wenige, worüber man sich bei Kafka einig war, in Zweifel zu ziehen: daß hier ein Einzelner gegen eine verlogene Weltordnung den Kampf für Wahrheit, Gerechtigkeit und Menschlichkeit auf sich nehme. Was wir aber bisher vorlegen konnten, erscheint vorerst bloß als unverbindliche Deutung neben anderen. Dankbar erwähnen wir hier die Romanbesprechung Joachim Kaisers «Glück bei Kafka[1]». Er legt auf knappem Raum ähnliche Ansichten dar:

«Karl ergreift tapfer und unbesonnen die Partei eines wildfremden Heizers»; «Der Leser sieht nie die Welt, sondern nur, wie sie in diesem harmlosen Kinde sich spiegelt, das möglicherweise nicht imstande ist, einzusehen, was wirklich geschieht.»

Wir stehen also mit unserer Auffassung nicht ganz allein. Aber mit den bisher in der Diskussion angewendeten Mitteln lassen sich diese Fragen nicht schlüssig beantworten. Wir müssen tiefer in das eigentümliche Reich dieses Romans eindringen.

Traditionelles und Individuelles im «Verschollenen»

Unsere erste Frage ist, ob sich nicht im «Verschollenen» Elemente finden, die wir unzweifelhaft verstehen, Werkschichten, die

[1] Besprechung von «Amerika» bei seinem Erscheinen 1953, in den «Frankfurter Heften», 2. Jahrgang, 4. Heft, April 1954, S. 300–303.

offensichtlich an Bekanntes, Allgemeinzugängliches appellieren. Und da stellen wir denn fest, daß der «Verschollene» der am Ende des 19. Jahrhunderts überlieferten Romanform überraschend nahe steht. Kafka verstrickt sich darin noch nicht in endlose Zweifel wie später; die Perspektive ist noch nicht so beklemmend eng wie im «Schloß»; es fehlt jener fahle Schein durchdringender Unwirklichkeit, welcher den Leser von «Prozeß» und «Schloß» so unausweichlich in seinen Bann zieht. «Amerika» ist eine Erzählung von Episoden, die einer reicher ausgestatteten Hauptperson, einem richtigen Romanhelden, in der Welt begegnen; Karl Roßmann bei der Einfahrt in New York, im Hause des Onkels, im Landhaus Pollunders, auf dem Weg nach Ramses, im Hotel «Occidental», in der Wohnung Delamarches: Das sind die Stationen, von Kafka selbst in Kapitel abgeteilt und sinngemäß betitelt (nach Brods Nachwort zur 3. Auflage, S. 361). Damit entspricht «Amerika» der Grundstruktur des europäischen Romans, wie er im 19. Jahrhundert ausgebildet vorliegt. Wir können sogar den Ort des «Verschollenen» in dieser Tradition genau bestimmen. In ihm überschneiden sich zwei Einflußzentren des realistisch-naturalistischen Romanzweiges: Flaubert und Dickens. Kafkas Vorliebe für den ersteren ist bekannt. Flauberts Vorbild hat ihn beim «Verschollenen» in Sprache und Sprachdisziplin bestimmt wie auch in der Beschränkung des dichterischen Interesses auf den Kreis des schlicht Alltäglichen. Unterschieden hingegen von Flauberts Kunst ist «Amerika» durch die unüberhörbare sozialkritische Tendenz, welche Kafka in die Nähe von Dickens rückt. Es ist kaum Zufall, daß in Kafkas paar Äußerungen über «Amerika» gerade diese beiden Dichternamen fallen, der Flauberts zweimal aus äußerem Anlaß (Tagebuch, S. 280 und 463), der von Dickens mit bedeutendstem Gewicht:

«Dickens' 'Copperfield' ('Der Heizer' glatte Dickensnachahmung, noch mehr der geplante Roman). Koffergeschichte, der Beglückende und Bezaubernde, die niedrigen Arbeiten, die Geliebte auf dem Landgut, die schmutzigen Häuser u. a., vor allem aber die Methode. Meine Absicht war, wie ich jetzt sehe, einen Dickens-Roman zu schreiben, nur bereichert um die schärferen Lichter, die ich der Zeit entnommen, und die mattern, die ich aus mir selbst aufgesteckt hätte. Dickens' Reichtum und bedenkenloses mächtiges Hinströmen, aber infolgedessen Stellen grauenhafter Kraftlosigkeit, wo er müde nur das bereits Erreichte durcheinanderrührt. Barbarisch der Eindruck des unsinnigen Ganzen, ein Barbarentum, das allerdings ich, dank meiner Schwäche und belehrt durch mein Epigonentum, vermieden habe. Herzlosigkeit hinter der von Gefühl überströmenden Manier. Diese Klötze roher Charakterisierung, die künstlich bei jedem Menschen eingetrieben werden und ohne die Dickens nicht imstande wäre, seine Geschichte auch nur einmal flüchtig hinaufzuklettern» (Tagebuch, S. 535/36).

Der «glatten Dickensnachahmung» bezichtigt sich Kafka! Das ist zweifellos übertrieben, wenn wir nur die grundverschiedene Atmosphäre etwa des «Davis Copperfield» oder des «Oliver Twist» mit der von «Amerika» vergleichen. Bestimmte Parallelen aber sind frappant. So ist die Struktur der Personenwelt in Kafkas Roman dieselbe wie in Dickens' Kindergeschichten: ein junger, unverdorbener Junge muß, auf sich allein angewiesen, seinen Weg durch die Erwachsenenwelt mit ihren bösen und gutmütigen Gestalten suchen. Einzelne Motive, Kafka zählt sie selber auf, hat er direkt übernommen; sie sind in unserem Naturalismuskapitel zusammengestellt (siehe S. 72).

Diese starken Bande zur Tradition im «Verschollenen» haben wir gebührend in Rechnung zu stellen, gerade wenn wir das Eigene, Neue an Kafkas Roman, dem natürlich unser ganzes Interesse gilt, in den rechten Proportionen sehen wollen. Es scheint, daß wir es mit dem Erstlingsroman eines eigenartig angelegten Geistes zu tun haben, der sich bei seinen ersten Gehversuchen noch vorsichtig der überlieferten Formelemente als Gerüst bedient. Den eigenwilligen Geist, der es benützt, hieße es gewiß vergewaltigen, wollten wir ihn aus dem lebendigen Zusammenhang lösen, in dem er erscheint.

Nichtsdestoweniger dürfen und müssen wir uns fragen, wohin ihn denn seine tiefere Neigung zieht; und da dürfen wir nun ganz unserem Empfinden nachgeben. Erregt und aufs bestimmteste spüren wir, daß da unter der konventionellen Oberfläche ein untergründiger Strom fließt, der am Roman das Wesentlichste ist und ihn als Bekenntnis einer ungewöhnlichen, einzigartigen Individualität erscheinen läßt. Den «Verschollenen» zu lesen als «Kampf eines unschuldigen einzelnen gegen die moderne

Massengesellschaft» – das wäre dagegen geradezu konventionell. Sein eigenes Gesicht erhält der Roman bestimmt nicht von der «Absicht, einen Dickens-Roman zu schreiben». Kafka selbst weist uns mit der Bemerkung «die schärferen Lichter, die ich der Zeit entnommen» auf eine Spur eigenen Willens hin. Unwillkürlich denken wir bei diesem Ausdruck an die Zuspitzung der sozialen Gegensätze im Lauf des 19. Jahrhunderts. Nun ist dem Amerikaroman eine gewisse Dosis sozialkritischer Schärfe nicht abzusprechen; aber daß sie größer sei als bei Dickens, würde wohl auch Kafka nicht behaupten können. So muß denn seine eigene Zutat auf anderem Gebiete liegen. Ton und Gehalt der Tagebucheintragung weisen uns denn auch in eine ganz andere Richtung. Kafka behandelt die inhaltlichen Parallelen recht lässig und legt das Schwergewicht auf die «Methode», der er auch die «schärferen Lichter aus der Zeit» zurechnet. Tatsächlich ist im folgenden nur noch von Stilistischem die Rede: von Dickens' Reichtum und mächtigem Hinströmen, von Barbarentum, Herzlosigkeit, Manier, Klötzen roher Charakterisierung; und umgekehrt von Kafkas Epigonentum, das ihn instand setzte, diese Roheit zu vermeiden. Kafka meint also wohl mit den «schärferen Lichtern» die naturalistische und psychologische Verfeinerung, die den Jünger Flauberts von Dickens' grober Holzklotzmanier unterscheidet.

Was aber mit den «mattern, die ich aus mir selbst aufgesteckt hätte»? Zweifellos berührt Kafka damit rasch und scheu jenen Bezirk, den der Leser ganz im besonderen als «typisch Kafka» empfindet und der ihn am meisten fasziniert, jene bekannte und doch fremde Welt, die ihn geheimnisvoll anzieht und deren Atmosphäre auch der Erstlingsroman durch alle sekundären Absichten hindurch ausstrahlt. So sicher wir uns aber beim Nachweis der Elemente fühlten, die Kafka mit der Tradition verbinden, so vorsichtig stimmen uns die Erfahrungen, die bisher beim Ergründen dieses innersten Bezirkes von Kafkas scheuer Seele gemacht wurden. Wir gehen darum an dieser Stelle mit größtmöglicher Umsicht vor und suchen zunächst die merkwürdige Wirkung Kafkas in aller Naivität und ohne Anspruch auf Endgültigkeit bloß wiederzugeben. Jeder Leser wird bei der Lektüre von «Amerika» ohne Zweifel Verwunderung, Erstaunen und schließlich Befremdung empfinden. Sehr bald, und wieder und wieder, finden wir uns von allem Gewohnten weit entfernt, obwohl wir mit Augen lauter Gewohntes feststellen; wir spüren das Befremden aufs gewisseste und können doch nicht sagen, wie eigentlich, warum, und nicht einmal, wo. Dabei haben wir gar nicht den Eindruck, das Unverständliche sei gewollt, wie etwa bei dadaistischen Versuchen, im Gegenteil: Wir fühlen uns immer dringender aufgefordert, einen Sinn dahinter zu suchen. Immer stärker fasziniert und immer mehr befremdet, lesen wir den Roman zu Ende und stehen nach seinem Abbrechen in ratlosem Staunen vor dem, was sich in diesem Werk und in uns abgespielt hat.

Das ist eine negative, inhaltslose Bestimmung, aber die stärkste und – seien wir ehrlich – zunächst einzige, die sich mit unmittelbarer Evidenz in Worte fassen läßt. Wie hier weiterkommen? Wir sehen nur einen Weg. Anstatt dieses Befremdliche sofort zu deuten, beschränken wir uns vorerst darauf, es genauer zu beschreiben. Wo finden wir es bei Kafka vor? Läßt es sich genau lokalisieren? Wie tritt es auf? Gehört es ihm spezifisch zu, oder erscheint Vergleichbares bei andern Zeitgenossen? Wie läßt es sich adäquat beschreiben? Wir sehen einmal zu, wie weit wir es mit solchen Fragen bringen, die Ursprung und Tiefe ihres Gegenstandes noch bewußt offenlassen und sich mit der vorläufigen Umschreibung begnügen, daß es sich jedenfalls um etwas Befremdliches handelt, das erfahrungsgemäß unsere ersten Annäherungsversuche zurückweist. Gewinnen wir in diesem bescheidenen Spielraum eine befriedigende Sicherheit, so können wir unsere Ziele weiterstecken.

So lassen sich zwei Etappen unserer Arbeit absehen. Erst in der zweiten versuchen wir, in die Tiefen des Werks zu dringen. Während der vorbereitenden Fragen richten wir unseren Blick auf die ganze Breite von Kafkas Werk und Leben, damit uns keine der vielgestaltigen Regungen seines merkwürdigen Innern von vornherein verschlossen bleibe, das sich oft enthüllt, wo man es nicht erwartet. Anschließend suchen wir, noch in der ersten Etappe, auch in der engeren künstlerischen Umgebung des «Verschollenen» heimisch zu werden: in der ersten, ein rundes Jahrzehnt dauernden Phase von Kafkas dichterischen Bemühungen. Sie wächst aus den Schreibversuchen des Gymnasiasten heraus und wird markant beendet durch die Eruption der Werkgruppe vom Herbst 1912, in welcher der Amerikaroman zwischen dem «Urteil» und der «Verwandlung» den mittleren Platz einnimmt.

I. TEIL:

STUDIEN AUF DEM WEG ZUM AMERIKAWERK

Übung im Umgang mit Kafka
Die Zeitgenossen, Verwandtes und Unterschiede – Kafkas frühe Entwicklung und die künstlerische Eruption im Herbst 1912

Versuch, Kafkas befremdliche Grunderfahrung zu lokalisieren

Anstatt direkt nach dem Wesen des Befremdenden in Kafkas Werk zu fragen oder es gar zu beschreiben, suchen wir es vorerst bescheiden zu lokalisieren – das heißt, wir suchen einfach einen Ort, wo es sicher auftritt. Findet sich in Kafkas Werk irgendwo etwas, was sein Leben ganz unzweifelhaft diesem Befremden verdankt?

Tatsächlich gibt es eine reichlich dotierte Abteilung in Kafkas Werk, die ihn offensichtlich darum immer wieder angezogen hat, weil er darin diese Erfahrung niederlegen konnte: die Tiergeschichten. Es ist ja merkwürdig, wie sich diese Gattung, welche im Zeitalter des Naturalismus jede Bedeutung verloren hatte, im Schaffen dieses modernen Erzählers einen festen Platz eroberte. Und höchst aufschlußreich ist der neue Sinn, den die Tiergeschichten bei Kafka gewinnen. Im Märchen, in der Fabel und auch in einer Geschichte wie Gottfried Kellers «Spiegel das Kätzchen» betrachten ja Erzähler und Zuhörer vergnügt die Tierwelt und unterlegen ihr Züge der Menschengesellschaft. Kafka dagegen findet sich selbst in die Tierperspektive gebannt. Gregor Samsa fühlt sich in einen Käfer verwandelt, im «Bericht für eine Akademie» legt der Berichterstatter sein äffisches Vorleben nieder; aus den späteren Geschichten ist sogar die Erinnerung an die Verwandlung verschwunden, ein Tier erzählt von seiner

Welt, wie wenn das selbstverständlich wäre: die Maus vom Volk der Mäuse und der Sängerin Josefine, der Hund von seinen Forschungen, und ein maulwurfartiges Tierwesen vom Leben im «Bau».

Wir versuchen die tiefere Bedeutung der Tierperspektive für Kafka einmal vorsichtig und möglichst neutral so zu formulieren: Sie erlaubt ihm die Erfahrung auszudrücken, daß er anders in die Welt hineinsieht als ein gewöhnlicher Mensch. Diese Erfahrung scheint zum Zentrum seines dichterischen Anliegens zu gehören. Sie ist im Werk viel weiter verbreitet als bloß in den Tiergeschichten, wir erkennen sie auch unter vielfältigen anderen Erscheinungsformen. Es gibt im allgemeinen Sprachgebrauch die Wendung «mir schwankt der Boden unter den Füßen». Diese Metapher tritt in Kafkas Werk oft als Bild, Situation oder Leitidee einer ganzen Erzählung auf. Sein «Kübelreiter» verliert buchstäblich den Boden unter den Füßen, der Trapezkünstler im «Ersten Leid» hat eine krankhafte Scheu, den Boden zu berühren, und bringt darum sein ganzes Leben auf dem schwankenden Seil zu. Auf dem schwankenden Wasser finden sich der Jäger Gracchus nach seinem verfehlten Sterben, Karl Roßmann beim Antritt seines neuen Lebens und, im «Gespräch mit dem Beter», der «Dicke», dem Kafka folgende Sätze in den Mund legt:

«Jetzt merke ich bei Gott, daß ich von allem Anfang an ahnte, in welchem Zustande Ihr seid. Ist es nicht dieses Fieber, diese Seekrankheit auf festem Lande, eine Art Aussatz?» («Beschreibund eines Kampfes», S. 41).

Schon in seinem frühesten Werk findet Kafka für diesen seltsamen Zustand den trefflichen Ausdruck «Seekrankheit auf festem Lande». Und jeder Liebhaber Kafkas weiß mühelos weitere Beispiele anzufügen. Das Ausgeschlossensein in «Prozeß», «Schloß», «Vor dem Gesetz», das Nichtankommen in «Eine kaiserliche Botschaft», der «Landarzt» auf dem falschen Weg, der «Jäger Gracchus», der aus der richtigen Bahn gerät, Georg Bendemann im «Urteil» und Gregor Samsa in der «Verwandlung» aus der Familie ausgestoßen: Das «Anders als gewöhnlich», eben ein Be-fremden, zieht sich bedeutsam durch Kafkas ganzes Werk. Noch als reifer Dichter widmet er sich seiner Formulierung mit unerhört gesteigertem Einsatz, wie das folgende Fragment aus dem Sammelband «Hochzeitsvorbereitungen» (S. 313), vermutlich vom Jahre 1920, bezeugt:

«Eine heikle Aufgabe, ein Auf-den-Fußspitzen-Gehn über einen brüchigen Balken, der als Brücke dient, nichts unter den Füßen haben, mit den Füßen erst den Boden zusammenscharren, auf dem man gehn wird, auf nichts gehn als auf seinem Spiegelbild, das man unter sich im Wasser sieht, mit den Füßen die Welt zusammenhalten, die Hände nur oben in der Luft verkrampfen, um diese Mühe bestehn zu können.»

Es ist also hinsichtlich Kafkas Schaffen zweifellos erlaubt, von einer ständig anwesenden Grunderfahrung zu sprechen. Dieser Ausdruck bedarf aber sogleich einer Ergänzung, soll er uns nicht zu ganz falschen Schlüssen verführen: Kafka läßt nie davon ab, sie neu zu gestalten. Anscheinend kann sie nicht in bestimmter Gestalt fixiert werden. Daß in aller Begegnung mit der Welt etwas Befremdliches mitschwingt, das er nie restlos befriedigend darstellen kann – diese Erfahrung ist Kafkas alltägliche Begleiterin.

Für unser Unternehmen ist diese Einsicht von bedeutenden Folgen. Dichtungen solcher Art stehen in einem ungewöhnlichen Verhältnis zu den Motiven, die den Dichter leiten. Sie geben Kunde von etwas, was ihn elementar bedrängt – aber sie können das anscheinend nicht adäquat tun, da es zu dessen Wesen zu gehören scheint, daß es sich nicht in einen Sinn fassen läßt, bei dem man sich beruhigen könnte. Damit hängt wohl auch der Umstand zusammen, daß in den frühesten Zeugnissen des Dichters die persönliche Betroffenheit im Zentrum steht, nicht deren dichterische Gestaltung. Kafkas erste bestimmtere Äußerungen beginnen schon zu fließen, wie er kaum zwanzigjährig ist; in den Briefen ab 1902, ab 1904/05 nach Wagenbachs scharfsinnigen Erhebungen im frühesten Werk, «Beschreibung eines Kampfes». Dieser seltsame Erstling scheint einem ersten Abtasten jener Erfahrung gewidmet zu sein[1]; zu ihm gehört auch als Einlage das «Gespräch mit dem Beter», dem wir die Bezeichnung «Seekrankheit» entnahmen. Da ist aber vor allem ein Brief aus dem Jahre 1904, in dem ein unscheinbarer Passus unsere größte Aufmerksamkeit verdient.

[1] Mit dieser Problematik in den frühesten Werken hat sich Emrich eingehend beschäftigt; das Ergebnis seiner Forschungen ist über sein Kafka-Buch verstreut, die Stellen sind am praktischsten nachzuschlagen im Werkregister, S. 441. Eine zusammenfassende Darstellung findet sich am Anfang seines Aufsatzes «Die Bilderwelt Franz Kafkas» in: «Akzente», 2. Heft, April 1960, S. 172–191.

Kafka berichtet darin seinem Freunde Brod neben manchen anderen Erlebnissen aus den Sommerferien auch folgendes:

« ... Als ich an einem andern Tage nach einem kurzen Nachmittagsschlaf die Augen öffnete, meines Lebens noch nicht ganz sicher, hörte ich meine Mutter in natürlichem Ton vom Balkon hinunterfragen: 'Was machen Sie?' Eine Frau antwortete aus dem Garten: 'Ich jause im Grünen.' Da staunte ich über die Festigkeit, mit der die Menschen das Leben zu tragen wissen» (28. August 1904, «Briefe», 29).

Es ist erstaunlich, wie einfach und klar in diesem unverfänglichen Bericht die Erfahrung beschrieben ist, der wir nachspüren: «Da staunte ich über die Festigkeit, mit der die Menschen das Leben zu tragen wissen.» Von dieser Eindeutigkeit sind die zu gleicher Zeit verfaßten poetischen Versuche noch unendlich weit entfernt. Ohne Zweifel ist diese elementare Betroffenheit, die so früh schon ihren klaren Ausdruck findet, dieselbe Erfahrung, die wir durch das ganze Werk verfolgen konnten; diese Anfälligkeit für das Befremdliche an allen Dingen und Ereignissen gehört zum Kern von Kafkas Leben und Dichten.

Erste Merkmale beim Vergleich mit der expressionistischen Zeitströmung. Kafkas Befremden mitten im Alltag.

Wir versuchen jetzt dieses Befremden so weit näher zu bestimmen, als es sich unbezweifelbar belegen läßt. Was ist daran eigenartig und neu? Die Empfänglichkeit für das Ungewöhnliche allein kann es nicht sein; E. A. Poe und E. T. A. Hoffmann, mit denen man Kafka schon verglichen hat[1], führten Jahrzehnte früher das Absurde in die abendländische Literatur ein, und unter den jungen Dichtern Prags war das Phantastische, Verzerrte gerade zur Zeit Kafkas höchst modisch (vergleiche Wagenbach, S. 77–82). Wir sind für diesen Hinweis Wagenbachs höchst dankbar, wie für alles, was uns erlaubt, den isoliert erscheinenden Dichter mit der Zeit in Beziehung zu setzen. In diesem Falle allerdings erschöpfen sich die Beziehungen im Äußerlichen, wie schon Wagenbach selber betont. Mit der artistischen Spielerei der jungen

[1] Zum Beispiel Fritz Martini, in: «Denker und Deuter im heutigen Europa», herausgegeben von Schwerte-Spengler, Hamburg 1954, S. 191.

Prager Literaten hat Kafkas befremdetes In-der-Welt-Sein nicht mehr gemein als den soziologischen Nährboden: die gefährliche Isolation des Deutschtums in Prag um die Jahrhundertwende. Kafka lehnt auch diese künstlerischen Tendenzen entschieden ab (vergleiche Brod, «Biographie», S. 57–62). In diesem Abheben erkennen wir den ersten konkreten Zug von Kafkas charakteristischem Befremden. Jene Zeitgenossen mögen zwar auch etwas von der Unsicherheit der Zeit spüren; aber sie scheinen aus einer recht selbstverliebten Unzufriedenheit in eine phantastisch verzerrte Welt zu flüchten. Kafka hingegen bringt – dieser geistesgeschichtliche Umstand macht ihn bedeutend – diese Voraussetzungen von Hause aus mit. Er will nicht die Wirklichkeit verzerren: Ihm gibt sie so, wie sie ist, schon die größten Rätsel auf. «Das Gewöhnliche selbst ist ja schon ein Wunder!» erklärt er später Janouch (S. 38). Und jetzt bemerken wir die Präsenz des Gewöhnlichen auch in den Äußerungen, die wir bisher bloß zum Nachweis von Kafkas Erschütterung heranzogen. Im kleinen Erlebnis aus den Sommerferien ist es ein triviales Hausfrauengespräch, das Kafkas Staunen erregt; und der zweite Bestandteil des Ausdrucks «Seekrankheit *auf festem Lande*» erweist sich plötzlich als ebenso bedeutend wie der erste. Jetzt verstehen wir Kafkas erstaunliche Wirkung, seine unvergleichliche Suggestionskraft bei Verwendung sparsamster Mittel: Wir müssen bei ihm nie das Gefühl haben, er wolle das Außerordentliche herbeizwingen, man spürt vielmehr, daß es sich ihm von überallher aufdrängt, gegen seinen Willen, ja gegen die größten Anstrengungen. Das manifestiert sich in den Tiergeschichten sehr deutlich. Die ungewöhnliche Perspektive vermag den Dichter durchaus nicht völlig in ihren Bannkreis zu ziehen. Da beschäftigt sich der Hund mit halb wissenschaftlichen Forschungen, das Grabtier mit Bauen, Wohnen, Vorratshaltung und Sicherheit, die Maus mit Singen. Gar in der «Verwandlung» kämpft Gregor Samsa einen verzweifelten Kampf darum, sein ordentliches Leben als Reisender weiterzuführen, so unsinnig das auch scheint. Kafka klammert sich mit aller Kraft ans Gewöhnliche, und die ungewöhnliche Perspektive überwindet ihn erst nach verzweifelter Gegenwehr.

Eben darin unterscheidet er sich von den Expressionisten, denen man ihn hie und da zurechnet. Zweifellos verbindet ihn etwas mit ihnen: das mehr oder weniger deutliche Gefühl, daß man vor einer Zeitwende stehe, jenes Gefühl, welches sich gegen 1910/11 verdichtete, in diesen Jahren offen ausbrach und Deutschlands Jugend rasch ergriff. Es ist das «Weltende» des Jakob van Hoddis, in dem diese Generation ihre Gefühle am treffendsten ausgedrückt fand:

> «Dem Bürger fliegt vom spitzen Kopf der Hut,
> In allen Lüften hallt es wie Geschrei,
> Dachdecker stürzen ab und gehn entzwei,
> Und an den Küsten – liest man – steigt die Flut.
>
> Der Sturm ist da, die wilden Meere hupfen
> An Land, um dicke Dämme zu zerdrücken.
> Die meisten Menschen haben einen Schnupfen.
> Die Eisenbahnen fallen von den Brücken.»

Kurt Pinthus, Mitstreiter und Vertrauter dieser Generation, hat dieses Gedicht, als er ihre Stimmen in seiner Anthologie «Menschheitsdämmerung» vereinigte, wie eine Fanfare an den Anfang gestellt. In diesem vielstimmigen Chor fehlt aber ganz der entschiedene Widerstand gegen den Zerfall, der Kafkas Werk beharrlich durchzieht. Georg Heym etwa starrt den erschütternden Visionen fasziniert ins Auge; ein anderer, Alfred Lichtenstein, wiegt sich in einem unvergeßlichen Vers sanft ins Unvermeidliche ein:

> «Ein Nebel hat die Welt so weich zerstört ...» («Nebel», bei Pinthus S. 59).

Zu seiner pathetischen Wendung aber, mit dem Aufruf zur Umkehr, zur Menschlichkeit, zum Frieden, muß der Expressionismus erst durch ein äußeres Erlebnis aufgerüttelt werden, den Weltkrieg. Vorher verstört nicht, sondern fasziniert seine Wortführer das Unheimliche, das sie herannahen spüren.

Ähnliche Erfahrungen bedeutender Einzelgänger: Musil, Rilke, Hofmannsthal

Aus dem Gegensatz zu den Expressionisten dürfen wir nicht schließen, daß Kafka mit seinen Erfahrungen allein steht. Die

Kräfte, die in dieser Epoche zum Ausdruck drängen, sind nämlich, wie man in der Rückschau erkennen kann, so beschaffen, daß der Expressionismus nur als ihre augenfälligste Erscheinung gelten kann. Ihre eigentlichen Probleme sind so heikel, so schwer zugänglich, daß sie zunächst bloß wie zufällig von verschiedenartigsten Dichtern da und dort berührt wurden, ohne größere Spuren zu hinterlassen. Es sind alles hochsensible Einzelgänger, oft Lyriker, die sich in die üblichen Schemata der Geistesgeschichte schlecht einstufen lassen und sich auch den zeitgenössischen Programmen nicht unterordneten: Thomas Mann, Rilke, Hofmannsthal, Trakl. Bei manchem aus dieser heterogenen Gruppe von Dichtern finden wir an unauffälligen Stellen Erfahrungen ausgesprochen, die bis in unwahrscheinliche Details Kafkas Befremden entsprechen.

Wir erinnern zunächst an einen jungen Dichter, der damals noch kaum die Aufmerksamkeit weiterer Kreise zu erregen vermochte: Robert Musil. In der Talentprobe, die er 1906 vorlegte, den «Verwirrungen des Zöglings Törleß», finden sich Sätze, die uns aufs höchste aufmerken lassen.

«Es kam wie eine Tollheit über Törleß, Dinge, Vorgänge und Menschen als etwas Doppelsinniges zu empfinden. Als etwas, das durch die Kraft irgendwelcher Erfinder an ein harmloses, erklärendes Wort gefesselt war, und als etwas ganz Fremdes, das jeden Augenblick sich davon loszureißen drohte.»

« ... Die Vorstellung dessen, was mit Basini geschah, hatte Törleß völlig entzweigerissen; sie war bald vernünftig und alltäglich, bald von jenem bilderdurchzuckten Schweigen, das allen diesen Eindrücken gemeinsam war ...»

Törleß schreibt, um sich über diese Vorgänge Klarheit zu verschaffen, in sein Tagebuchheft:

«Ich muß krank sein, – wahnsinnig! Wahnsinnig, – oder was ist es sonst, daß mich Dinge befremden, die den anderen alltäglich erscheinen?» (Gesammelte Werke in Einzelausgaben, Band III: Prosa, Dramen, späte Briefe, S. 71 und 95).

Zwar präsentiert Musil diese Gefühle als psychologische Novelle in der Art von Thomas Manns Künstlererzählungen, mit einem Gegenstand, welcher bei den an Ibsen, Dostojewski und Strindberg geschulten Zeitgenossen auf Interesse zu stoßen versprach: homoerotische Verirrungen in einem Knabeninstitut.

Diese Einkleidung paßt aber nur eine ungewöhnliche Erfahrung dem Zeitgeschmack an. Daß es dem Autor um diese ging, spürt der heutige Leser der Novelle auch in solcher Aufmachung deutlich. Kafka geht es übrigens ähnlich. Er steht in der «Beschreibung eines Kampfes» und den «Hochzeitsvorbereitungen» noch keineswegs zu seinen Erschütterungen. Wir glauben lediglich einen Unterschied im Temperament herauszuspüren: Kafka scheint dem rätselhaften Erlebnis viel hilfloser ausgeliefert zu sein.

Sollten noch Zweifel an der Relevanz dieses Vergleichs rege sein, so schwinden sie wohl, wenn wir auch Rilke in seiner ganz anders angelegten Dichtung dasselbe Gefühl aussprechen sehen. Man erinnert sich an den beunruhigenden Gedanken, welcher Malte Laurids Brigge (Rilke schrieb ihn 1909) bald nach seiner Ankunft in Paris überfällt: Er staunt über das oberflächliche Leben der anderen Leute.

«Ist es möglich, daß man Jahrtausende Zeit gehabt hat, zu schauen, nachzudenken und aufzuzeichnen, und daß man die Jahrtausende hat vergehen lassen wie eine Schulpause, in der man sein Butterbrot ißt und einen Apfel? Ja, es ist möglich» («Brigge, Erstes Bändchen», Insel, Leipzig 1910, S. 29).

Dieser Frage liegt offensichtlich dasselbe Erlebnis zugrunde wie Kafkas Satz «... Da staunte ich über die Festigkeit, mit der die Menschen das Leben zu tragen wissen» – bloß reagiert Rilke ganz anders darauf: Er kommt sich darum nicht ausgestoßen vor, sondern fühlt sich im neuen Element sofort heimisch. Mit der Selbstsicherheit des Eingeweihten, welche der bescheidene Ton nicht verbergen kann, antwortet er nämlich nach einer ganzen Reihe ähnlicher Fragen:

«Wenn aber alles dieses möglich ist, auch nur einen Schein von Möglichkeit hat, – dann muß ja, um alles in der Welt, etwas geschehen. Der Nächstbeste, der, welcher diesen beunruhigenden Gedanken gehabt hat, muß anfangen, etwas von dem Versäumten zu tun; wenn es auch nur irgend einer ist, durchaus nicht der Geeignetste: es ist eben kein anderer da. Dieser junge, belanglose Ausländer, Brigge, wird sich fünf Treppen hoch hinsetzen müssen und schreiben, Tag und Nacht: ja er wird schreiben müssen, das wird das Ende sein» (S. 31/32).

Und besorgt, fast väterlich mahnend, wendet er sich später an die anderen, noch nicht Eingeweihten:

«Blättert zurück in euren Tagebüchern. War da nicht immer um die Frühlinge eine Zeit, da das anbrechende Jahr euch wie ein Vorwurf betraf? Es war Lust zum Frohsein in euch; und doch, wenn ihr hinaustratet in das geräumige Freie, so entstand draußen eine Befremdung in der Luft, und ihr wurdet unsicher im Weitergehen wie auf einem Schiffe» («Zweites Bändchen», S. 153).

«Unsicher im Weitergehen wie auf einem Schiffe»! Das ist beinahe wörtlich Kafkas «Seekrankheit auf festem Lande». Und Kafka braucht tatsächlich nur zurückzublättern, so findet er jeweils zur Sommerszeit die Stimmung in sich, die Rilke hier wachruft, mit Korrespondenzen bis in erstaunliche Details hinein. 1904 zum Beispiel hat er den auf Seite 29 erwähnten Sommerferienbrief an Brod so begonnen:

«Es ist sehr leicht, am Anfang des Sommers lustig zu sein. Man hat ein lebhaftes Herz, einen leidlichen Gang und ist dem künftigen Leben ziemlich geneigt. Man erwartet Orientalisch-Merkwürdiges und leugnet es wieder mit komischer Verbeugung und mit baumelnder Rede, welches bewegte Spiel behaglich und zitternd macht ... Und wenn man uns nach unserm beabsichtigten Leben fragt, so gewöhnen wir uns im Frühjahr eine ausgebreitete Handbewegung als Antwort an, die nach einer Weile sinkend wird, als sei es so lächerlich unnötig, sichere Dinge zu beschwören.

Wenn wir nun ganz enttäuscht würden, so wäre es zwar für uns betrübend, aber doch wieder wie eine Erhörung unseres täglichen Gebetes, die Folgerichtigkeit unseres Lebens möge der äußern Erscheinung nach uns gnädigst erhalten bleiben.

Wir werden aber nicht enttäuscht, diese Jahreszeit, die nur ein Ende, aber keinen Anfang hat, bringt uns in einen Zustand, der uns so fremd und natürlich ist, daß er uns ermorden könnte.

Wir werden förmlich von einer wehenden Luft nach ihrem Belieben getragen und es muß nicht ohne Scherzhaftigkeit sein, wenn wir uns im Luftzug an die Stirne greifen oder uns durch gesprochene Worte zu beruhigen suchen, die dünnen Fingerspitzen an die Kniee gepreßt ...»

In diesen Dichtern scheint das Frühjahr ein seltsames Stimmungsspiel von Empfänglichkeit und Bangen auszulösen; und da denken wir natürlich an Hofmannsthal, der seine frühe Gedichtsammlung mit einem «Vorfrühling» eröffnet:

«Es läuft der Frühlingswind
Durch kahle Alleen,
Seltsame Dinge sind
In seinem Wehn ...»

Hofmannsthal mit seinem feinen Spürsinn für die unterirdischen Regungen seiner Zeit hat nicht nur diesem Gefühl schon in den neunziger Jahren Ausdruck verliehen, von ihm stammt auch seine wohl vollkommenste Fassung: die «Ballade des äußeren Lebens».

«Und Kinder wachsen auf mit tiefen Augen,
Die von nichts wissen, wachsen auf und sterben,
Und alle Menschen gehen ihre Wege.

Und süße Früchte werden aus den herben
Und fallen nachts wie tote Vögel nieder
Und liegen wenig Tage und verderben.

Und immer weht der Wind, und immer wieder
Vernehmen wir und reden viele Worte
Und spüren Lust und Müdigkeit der Glieder.

Und Straßen laufen durch das Gras, und Orte
Sind da und dort, voll Fackeln, Bäumen, Teichen,
Und drohende, und totenhaft verdorrte ...

Wozu sind diese aufgebaut? und gleichen
Einander nie? und sind unzählig viele?
Was wechselt Lachen, Weinen und Erbleichen?

Was frommt das alles uns und diese Spiele,
Die wir doch groß und ewig einsam sind
Und wandernd nimmer suchen irgend Ziele?

Was frommts, dergleichen viel gesehen haben?
Und dennoch sagt der viel, der 'Abend' sagt,
Ein Wort, daraus Tiefsinn und Trauer rinnt
Wie schwerer Honig aus den hohlen Waben.»

Deutlich erkennen wir die Grundstimmung: «Wozu sind diese aufgebaut?» Und unbegreiflich fein klingen im ganzen Gedicht die Korrespondenzen auf, die sich durch das Empfinden der drei Dichter ziehen: der Wind in der dritten Strophe, das Frühling-Herbst-Motiv ganz leise in der zweiten, Rilkes «unsicheres Gehen», Kafkas «Seekrankheit» in den «Straßen» der vierten und dem ziellosen Wandern der sechsten Strophe. Das beunruhigend zusammenhanglose Hinpassieren der Ereignisse findet in der monotonen Reihe der «Und ...» sein vollkommenes rhythmisches Gegenbild – ein typischer Rhythmus, der tief in die Gesetzlichkeit dieses Erlebens hinabreicht und sich auch den andern Dichtern aufdrängt. Siebenmal wiederholt Rilke, jedesmal mit anderem Inhalt, die Frage «Ist es möglich, daß ...», siebenmal die Antwort «Ja, es ist möglich», und auch Kafka läßt am Schluß seines Briefes wie mit müdem Achselzucken die Sommererlebnisse, die ihm nicht zu einer sinnvollen Reihe zusammenwachsen, Revue passieren:

«... Da staunte ich über die Festigkeit, mit der die Menschen das Leben zu tragen wissen. An einem andern Tage freute ich mich mit einem gespannten Schmerz über die Erregung eines Tages, der bewölkt war. Dann war eine verblasene Woche oder zwei oder noch mehr. Dann verliebte ich mich in eine Frau. Dann tanzte man einmal im Wirtshaus und ich ging nicht hin. Dann war ich wehmütig und sehr dumm, so daß ich stolperte auf den Feldwegen, die hier sehr steigend sind. Dann einmal las ich in Byrons Tagebüchern diese Stelle '...' Und dann und dann war der Sommer zu Ende und ich finde, daß es kühl wird, daß es Zeit wird die Sommerbriefe zu beantworten, daß meine Feder ein wenig ausgeglitten ist und daß ich sie deshalb niederlegen könnte.

Dein Franz K.»

Kafkas besondere Stellung unter diesen verwandten Zeitgenossen

Kafkas Befremden steht also keineswegs so ohne Beispiel da, wie es oft scheint; Musil, Rilke und Hofmannsthal geben, jeder für sich, ungefähr gleichzeitig vom gleichen merkwürdigen Erlebnis Kunde. Freilich bekommt es bei Kafka eine durchaus individuelle Prägung, die ihn von ihren Welten weit genug in die Einsamkeit führt.

Bei jenen Dichtern tritt die erste Störung an unscheinbarer Stelle auf und ohne radikale Folgen für das Dichten selbst. Nicht gleich im ganzen Ausmaß, sondern langsam und stufenweise tritt die Erschütterung zutage. Deutlich ist diese Entwicklung vor allem bei Hofmannsthal. Jung und frühreif, aufgewachsen in kultiviertem Haus in der literarischen Hochburg Wien, betrachtet er alles, was vorkommen mag, von der Warte einer gerade noch intakten Kunstwelt aus. Mit feinen Sinnen spürt er etwas herannahen, doch berührt ihn das seltsame Spiel dieser Dinge zunächst nur am Rande des weiten Reichs der Innerlichkeit, das ihm seine Künstlerseele eröffnet – «Ballade des äußeren Lebens»! –, er bettet das alles wie selbstverständlich ein in den Samt seiner Sprache und in Verse von melancholischem Wohlklang. Den Punkt, wo er die verstörende Wirkung dieser Erfahrungen dann in ganzem Ausmaß zu spüren bekommt, bezeichnet prägnant der «Brief des Lord Chandos», 1900. Folgerichtig provoziert die Fremdheit der Dinge, sobald sie ganz ernst genommen wird, eine Krise des sprachlichen Umgangs mit ihnen. Damit ist aber Hofmannsthals lyrische Zauberkraft nachhaltig gebrochen, die Hochblüte seiner Jugenddichtungen welkt dahin, und nur mühsam und auf manchen Irrwegen beginnt sein Kunstverstand eine neue, nicht mehr so leuchtkräftige Welt aufzubauen.

Wesentlich später und dann gleich stärker trifft das Erlebnis Rilke. Jedenfalls redet er sofort von bedeutendsten Folgen, was ihn Kafka nahezurücken scheint. Wir erkennen aber bald, daß auch seine Erschütterung von ihrer ganzen Wirkung noch weit entfernt ist. Von Kafka trennt ihn ein entscheidender Zug: Während es diesem die Sprache verschlägt, so sehr, daß er sein ganzes Leben lang nach neuen Formeln sucht, ist Rilke zunächst beredt, ja geradezu redselig. Seine unnachahmliche Gabe, keine Widerstände vorzufinden, macht ihn anscheinend auch mit diesem Ereignis sofort vertraut. Erst einige Jahre später wirkt es sich auch bei ihm in einer nachhaltigen Krise des Dichtens aus; und erst als er sie ganz überwunden hat, ist ihm ein vollendetes lyrisches Singen wieder gegeben.

In solcher Nachbarschaft erscheinen nun Kafkas befremdliche Gesichte höchst sinnvoll und konsequent, als eine Reaktion von bedeutendster Eigenart. Offensichtlich wohnt er wie diese Dichter in jenem Bezirk der Zeitseele, den die geschilderten Erschütterungen heimsuchen, jedoch allen Anzeichen nach in weit ausschließlicherem Maß: Diese Zone scheint ihm Lebenszentrum, ja einziger Lebensraum überhaupt zu sein. Welchem Dichter wir ihn gegenüberstellten – ein Unterschied sprang immer in die Augen: seine unvergleichlich stärkere Betroffenheit. Das Leben in diesen vulkanischen Regionen scheint ihm wie angeboren. Schon den Ferienbrief des Zwanzigjährigen fanden wir voll von Erschütterungssymptomen, obwohl sich der Verfasser alle Mühe gibt, sie unter einem spielerischen Ton zu verbergen. Aber die folgenden Zeilen aus dem gleichen Brief verraten, was sie verhüllen wollen:

«Während wir sonst bis zu einem gewissen Maße höflich genug sind, von einer Klarheit über uns nichts wissen zu wollen, geschieht es jetzt, daß wir sie mit einer gewissen Schwäche suchen, freilich in der Weise, mit der wir zum Spaße so tun, als wollten wir mit Anstrengung kleine Kinder fangen, die langsam vor uns trippeln. Wir durchwühlen uns wie ein Maulwurf und kommen ganz geschwärzt und sammethaarig aus unsern verschütteten Sandgewölben, unsere armen roten Füßchen für zartes Mitleid emporgestreckt.»

Wenn wir uns nicht scheuen, pedantisch nachzurechnen, stoßen wir unter dieser verschlüsselten Ausdrucksweise auf folgenden tiefernsten Inhalt: «In dieser narkotisierenden Jahreszeit mit ihren gefährlichen Hoffnungen suchen wir nach Klarheit über uns – sonst sind wir uns gegenüber höflich genug, das zu vermeiden. Wir tun jetzt so, als wäre es keine Kunst und unsere Schwierigkeiten mit uns selbst nur künstliche, zum Spaß aufgetürmte Hindernisse. Dabei kommen wir jeweils schwarz und mitleidsbedürftig aus den Gewölben unseres Innern wieder hervor.»

In Wirklichkeit verbirgt sich hinter dem jungenhaften Gehaben eine fortgeschrittene Zerrüttung. Die Sprache selbst kann ihren angegriffenen Zustand nicht verhehlen. In flatternden Fetzen, wie selber vom Wind getrieben, kommt sie in diesem Brief daher. Halten wir dessen Schluß (siehe letztes Kapitel am Ende) nur gegen die «Ballade des äußeren Lebens», wo von gleichen Dingen die Rede ist: In der Ballade der Schmelz von Vers und Reim, hier die atemlose Prosa; dort ein gleichmäßiges Wiegen, hier ein hastiges, sich steigerndes Tempo; bei Hofmannsthal eine kunstvoll gesetzte Schlußfigur, bei Kafka ein abruptes Enden: «Und dann und dann war der Sommer zu Ende und ich finde, daß es kühl wird, daß es Zeit wird die Sommerbriefe zu beantworten, daß meine Feder ein wenig ausgeglitten ist und daß ich sie deshalb niederlegen könnte»: Offenbar geht Kafkas Atem nur noch stoßweise. Um die Sätze aneinanderzureihen, verwendet er das absetzende «Dann ...» an Stelle des vermittelnden «Und ...», das Hofmannsthals Balladenverse so weich einleitet. Seine Sprache scheint mit seinem ganzen Tun und Lassen in einen Zustand hochgradigen Fiebers getreten zu sein, und er nennt sie tatsächlich an jener Stelle in der «Beschreibung eines Kampfes» in unmittelbarem Zusammenhang mit der «Seekrankheit»:

«...dieses Fieber, diese Seekrankheit auf festem Lande, eine Art Aussatz? Ist Euch nicht so, daß Ihr vor lauter Hitze mit den wahrhaftigen Namen der Dinge Euch nicht begnügen könnt, davon nicht satt werdet und über sie jetzt in einer einzigen Eile zufällige Namen schüttet. Nur schnell, nur schnell! Aber kaum seid Ihr von ihnen weggelaufen, habt Ihr wieder ihre Namen vergessen. Die Pappel in den Feldern, die Ihr den 'Turm von Babel' genannt habt, denn Ihr wolltet nicht wissen, daß es eine Pappel war, schaukelt wieder namenlos und Ihr müßt sie nennen: 'Noah, wie er betrunken war'.»

Die ersten Worte, die uns von Kafka überliefert sind, eine Albumeintragung des Siebzehnjährigen, sind eine Klage über die Unzulänglichkeit der Sprache:

«Wie viel Worte in dem Buche stehn!

Erinnern sollen sie! Als ob Worte erinnern könnten!

Denn Worte sind schlechte Bergsteiger und schlechte Bergmänner. Sie holen nicht die Schätze von den Bergeshöhn und nicht die von den Bergestiefen!»

Nicht anders beginnt der erste erhaltene Brief zwei Jahre später (an Pollak, 4. Februar 1902):

«Als ich Samstag mit Dir ging, da ist es mir klar geworden, was wir brauchen. Doch schreibe ich Dir erst heute, denn solche Dinge müssen liegen und sich ausstrecken. Wenn wir miteinander reden: die Worte sind hart, man geht über sie wie über schlechtes Pflaster. Die feinsten Dinge bekommen plumpe Füße und wir können nicht dafür.»

Das sind die Symptome, die Hofmannsthal im Chandosbrief beschreibt – in den allerfrühesten Äußerungen Kafkas. Die knapp zehn Jahre, die die beiden Dichter trennen, machen sich in einer Veränderung des geistigen Klimas bemerkbar. Um 1900, wie den erwachsenen Hofmannsthal die Krise in ganzem Ausmaß überfällt, erwacht Kafka gerade zum Bewußtsein. Der Adressatin jener Stammbuchnotiz hat er bezeichnenderweise Nietzsche vorgelesen (Anmerkung 1 im Briefband, S. 495). Dieser Unterschied der Generation trifft mit Kafkas urpersönlichster Anlage zusammen – und das prädestiniert ihn zu seiner einzigartigen Leistung: vom verstörenden Zug im Antlitz der Zeit aus tiefster Vertrautheit zu berichten. Gerade die Idiosynkrasie, die ihn von der Mitte menschlicher Möglichkeiten extrem weit entfernte, befähigte ihn umgekehrt, sich wie kaum einer in der Nähe eines zeitgeschichtlichen Vorgangs zu halten, der sich an ihrem äußersten Rande abspielte und dessen Bedeutung bis heute noch nicht abgeschätzt werden konnte.

Unter diesen Gesichtspunkt erscheint Kafkas innerer Weg, wie er sich im Werk niederschlägt, als Gegenbild zu dem der beiden Lyriker oder, genauer: als Fortsetzung in einen Raum hinein, den sie nicht betreten können und wollen. Rilke neigte dazu, als Eingeweihter zu sprechen, und je weniger er sich eingeweiht fühlte, desto stärker war seine Gabe gefährdet. Gerade darum machen seine Elegien, in denen er diesem Hang entgegentrat und sich auch bedrohlicheren Visionen stellte, einen so großen Eindruck. Eben dieser Zug aber, der die Elegien aus Rilkes Werk heraushebt, zieht sich unbeirrbar von Anfang bis Schluß durch Kafkas Schaffen. Alle seine Schöpfungen, und gerade die größten und typischsten, geben vom Ausgeschlossensein Kunde. Hofmannsthal wiederum fand immerhin an der Tradition und der ererbten Formenwelt eine Bastion, in der er die verstörenden Erlebnisse künstlerisch auffangen konnte. Kafka scheint auch solcher Hilfen völlig entblößt. Der Vergleich mit einer Meduse, den Günther Anders anstellt[1], ist nicht ungerechtfertigt. Man hat das Gefühl, Kafka müsse unausgesetzt auf das Schreckbild hinsehen, von dem sich die Dichter mit mehr Fassung befreien konnten. Man denke an seinen Ausdruck auf den Photographien!

[1] Günther Anders, «Kafka. Pro und Kontra», München 1951, S. 53.

Niemand kann daran zweifeln – und niemand tut es –, daß eine verstörende Vision für Kafka allerpersönlichste Realität ist. Von den vielen Beispielen zitieren wir hier nur eines aus der Arbeit an «Amerika»: Einmal überwältigt ihn eine Vorstellung so sehr, daß er im Schreiben davon behindert wird; er habe im letzten Kapitel, schreibt Kafka in hilfloser Verzweiflung an Brod, zwei Figuren unterdrückt, weil sie nicht im Roman, sondern gegen ihn selbst die Fäuste erhoben hätten (am 13. November 1912). Diese ganz unliterarische Anfälligkeit bewirkt, daß wir Zeugnisse von Dingen, die wir sonst unbedenklich als unglaubwürdig, frivol oder als Spielerei zur Seite legen, ein so unbedingtes Vertrauen in ihre subjektive Wahrheit schenken können und müssen, sobald sie aus Kafkas Munde stammen – und das ist für unser Verständnis einer Epoche, die von so merkwürdigen, schwer mitteilbaren Erfahrungen berichten muß, ein Glücksfall wie kaum ein zweiter.

So sehen wir Kafkas Weg durch eine besondere Konstellation von Anlage und Zeitumständen in scharfen Umrissen vorgezeichnet. Er brauchte nur die dunklen Gewölbe seines Innern zu erforschen, so erfüllte er eine bedeutende Aufgabe, die im geistigen Gefüge seiner Zeit offenstand. Es ist zwar auch heute noch kaum zu entscheiden, ob seine persönlichen Anfechtungen allgemeinere Züge der rätselhaften Fremdheit repräsentieren, die sich zu Anfang des Jahrhunderts des Empfindens der besten Zeitgenossen bemächtigte, und zwar vor allem, weil es fraglich ist, ob solche «allgemeine Züge» überhaupt vorhanden und beschreibbar sind. Sicher aber ist zum mindesten, daß uns Kafka durch das mühevolle Unternehmen seiner Selbsterforschung ein unschätzbares, einmaliges Dokument zur Seelenkunde dieses von Anfechtungen heimgesuchten Zeitalters zugänglich gemacht hat.

Kafka selber scheint sich jedenfalls von Anfang an zu einer derartigen Aufgabe bestimmt gefühlt zu haben. Schon im Frühlingsbrief 1904 spricht er von der «Klarheit über uns, die wir mit einer gewissen Schwäche suchen». 1911 (im Tagebuch, 12. Januar, S. 37) redet er schon bestimmter von der «Selbsterkenntnis»:

«Ich habe vieles in diesen Tagen über mich nicht aufgeschrieben, teils aus Faulheit ... teils aber auch aus Angst, meine Selbsterkenntnis zu verraten. Diese Angst ist berechtigt, denn endgültig durch Aufschreiben fixiert dürfte eine Selbsterkenntnis nur dann werden, wenn dies in größter Vollständigkeit bis in alle nebensächlichen Konsequenzen hinein sowie mit gänzlicher Wahrhaftigkeit geschehen könnte. Denn geschieht dies nicht – und ich bin dessen jedenfalls nicht fähig –, dann ersetzt das Aufgeschriebene nach eigener Absicht und mit der Übermacht des Fixierten das bloß allgemein Gefühlte nur in der Weise, daß das richtige Gefühl schwindet, während die Wertlosigkeit des Notierten zu spät erkannt wird.»

Und 1914, am 6. August, unmittelbar nach Kriegsausbruch:

«Von der Literatur aus gesehen ist mein Schicksal sehr einfach. Der Sinn für die Darstellung meines traumhaften innern Lebens hat alles andere ins Nebensächliche gerückt und es ist in einer schrecklichen Weise verkümmert und hört nicht auf zu verkümmern. Nichts anderes kann mich jemals zufriedenstellen. Nun ist aber meine Kraft für jene Darstellung ganz unberechenbar, vielleicht ist sie schon für immer verschwunden, vielleicht kommt sie doch noch einmal über mich, meine Lebensumstände sind ihr allerdings nicht günstig. So schwanke ich also, fliege unaufhörlich zur Spitze des Berges, kann mich aber kaum einen Augenblick oben erhalten. Andere schwanken auch, aber in untern Gegenden, mit stärkeren Kräften; drohen sie zu fallen, so fängt sie der Verwandte auf, der zu diesem Zweck neben ihnen geht. Ich aber schwanke dort oben, es ist leider kein Tod, aber die ewigen Qualen des Sterbens.»

Am Ende seines Lebens schließlich bezeugen viele verstreute Äußerungen, die ihm Janouch durch Fragen über seine Werke entlockte, wie tief durchdrungen Kafka von der Aufgabe ist, seine Gesichte beschreibend zu bannen: «Ich bin Gerichteter und Zuschauer»: So drückt er seine Stellung in Welt und Literatur aus (J. 14). Und: «Man photographiert Dinge, um sie aus dem Sinn zu verscheuchen» (J. 25). Das «Urteil», sagt er, war ihm «das Gespenst einer Nacht», seine Niederschrift «die Feststellung und dadurch vollbrachte Abwehr des Gespenstes» (J. 25/26).

Wir merken indessen sofort, daß die Klarheit, die in diesen Äußerungen zum Ausdruck kommt, sich erstens auf ein bestimmtes und enges Feld beschränkt: auf die Verpflichtung, auf das Ziel, während die Wege der Lösung und der Gegenstand selbst im Dunkel bleiben; und zweitens muß sie erst errungen werden, sie hat sich gegen stärkste Zweifel zu behaupten und reift darum nur stockend und durch schwerste Krisen hindurch zur ahnungsvollen Hellsicht der letzten Jahre heran. Die Reihe unserer Zitate spiegelt beide Einschränkungen sehr genau. Im Brief von 1904 ist der Sog nach dem eigenen Innern schon merkbar zu spüren, doch will das Kafka noch nicht wahrhaben und meint, er müsse sich gegen diese Schwäche wehren. Im Zitat von 1911 sehen wir ihn an der Möglichkeit verzweifeln, die klar erkannte Aufgabe zu lösen, was immerhin schon mehr ist; im nächsten Zitat liegen Nötigung und Unmöglichkeit in nie endendem Kampf, und die abgeklärten Äußerungen gegen Janouch endlich zittern noch nach vom Bewußtsein tiefer Gefährdung. Langsam entfaltet sich so Kafkas erstaunliches Unternehmen in seinem Werden; wir sehen darin konstante Triebkräfte lebendig wirken und einen dauernden Prozeß vorantreiben, der die Werke wie abgeworfene Schalen verschiedener Stadien hinter sich läßt. Kafkas Opus ist nicht, wie sonst Dichtung, ein Gefäß, worin der Dichter etwas Bekanntes, Eigenes zuhanden eines weiteren Publikums niederlegt, sondern es lebt ganz und gar von einem nie befriedigten Bestreben, in sich selbst eine unklare Bedrängnis zum Sprechen zu bringen. Aus dieser ungewöhnlichen Bestimmung heraus klären sich einige scheinbare Widersprüche ganz natürlich auf. Kafka verbeißt sich ins Schreiben, obwohl ihm das Publizieren nicht nur gleichgültig, sondern widerwärtig war. Das ganze Werk entsteht merkwürdigerweise, obschon es sein Schöpfer in keinem Moment als erfolgreich betrachtete. Kafka jagt eben sein Leben lang einem in ihm selbst verborgenen Geheimnis nach – am Anfang bloß getrieben, in dumpfer, quälender Unklarheit, die sich selbst nicht versteht, dann wenigstens mit zunehmender Einsicht in das Ziel, wenn auch die Schwierigkeiten und Qualen des Weges nicht abnehmen, und schließlich fast mit graziler Zierlichkeit, die leise zitternd über einen Abgrund hintanzt.

Die Andeutungen dieser Entwicklung sind vielversprechend. Die Ausbildungsstufen von Kafkas Werk können vermutlich viel präziser gefaßt werden, als es bisher üblich war. In unserem propädeutischen Rahmen müssen wir uns auf das beschränken, was das Verständnis von «Amerika» fördern kann, und in Kafkas Entwicklung ist das der erste Abschnitt. «Amerika» schließt ja zusammen mit dem «Urteil», das unmittelbar vorher entstand, und der «Verwandlung», die gleich nachfolgt, die erste Phase markant ab; diese Werkgruppe schießt in unglaublicher Produktion im Herbst 1912 nach langen Jahren erfolglosen Suchens wie ein lange zurückgestauter Springquell aus dürrem Boden. Die Reihe scheiternder Experimente von 1904 bis 1912 ist ein höchst instruktives Vorspiel zu diesen drei Werken; in diesen leben die Tendenzen jener Jahre weiter – nur hat Kafka mit einem Schlag die Gabe gewonnen, sie auch verständlich darzustellen.

Schwierigkeiten der Aufgabe und Kafkas erste Lösungsversuche

Von Anfang an, das können wir als erstes festhalten, schränkt sich Kafka sozusagen ganz auf berichtende Prosa ein. Das ist verständlich und sinnvoll. Er hat ja schon früh gemerkt, daß sein Beruf und seine Gabe nicht war zu wirken, sondern darzustellen, und angesichts der heiklen Natur des Gegenstandes, sehr ungewöhnlicher innerer Erfahrungen, lag es im höchsten Interesse der Glaubwürdigkeit, allen poetischen Nebenwirkungen von vornherein auszuweichen.

Was fängt Kafka in diesem Spielraum an? Äußerlich läßt sich folgender Ablauf festhalten: 1904/05 schreibt er die «Beschreibung eines Kampfes». Ein höchst seltsames Werk! Es werden darin die Gedanken eines Mannes nachgezeichnet während der Zeit, da er nach einer Abendgesellschaft mit einem Bekannten spazierengeht, Gedanken, die ganz unregelmäßige Wendungen nehmen und sich in phantastische Bereiche hinein verlieren. 1906 entstehen die «Hochzeitsvorbereitungen auf dem Lande», wo in ganz anderem Ton, streng und wirklichkeitsnahe, die Ferienreise eines Mannes namens Raban aufs Land und sein Widerwille dagegen geschildert wird. Daneben oder bald darauf entstehen kleine Skizzen, bis 1908 nachweisbar acht, die er für publikationsreif hielt[1]. Aus den nächsten Jahren ist nichts größeres überliefert. Es entstehen weiterhin Skizzen, aus denen Kafka 1913 widerstrebend das Buch «Betrachtung» zusammenstellt, vieles

[1] In dieses Jahr schon fällt die erste Publikation Kafkas, und nicht ins Jahr 1909, wie bisher allgemein angenommen wurde (Brod in der Biographie, S. 79; Wagenbach, S. 168 und 339; Rudolf Hemmerle in der Bibliographie, S. 19). Zufällig stieß der Verfasser in einer Zürcher Buchhandlung auf den ersten Band der Zweimonatsschrift «Hyperion», München 1908, und fand im ersten Heft auf Seite 91: Franz Kafka, «Betrachtung», mit den acht Stücken, die in der Buchausgabe 1913

muß aber Kafka nach den Tagebuchnotizen vom 17. Dezember 1910 und vom 11. März 1912 weggelegt oder verbrannt haben. Was im Tagebuch, das von 1910 an geführt wird, an Versuchen stehengeblieben ist, zeugt von einer tiefen Gestaltungskrise.

Wer sich ohne andere Kenntnisse durch die künstlerischen Erzeugnisse und Ansätze dieser Phase durchliest, dürfte daraus nicht klug werden. Auf Grund unserer bisherigen Studien glauben wir, in das Wesen dieser Vorgänge etwas besser hineinzusehen. Es kommt uns vor, hier rede einer wie verstört durch Erfahrungen, die er nicht einzuordnen wisse oder wage und die er darum zuerst geschwätzig, dann immer verzweifelter umgehe. Wir hatten diesen Eindruck schon beim Lesen des Briefes vom August 1904, im Abschnitt vom Maulwurf, und wenn wir dort weiterlesen, werden wir auf überraschende Art bestätigt. Wir zitieren also aus diesem reichen Dokument zum letztenmal das Mittelstück, welches Anfang und Schluß verbindet:

«... Bei einem Spaziergang ertappte mein Hund einen Maulwurf, der über die Straße laufen wollte. Er sprang immer wieder auf ihn und ließ ihn dann wieder los, denn er ist noch jung und furchtsam. Zuerst belustigte es mich und die Aufregung des Maulwurfs besonders war mir angenehm, der geradezu verzweifelt und umsonst im harten Boden der Straße ein Loch suchte. Plötzlich aber als der Hund ihn wieder mit seiner gestreckten Pfote schlug, schrie er auf. Ks, kss so schrie er. Und da kam es mir vor – Nein es kam mir nichts vor. Es täuschte mich bloß so, weil mir an jenem Tag der Kopf so schwer herunterhing, daß ich am Abend mit Verwunderung bemerkte, daß mir das Kinn in meine Brust hineingewachsen war. Aber am nächsten Tag hielt ich meinen Kopf wieder hübsch aufrecht ...»

Zu seinem Vergleich mit dem Maulwurf war also Kafka durch ein Erlebnis angeregt worden. Dumpf spürt er eine Verwandtschaft mit dem hilflosen schwarzen Tier, das sich aus unterirdischen Gewölben an die gefahrvolle Oberfläche verirrt hat –

folgende Titel bekamen: Der Kaufmann – Zerstreutes Hinausschaun – Der Nachhauseweg – Die Vorüberlaufenden – Kleider – Der Fahrgast – Die Abweisung – Die Bäume, in dieser Reihenfolge. Die beiden «Gespräche» erschienen erst in der zweiten Folge der Zeitschrift, 1909. Interessant ist, daß auf dem Inhaltsverzeichnis der Gesamttitel dieser Stücke im Plural steht: «Betrachtungen». – Unterdessen hat übrigens Kurt Weinberg in seinem Buch dieselbe Beobachtung mitgeteilt.

doch wie er sagen will, was ihn da ergriffen hat, hält er zurückschreckend an sich, als ob er sich solcher Gedanken schämte, und weicht für den ganzen Schluß des Briefes in jenes Aufzählen aus, das rasch von einem Ding zum andern gleitet, ohne sich auf seine gefährliche Tiefe einzulassen:

«...aufrecht. Am nächsten Tag zog sich ein Mädchen ein weißes Kleid an und verliebte sich dann in mich. Sie war sehr unglücklich darüber und es ist mir nicht gelungen, sie zu trösten, wie das eben eine schwere Sache ist. Als ich an einem andern Tage nach einem kurzen Nachmittagsschlaf die Augen öffnete, meines Lebens noch nicht ganz sicher, hörte ich meine Mutter ...»

Wir müssen uns nur an den «Bau» erinnern, dann ermessen wir, in welche Tiefen das Maulwurferlebnis getroffen hat – und wie wenig er davon zu dieser Frühzeit erst mitzuteilen vermochte.

Dieser Vorgang ist für das ganze Frühwerk typisch. Von Kafkas Schreibversuchen bis 1912 bekommen wir den Eindruck, hier bemühe sich jemand, eine überdeutlich verspürte Erfahrung wiederzugeben, könne sich aber nicht ausdrücken. Dem Kafka-Liebhaber ist jedes Wort bedeutend und teuer; aber nicht einmal er wird den Erzeugnissen dieser Jahre im Ernst den Charakter gelungener Werke zusprechen. Die «Beschreibung eines Kampfes», die «Hochzeitsvorbereitungen» und auch die «Betrachtung» – das sind wunderliche Experimente, unter deren unverständlicher Oberfläche Kafkas eigentliches Anliegen wie verschüttet liegt. In indirekten Symptomen aber zeigt sich viel davon. Wir beobachten zum Beispiel an diesen Produkten ein deutliches Auseinandertreten zweier Schreibarten, bei denen wir unwillkürlich an Naturalismus und Surrealismus denken. An letzteren etwa in folgendem Abschnitt aus dem «Gespräch mit dem Beter»:

«Dann aber, wenn ich einen großen Platz zu durchqueren habe, vergesse ich alles. Wenn man schon so große Plätze aus Übermut baut, warum baut man nicht auch ein Geländer quer über den Platz? Heute bläst einmal ein Südwestwind. Die Spitze des Rathausturmes macht kleine Kreise. Alle Fensterscheiben lärmen und die Laternenpfähle biegen sich wie Bambus. Der Mantel der heiligen Maria auf der Säule windet sich und die Luft reißt an ihm. Sieht es denn niemand?» («Beschreibung eines Kampfes», S. 45.)

Beispiele für den Naturalismus finden wir auf jeder beliebigen Seite der «Hochzeitsvorbereitungen». Lesen wir ihren Anfang:

«Als Eduard Raban, durch den Flurgang kommend, in die Öffnung des Tores trat, sah er, daß es regnete. Es regnete wenig.

Auf dem Trottoir gleich vor ihm gab es viele Menschen in verschiedenartigem Schritt. Manchmal trat einer vor und durchquerte die Fahrbahn. Ein kleines Mädchen hielt in den vorgestreckten Händen ein müdes Hündchen. Zwei Herren machten einander Mitteilungen. Der eine hielt die Hände mit der innern Fläche nach oben und bewegte sie gleichmäßig, als halte er eine Last in Schwebe. Da erblickte man eine Dame, deren Hut viel beladen war mit Bändern, Spangen und Blumen. Und es eilte ein junger Mensch mit dünnem Stock vorüber, die linke Hand, als wäre sie gelähmt, platt auf der Brust. Ab und zu kamen Männer, welche rauchten und kleine aufrechte längliche Wolken vor sich her trugen. Drei Herren – zwei hielten leichte Überröcke auf dem geknickten Unterarm – gingen oft von der Häusermauer zum Rande des Trottoirs vor, betrachteten das, was sich dort ereignete, und zogen dann sprechend sich wieder zurück.»

Ein frappantes Nebeneinander gegensätzlicher Stile! Es mahnt uns aber sofort an eine wohlbekannte Konstellation: Kafkas Befremden durch Gewöhnliches. Es scheint so, als versuche er einerseits, durch naturalistische Beschreibung an die eigentliche Wirklichkeit dieser bedrängenden Dinge heranzukommen, und andererseits, auf ihre befremdliche Wirkung durch surrealistische Verzerrung hinzuweisen. Man sieht sofort, daß er weder auf diese noch auf jene Weise seinen ganzen Zweck erreicht. Über der «surrealistischen» Darstellungsweise geht die Alltäglichkeit des Anlasses verloren, und bei der «naturalistischen» kommt das Befremden nicht zum Ausdruck. Manchmal sucht es Kafka darum in trockenen Begleitworten anzudeuten. Das tat er zum Beispiel, als er Brod sein Erlebnis des Gesprächs zwischen Mutter und Nachbarin beschrieb; er übernimmt die Stelle auch in das «Gespräch mit dem Beter» (a.a.O., S. 43). Anschaulich wird das Befremden auch so nicht, diese Notlösung führt nur zu jenem Lamentieren, das sich an vielen Stellen der «Beschreibung» störend vordrängt.

Wir glauben jetzt zu erkennen, was sich in diesen Werken abspielt. Kafka scheitert am Gegensatz der Tendenzen in der ihm zugewiesenen Doppelaufgabe. Er ist dazu disponiert, das zu vereinen, was sich auch bei den nächstverwandten Dichtern ausschließt: sich vom Verstörenden, das andringt, ganz durchdringen zu lassen und dennoch die nötige Fassung und Distanz zu bewahren, um es zu beschreiben. Beide Aufgaben vermag er beim ersten Zusammenprall noch nicht zu versöhnen, die Komponenten treten ihm auseinander und existieren beziehungslos nebeneinander. Der Weg, der gleichzeitig beiden Anforderungen gerecht wird, ist zu schmal, als daß er im ersten Anlauf getroffen werden könnte.

«Die ungeheuere Welt, die ich im Kopfe habe. Aber wie mich befreien und sie befreien, ohne zu zerreißen. Und tausendmal lieber zerreißen, als sie in mir zurückhalten oder begraben. Dazu bin ich ja hier, das ist mir ganz klar.»

Dieses Zitat aus dem Tagebuch stammt zwar von 1913 (21. Juni, S. 306), aber es trifft auch genau auf Kafkas Stimmung in den ersten Jahren zu. In unzähligen Anläufen macht er da nur immer von neuem die Erfahrung, daß es ihm nicht möglich ist, die Gewöhnlichkeit des Anlasses und die Fassungslosigkeit, die er auslöst, zusammen mitzuteilen. Immer verliert er mit dem Gewinn der einen Komponente zugleich die andere: Dieses Dilemma ist das beherrschende Strukturgesetz des Frühwerks. Unter seinem Einfluß stehen, wie wir uns leicht überzeugen können, alle drei längeren Werke. Die Skizzen der «Betrachtung» sind noch am leichtesten zugänglich und wirken, wenn man ein bißchen Wohlwollen mitbringt, gefällig. Kafka spricht hier von seinen seltsamen Erfahrungen im Ton unverbindlicher Impressionen, und eben darum lassen sie von der Gewalt und Tiefe seiner wirklichen Erschütterung nichts ahnen. Ein nachsichtiger Zeitgenosse mochte sie für schüchterne Versuche eines jungen, vielleicht nicht unbegabten Autors halten; und wenn Kafka nicht durch andere Werke Aufmerksamkeit erregt hätte, wären sie heute bestimmt vergessen. – In den «Hochzeitsvorbereitungen» fallen die präzisen Beobachtungen, überhaupt der Sinn für exakte Darstellung auf. Kafka scheint hier ziemlich bewußt den Spielraum auszumessen, den ihm die «naturalistische» Alternative gewährt. Das Ergebnis ist enttäuschend: Die «Hochzeitsvorbereitungen» werden sein flachstes, uninteressantestes Werk. Die «Beschreibung eines Kampfes» schließlich ist sein persönlichstes –

und unverständlichstes. Für den, der Kafka sonst kennt, wirkt die Hilflosigkeit eines tiefbetroffenen Geistes auf diesen Seiten erschütternd; einem unvorbereiteten Leser aber muß sie als Konglomerat konfuser Assoziationen erscheinen.

Es fehlt zudem in keinem der drei Werke an direkten Anzeichen einer tiefen Unsicherheit. In der «Betrachtung» lehnt sich Kafka offensichtlich an das Muster von Peter Altenbergs impressionistischen Skizzen an («Wie ich es sehe»). Ein noch verräterisches Detail können wir in den «Hochzeitsvorbereitungen» beobachten. Nachdem Eduard Raban in verdrießlicher Stimmung die Zeit vertrödelt hat, läßt ihn Kafka in größter Eile dem Zug nachstürmen – und gerät dabei mehr und mehr in einen unverkennbar kleistischen Novellenton (S. 20/21):

«Die Bahnhofsuhr schlug, es war dreiviertel sechs. Raban blieb stehn, weil er Herzklopfen verspürte, dann ging er rasch den Parkteich entlang, kam in einen schmalen, schlecht beleuchteten Weg zwischen großen Sträuchern, stürzte in einen Platz, auf dem viele leere Bänke an Bäumchen gelehnt standen, lief dann langsamer durch eine Öffnung im Gitter auf die Straße, durchquerte sie, sprang in die Bahnhofstüre, fand den Schalter nach einem Weilchen und mußte ein wenig an den Blechverschluß klopfen. Dann sah der Beamte heraus, sagte, es sei doch höchste Zeit, nahm die Banknote und warf laut die verlangte Karte und kleines Geld auf das Brett. Nun wollte Raban rasch nachrechnen, da er dachte, er müsse mehr herausbekommen, aber ein Diener, der in der Nähe ging, trieb ihn durch eine gläserne Tür auf den Bahnsteig. Raban sah sich dort um, während er dem Diener 'Danke, danke!' zurief, und da er keinen Kondukteur fand, stieg er allein die nächste Waggontreppe hinauf, indem er den Koffer immer auf die höhere Stufe stellte und dann selbst nachkam, mit der einen Hand auf den Schirm gestützt und die andere am Griff des Koffers.»

Kafka benützt nicht nur gern fremde, vorgeformte Stile, sondern baut um seine Grunderfahrung herum auch eigene Schutzmaßnahmen auf. Wo er kann, entschuldigt, mildert, verkleidet, bagatellisiert er sie. Wir können den Einbau dieser Vorbehalte in einem Fall direkt verfolgen, dort nämlich, wo Kafka sein eigenes Staunenerlebnis im Garten in das «Gespräch mit dem Beter» aufnimmt. Den unmittelbaren Eindruck davon legte er im Brief an Brod nieder (zitiert S. 29). Diesen Text übernimmt er direkt in das «Gespräch», mit nur geringen, aber höchst bezeichnenden Abweichungen. Wir heben sie im folgenden Zitat als Kursivtext heraus.

«Als ich *als Kind* nach einem kurzen Mittagsschlaf die Augen öffnete, hörte ich, *noch ganz im Schlaf befangen*, meine Mutter in natürlichem Ton vom Balkon hinunterfragen: 'Was machen Sie, *meine Liebe. Es ist so heiß.*' Eine Frau antwortete aus dem Garten: 'Ich jause im Grünen.' *Sie sagten es ohne Nachdenken und nicht allzu deutlich, als müßte es jeder erwartet haben.*» (So im Band «Erzählungen», S. 15, das heißt, wie es im «Hyperion» 1909 erschien.)

Die Änderungen deuten alle in eine Richtung: Kafka schränkt die Tragweite des Ereignisses entscheidend ein. «Meines Lebens noch nicht ganz sicher» wird ersetzt durch das nachsichtige «noch ganz im Schlaf befangen». Der in seiner Schlichtheit erschütternde Satz «Da staunte ich über die Festigkeit, mit der die Menschen das Leben zu tragen wissen» wird ausgeschieden und durch weit schwächere Ausdrücke ersetzt. Das erschreckende, das Leben in Frage stellende Erlebnis wird zu einer vorübergehenden Stimmung. Besonders merken wollen wir uns den Einschub «als Kind», der das Erlebnis als Kindheitserinnerung tarnt. Den Beter schließlich, dem Kafka solche Erzählungen in Mund legt, zeichnet er so, daß ihn niemand ernst nehmen kann, und sein Gesprächspartner antwortet ihm mit Sätzen, in denen Kafka seinen eigenen Bericht desavouiert:

«'Die Geschichte, die Sie früher erzählt haben von Ihrer Frau Mutter und der Frau im Garten finde ich gar nicht merkwürdig. Nicht nur, daß ich viele derartige Geschichten gehört und erlebt habe, so habe ich sogar bei manchen mitgewirkt. Diese Sache ist doch ganz natürlich. Meinen Sie, ich hätte, wenn ich auf dem Balkon gewesen wäre, nicht dasselbe sagen können und aus dem Garten dasselbe antworten können? Ein so einfacher Vorfall.'

Als ich das gesagt hatte, schien er sehr beglückt. Er sagte, daß ich hübsch gekleidet sei und daß ihm meine Halsbinde sehr gefalle. Und was für eine feine Haut ich hätte. Und Geständnisse würden am klarsten, wenn man sie widerriefe» (Schluß des «Gesprächs mit dem Beter», in: «Erzählungen», S. 17).

Es ist aber nicht etwa die Publikation des Textes, die diese Tarnmaßnahmen auslöst, sie verstärkt nur ein Mißtrauen gegen die eigenen Erfahrungen, das tief aus Kafkas Innern aufsteigt. Auch in einer frühen Handschrift, die nach Wagenbachs Ermittlungen (S. 237) nicht zur Veröffentlichung bestimmt war, weist das Erlebnis im Garten die charakteristischen Abschwächungen großenteils schon auf; vergleiche «Beschreibung eines Kampfes» (S. 43). «Meines Lebens noch nicht ganz sicher» ist hier noch stehen geblieben, «Da staunte ich ...» aber ausgemerzt und auch «ein kleines Kind» schon eingeschoben. Und in den zurückgehaltenen Teilen der «Beschreibung» geht die Relativierung noch weiter als in den veröffentlichten. Der «Dicke», dem der Beter seine Geschichte beichtet, ist im surrealistischen Stil dargestellt, ganz unwirklich, und das Ganze wird erst noch explizit als bloße Gedankenspielerei deklariert («Beschreibung», S. 23). Wie muß Kafka seine eigene schlichte Erfahrung übertrieben, lächerlich, unglaubwürdig vorkommen, daß er auch da noch, wo er nur für sich selber schreibt, so viel Energie an ihre Tarnung wendet! Welcher Unterschied zum «Prozeß» und zum «Schloß», wo ähnliche Erfahrungen einen angesehenen Bankbeamten, einen erfahrenen Landvermesser überfallen!

So ist denn die Bilanz bis hierher eindeutig negativ. Kafkas Unternehmen, vom Befremden zu berichten, das ihn in der Welt überfällt, ist im ersten Anlauf ganz gescheitert. Nur skizzenhaft kann er davon etwas in den «Betrachtungen» spürbar machen. In den «Hochzeitsvorbereitungen», wo er seine Mitteilungen im Rahmen allgemeinverständlicher Wirklichkeit hält, dringt die Erschütterung, um die es ihm geht, hinter der naturalistischen Folie gar nicht mehr ins Bewußtsein. Läßt er aber seinen inneren Erfahrungen die Zügel locker, so kommt ein unverständlicher Wortschwall heraus wie in der «Beschreibung eines Kampfes». Und in den folgenden Jahren, bis 1912, ist es noch schlimmer. Die schriftstellerischen Ansätze im Tagebuch bringen keinen Fortschritt und lassen dazu noch die Reize vermissen, welche der Kafka-Liebhaber im Tasten jener ersten Versuche findet. Oft bricht Kafka mitten im Schreiben mit verzweifelten Ausrufen ab. Mit kümmerlichen Motiven quält er sich wieder und wieder herum, so schreibt er dreimal die Diskussion zweier Junggesellen vor einer Haustüre um, ob man zur Gesellschaft hinaufgehen solle, mit Änderungen, hinter denen man vergeblich nach einer Richtung und Absicht sucht. Dasselbe Motiv, das im «Urteil» vom Herbst 1912 zu stärkster Wirkung gebracht werden wird, der Vater-Sohn-Konflikt, erscheint schon im Februar/März 1911 als Versuch im Tagebuch unter dem anspruchsvollen Titel «Die städtische Welt», und in der seltsamsten Weise ist sehr vieles aus dem späteren Werk schon angelegt, unter anderem auch der schreckliche Urteilsspruch des Vaters (in einer Entgegnung des Sohnes):

«Die bloße Möglichkeit, daß du mein Ende richtig voraussagen kannst, sollte dich wahrhaftig nicht dazu verlocken, mich in meiner guten Überlegung zu stören» (Tagebuch, S. 48) – ohne daß irgend etwas daran in dieser Form ein tieferes Interesse zu erwecken vermöchte. In der niederdrückendsten Weise scheint Kafkas Ausdruckskraft unter dem Druck seiner inneren Erfahrung zu versagen und für Jahre, vielleicht fürs Leben versiegt zu sein.

Der Durchbruch im Herbst 1912

Mitten hinein in diese Stagnation fällt wie ein Blitz, vom 22. auf den 23. September 1912 in einer Nacht geschrieben, das «Urteil», in dem Kafkas dichterisches Anliegen mit einemmal feste Konturen gewinnt. Noch unter dem frischen Eindruck der unglaublichen Inspiration schreibt er am Morgen:

«23. September. Diese Geschichte 'Das Urteil' habe ich in der Nacht vom 22. bis 23. von zehn Uhr abends bis sechs Uhr früh in einem Zug geschrieben. Die vom Sitzen steif gewordenen Beine konnte ich kaum unter dem Schreibtisch hervorziehn. Die fürchterliche Anstrengung und Freude, wie sich die Geschichte vor mir entwickelte, wie ich in einem Gewässer vorwärtskam. Mehrmals in dieser Nacht trug ich mein Gewicht auf dem Rücken. Wie alles gesagt werden kann, wie für alle, für die fremdesten Einfälle ein großes Feuer bereitet ist, in dem sie vergehn und auferstehn. Wie es vor dem Fenster blau wurde. Ein Wagen fuhr. Zwei Männer über die Brücke gingen. Um zwei Uhr schaute ich zum letzten Male auf die Uhr. Wie das Dienstmädchen zum ersten Male durchs Vorzimmer ging, schrieb ich den letzten Satz nieder. Auslöschen der Lampe und Tageshelle.

Die leichten Herzschmerzen. Die in der Mitte der Nacht vergehende Müdigkeit. Das zitternde Eintreten ins Zimmer der Schwestern. Vorlesung. Vorher das Sichstrecken vor dem Dienstmädchen und Sagen: 'Ich habe bis jetzt geschrieben.' Das Aussehn des unberührten Bettes, als sei es jetzt hereingetragen worden. Die bestätigte Überzeugung, daß ich mich mit meinem Romanschreiben in schändlichen Niederungen des Schreibens befinde. *Nur so* kann geschrieben werden, nur in einem solchen Zusammenhang, mit solcher vollständigen Öffnung des Leibes und der Seele. Vormittag im Bett. Die immer klaren Augen. Viele während des Schreibens mitgeführte Gefühle, zum Beispiel die Freude, daß ich etwas Schönes für Maxens 'Arkadia' haben werde, Gedanken an Freud natürlich, an einer Stelle an 'Arnold Beer', an einer andern an Wassermann, an einer an Werfels 'Riesin', natürlich auch an meine 'Die städtische Welt'.»

Aus jedem Satz dieses Berichts spricht die Erregung über die Epoche, die die Niederschrift des «Urteils» in Kafkas Leben wirklich macht. Ihre Größe ist nur zu ermessen aus dem Abstand zu den bisherigen «Niederungen des Schreibens». Das «Urteil» ist Kafkas erstes Werk, in dem seine eigentümliche Welt grell sichtbar wird, und hat weltweite Verbreitung gefunden. Wie hat er das künstlerische Problem gelöst, das ein Jahrzehnt lang unlösbar schien?

Kafka hat das Dilemma nicht etwa ausgeglichen oder überwunden, im Gegenteil: Zum erstenmal hat er es schroff und kompromißlos dargestellt. Kafka beginnt im «Urteil» wie in vielen früheren Versuchen mit einer Schilderung aus dem Alltag. Man mache den Versuch und lese nur die beiden ersten Drittel der Erzählung: Sie beschreiben einen recht gewöhnlichen Sonntagvormittag, den Vater und Sohn zusammen verbringen. Zwar herrscht eine etwas sonderbare Stimmung, doch spürt man nicht weshalb, und wie überall, wo Kafka bisher «naturalistisch» von der Gewöhnlichkeit der befremdenden Welt ausgegangen ist, wächst beim Leser nach und nach ein großes Unbehagen; er sucht den Sinn dahinter und kommt nicht auf die erschütternde Erfahrung, die der Dichter kundgeben möchte: daß ihm die Alltagsereignisse gerade nicht zu einem Sinn zusammenwachsen. Wäre Kafka im «Urteil» bei der Darstellungsweise geblieben, mit der er es begonnen hat, so wäre es bloß undurchsichtig geworden statt verstörend, der Leser fühlte sich nicht fasziniert, sondern würde es mit einem verständnislosem Achselzucken zur Seite legen.

In diesem Moment, wo das alte Dilemma wieder auszubrechen droht, kommt Kafka die rettende Idee: An der Stelle, wo der Vater die Decke zurückschlägt, läßt er das Unbegreifliche überfallartig in den Alltag hereinbrechen, überrumpelt den Leser und führt nach einem zweiten Schlag, dem Todesurteil des Vaters, die Geschichte rasch zum verstörenden Ende, ohne den Leser zur Besinnung kommen zu lassen, und wenn dieser beim Versuch, sich über das Gelesene Rechenschaft abzulegen, in ein ratloses Grübeln gerät, hat ihn der Dichter genau dort, wo er ihn haben will: im ratlosen Befremden, das Kafka selber bedrängt.

Verdankt nun aber auch Kafka das Gelingen des «Urteils» der Inspiration einer Nacht, so bedeutet doch das vollendete Werk für seine Entwicklung viel mehr als bloß einen glücklichen Zufall. Das Rezept, das es so eindrücklich werden ließ, behält seine Wirksamkeit unabhängig vom Anlaß: die «naturalistische» und die «surrealistische» Komponente einander schroff gegenüberzustellen. Das «Urteil» nimmt seine Wirkung ganz aus dem unvermittelten Einbruch des Außerordentlichen in den Alltag. Anstatt die beiden Alternativen zu isolieren, muß sie Kafka konfrontieren; anstatt das Verstörende ihres Zwiespalts zu verkleistern, ihn möglichst stark herausstreichen.

Aber auch die Form des «Urteils» ist für Kafka ein bleibender Gewinn. Wir erkennen darin die Novelle im strengen Sinn, etwas Unerwartetes, Überraschendes wiederzugeben. Im «Urteil» ist es aber nicht eine pointierte Neuigkeit aus dem Lauf der Welt, sondern eine von Kafkas unheimlichen inneren Erfahrungen, die verstörende Gewalt des Vaters über seinen Sohn. Er besitzt nun in der Novelle endlich ein handliches Instrument für sein dichterisches Anliegen. Sie ist wie kaum eine andere Gattung dazu geeignet, seine seltsamen Erfahrungen wirkungsvoll wiederzugeben; man denke an Schöpfungen wie «Verwandlung» und «Strafkolonie», «Landarzt», «Hungerkünstler» und «Kübelreiter».

Die Konzeption der «Verwandlung», im gleichen schöpferischen Herbst entstanden, verrät denn auch den klaren Willen, diese Errungenschaften bis an ihre Grenzen auszunützen. Kein anderes Werk läßt offener Kafkas Absicht hervortreten, durch den drastischen Gegensatz zwischen Alltagswirklichkeit und einem unwirklichen Ereignis ein möglichst großes Befremden zu erzielen. Nicht mehr wie im «Urteil» kurz vor Schluß, sondern mit dem ersten Satz bricht das Verstörende herein, und es steigert im Verlauf der Geschichte seine bedrückende Wirkung bis zum äußersten Widerwillen. Kafka scheut hier auch nicht davor zurück, zum Gegenstand ein wirklich surreales Geschehen zu nehmen. Er hatte wohl selbst den Eindruck, er sei damit gleich bis an die Grenze des seiner Kunst Erlaubten gegangen; in allen späteren Tiergeschichten handhabte er jedenfalls diese Technik subtiler.

Die «Verwandlung» ist aber erst zwei Monate nach dem «Urteil» entstanden, dazwischen hat Kafka die größten Partien von «Amerika» geschrieben. Warum macht er sich, noch bevor er so offensichtlich den Gewinn aus dem «Urteil» ausmünzt, an einen Roman, der ihn nach Form und Gehalt in ein recht andersartiges Klima führt? Diese Frage zielt mitten in unser eigentliches Thema, und wir kehren, bereichert um die Ergebnisse der Vorarbeiten, zu ihm zurück.

«Der Verschollene»:
Entstehung, Konzeption und Stellung im Gesamtwerk

Die Entstehungsgeschichte von «Amerika» ist, was das Hauptstück angeht, leicht zu rekonstruieren; nur einzelne Fragen, die vor allem den Beginn und den Abbruch der Niederschrift betreffen, können wir nicht mit ganzer Sicherheit beantworten. Wir schildern hier die Hauptzüge und setzen den genauen Nachweis in den Anhang (siehe S. 276–83).

Daß der Roman zum größten Teil im Herbst 1912 niedergeschrieben wurde, ist sicher. Als Max Brod am 29. September nach Prag zurückkommt, findet er Kafka mitten in der Arbeit am «Verschollenen» (alles nach seiner Biographie, S. 156/57). Am 6. Oktober bekommt Brod das erste, am 3. November das zweite Kapitel zu hören. Die Niederschrift eilt anscheinend dem Vorlesen ziemlich weit voraus, denn am 13. November schreibt Kafka an Brod, er habe das sechste Kapitel am Vortage «roh und schlecht beendet» und sich entschlossen, das dritte Kapitel nicht vorzulesen. Das war nämlich für den 17. November vorgesehen; anscheinend haben sich die vier Freunde Brod, Kafka, Weltsch und Baum zu jener Zeit regelmäßig am Sonntag getroffen und einander vorgelesen. Nachdem also der Roman bis zum «Fall Robinson» gediehen ist, scheint die Arbeit zu stocken; nach Kafkas Jahresrückblick im Tagebuch vom Silvester 1914 hat er das siebente Kapitel («Asyl») erst im Oktober 1914 vollendet. Das umstrittene «Schlußkapitel», Karls Aufnahme ins Theater von Oklahoma, ist wohl eine von diesem Schaffensprozeß unabhängige, Fragment gebliebene Wiederaufnahme des Amerikathemas, wie wir im vierten Teil sehen werden (vergleiche S. 211–222). Anschließend an die sechs ersten Amerikakapitel hat Kafka noch 1912 die «Verwandlung» geschrieben; denn nachdem er Brod noch bitten mußte, am 17. November mit einer Geschichte einzuspringen, kann er die Käfernovelle am 24. den Freunden vorlegen.

Auf Schlüsse angewiesen sind wir für den Beginn der Arbeit. Brods Tagebuchnotiz vom 29. September 1912 ist wegen ihrer Angabe, daß der Roman in Amerika spiele, die erste gesicherte Erwähnung des «Verschollenen». Schon seit dem Frühjahr 1912 indessen spricht Kafka von der Arbeit an einem Roman; es fehlen aber alle Belege für seinen Inhalt. Wir können nicht entscheiden, ob es sich um einen anderen, nicht erhaltenen Roman oder schon um das Amerikathema handelt. Eine erste eindeutige Spur des Amerikamotivs fassen wir am 11. September 1912: In einem Traum, den er im Tagebuch notiert, befindet sich Kafka im Hafen von New York. Einzelheiten mahnen deutlich an das Heizerkapitel, vor allem der «ungeheuer fremdländische Verkehr» auf dem Wasser (Tagebuch, S. 289). Die ganze Stimmung ist aber so vage und die Notiz so ohne jede Anspielung auf ein etwa schon bestehendes Werk, daß man sich nicht vorstellen kann, Kafka habe vor diesem Datum schon etwas vom «Heizer» ausgeführt; und da dieser das erste Kapitel des entstehenden Romans darstellt, wird es auch unwahrscheinlich, daß etwas Späteres daraus schon vorher vorgelegen hätte.

So ergibt sich im ganzen: Die ersten sechs Kapitel des «Verschollenen», also die Episoden von der Einfahrt Karl Roßmanns in New York bis zur Verwicklung in den «Fall Robinson», sind zum größten Teil, vermutlich ganz von Ende September bis Mitte November 1912 entstanden. Schon dem März desselben Jahres entstammen vielleicht Absicht, Thema und erste Konzeption des Romans, dem darauf folgenden Sommer einige Versuche; daß Wesentliches daraus in den Roman überging, wie ihn uns Brod unter dem Titel «Amerika» vorgelegt hat, ist wenig wahrscheinlich. Das siebente Kapitel wurde erst zwei Jahre später abgeschlossen; das Oklahomafragment stammt vermutlich ebenfalls aus dem Jahr 1914 (vergleiche S. 212–216).

Damit übersehen wir den ganzen Schaffensprozeß vom Herbst 1912 in seinem äußeren Ablauf, dieses in Kafkas ganzem Leben einmalige Geschehen. Wie es zum erstaunlichen Durchbruch in der Nacht vom 22. auf den 23. September kam, wird wohl immer vom Geheimnis des Schöpferischen umwebt bleiben. Vielleicht hatte die Begegnung mit F. B. Kafkas Selbstvertrauen gehoben und seine inneren Kräfte freigesetzt. Jedenfalls gewann im «Urteil» die Anlage, die in ihm zurückgestaut war, mit einemmal Gestalt und Kraft. Wenige Tage darauf beginnt er in großer Hoffnung «Amerika» mit seinem lichtvollen Anfang und schreibt mit unglaublicher Schaffenskraft neben der Tagesarbeit in sechs Wochen sechs Kapitel; dann bricht er dieses Unternehmen resignierend ab und schreibt noch wie einen verzweifelten Epilog die «Verwandlung».

An diesem eigentümlichen Verlauf läßt sich unschwer eine markante Kurve von Aufschwung und Enttäuschung ablesen. Es ist leicht verständlich, daß das Gelingen des «Urteils» nach so vielen Jahren deprimierenden Versagens eine Euphorie auslöste; aus Kafkas Kommentar spricht sie deutlich genug. Aber die Weise, wie er nun den Roman konzipiert, gibt uns noch einige Rätsel zu lösen. Zwei Umstände sind es vor allem, die wir uns noch nicht erklären können. Warum nimmt Kafka nach dem Gelingen seiner ersten Novelle so entschieden einen Roman in Angriff, und warum wählt er darin wieder die einseitig «naturalistische» Darstellungsweise? Gerade die beiden Errungenschaften des künstlerischen Durchbruchs, die Konfrontation «Naturalismus : Surrealismus» und die Novellenform, läßt er zunächst beiseite und kehrt erst hinterher zu ihnen zurück, in der «Verwandlung», die gerade in diesen beiden Punkten offen das Muster des «Urteils» verrät.

Das Motiv für die Wahl der Romanform liegt in einer Tendenz von Kafkas frühem Schaffen, die wir noch nicht erwähnt haben: Kafka billigt dieser Prosagattung einen Vorrang zu. Einen Roman zu schreiben war seit dem frühesten Alter sein Ziel. Schon als Gymnasiast begann er einen Roman, woran er sich in der Tagebucheintragung vom 19. Januar 1911 erinnert (S. 39/40). Die «Hochzeitsvorbereitungen» sind als Roman angelegt, die vorliegenden dreißig Seiten stellen einen in aller Breite ausgeführten Anfang vor; Kafka bezeichnet sie selbst als Roman in einem Brief an Brod (von Anfang Juli 1909):

«Der Roman, den ich Dir gegeben habe, ist mein Fluch, wie ich sehe; was soll ich machen. Wenn einige Blätter fehlen, was ich ja wußte, so ist doch alles in Ordnung und es ist wirkungsvoller, als wenn ich ihn zerrissen hätte.»

Die erwähnten Lücken stehen auch in der Buchausgabe (S. 14, 17, 18, 35, 38). Der Versuch «Die städtische Welt» verrät schon auf seinen sieben Seiten den charakteristischen Romanaufbau: Die Auseinandersetzung des Sohns mit dem Vater eröffnet hier, anders als im «Urteil», bloß eine Serie von Episoden, denn die nächste, wo der Sohn seinen Ingenieur-Freund besucht, hat Kafka noch begonnen. Auch im Sommerhalbjahr 1912 hat Kafka an einem Roman geschrieben. Seine intensiven Bemühungen haben bis zum kritischen Jahr 1912 eine stattliche Reihe verschieden weit gediehener Romantorsen zurückgelassen, die ganz bestimmte Merkmale aufweisen.

Das Ziel ist betont hoch gespannt. Kafka hofft offensichtlich, im Roman eine reiche Welt darstellen zu können. Schon im Versuch aus der Mittelschulzeit spannte er das Geschehen von Europa bis Amerika. «Die städtische Welt» verrät den hohen Anspruch schon im Titel. (Eine frühere Sammlung von Einzelstücken aus demselben Motivkreis nannte er bloß «Das Kind und die Stadt», siehe Brief an Pollak vom 9. November 1903.) Direkt ausgesprochen wird diese Ambition im Tagebuch, 20. August 1911, mit den Worten:

«Ich habe den unglücklichen Glauben, daß ich nicht zur geringsten guten Arbeit Zeit habe, denn ich habe wirklich nicht Zeit für eine Geschichte, mich in alle Weltrichtungen auszubreiten, wie ich es müßte.»

Zu diesem hohen Ideal steht die Qualität des Realisierten in offenem Gegensatz. Die Romanversuche erreichen nicht das

Niveau der frühen Schöpfungen anderer Art. Die «Hochzeitsvorbereitungen» machten uns einen viel schwächeren Eindruck als die «Beschreibung eines Kampfes», ja sogar als die hauchdünnen, aber präzisen «Betrachtungen». Plastisch tritt uns der Qualitätsunterschied beim Vergleich zwischen der «Städtischen Welt» und dem «Urteil» entgegen, wo das gleiche Motiv einmal als Roman, einmal als Novelle konzipiert wurde. Erst die Fassung in der Novellenform provozierte die reifere Leistung. Im Vergleich mit den anspruchsloseren Werken (die «Beschreibung eines Kampfes» nannte Kafka selbst eine Novelle im Brief an Brod vom 18. März 1910) kennzeichnet die Romantorsen eine auffällige Blässe. Kafka bemerkt sie selber:

«Der Roman ist so groß, wie über den ganzen Himmel hin entworfen (auch so farblos und unbestimmt wie heute) und ich verfitze mich beim ersten Satz, den ich schreiben will» (Aus den Sommerferien 1912 in Jungborn an Max Brod, 10. Juli).

Ein eigentümliches, festes Gesetz scheint das Verhältnis zwischen der Größe einer Gattung und Kafkas Leistung zu bestimmen. Je größer eine Form nach äußerem Umfang und innerem Anspruch angelegt war, desto mehr Reife brauchte Kafka, um seine unheimliche Welt darin verständlich zur Geltung zu bringen: Die flüchtige Skizze, die nur eine unverbindliche Impression fassen kann, beherrschte er schon 1908; 1912 die Novelle, die wenigstens die unheimliche Tiefe seiner Erfahrung für kurze Momente aufleuchten läßt. Kafka aber rang darum, eine Welt sichtbar zu machen, die von dieser Erfahrung durch und durch, ohne Ausweichmöglichkeit geprägt war; das ist der tiefe Grund für sein unbeirrbares Bemühen um den Roman, die einzige Literaturgattung, die einem solchen Anliegen genug Spielraum bot.

Darum also stürzte sich Kafka nach dem Gelingen seiner ersten Novelle auf den Roman! Er wollte die durchgebrochene Schöpferkraft sofort nützen, um sein Lieblingsanliegen zu verwirklichen. Dazu war er aber noch nicht reif. Nach anderthalb Monaten gab er die Arbeit auf: «Da sind ganz andere Kräfte nötig, als ich sie habe, um dieses Zeug aus dem Dreck zu ziehen», schreibt er im Entschuldigungsbrief vom 13. November. Die Wirksamkeit jener Proportionen erweist sich auch hier. Um den Roman zu meistern, brauchte Kafka noch zwei Jahre mehr; erst der «Prozeß», im

Herbst 1914 begonnen, erfüllt die Anforderungen, die Kafka an seinen Roman stellte: In genügender Breite, Kraft und Klarheit die tiefe Zwiespältigkeit seiner Welt zu zeigen. Von «Amerika» anerkannte Kafka nur den «Heizer», das erste Kapitel, welches als Erzählung gelten muß. Im Brief an Kurt Wolff vom 4. April 1913 kann man ein vernichtendes Urteil Kafkas über den Rest nachlesen.

Diese Kritik schießt zweifellos über das Ziel hinaus. Zwar ist eine gewisse Blässe nicht zu leugnen, vor allem beim Vergleich mit dem «Prozeß» und dem «Schloß». Der erste Roman erreicht auch nicht die geballte Wirkung der derselben Zeit entstammenden Novellen. Ihn darum aber ganz zu verwerfen ist ungerecht. Er ist nach dem Urteil vieler Leser durchaus lesenswert; keines der früheren Produkte außer dem «Urteil» ist «Amerika» an Ausdruckskraft zu vergleichen.

Allmählich tritt so die charakteristische Mittelstellung hervor, die «Amerika» in Kafkas Schaffen einnimmt. In der Geschichte seiner Bemühungen um den Roman ist es der erste Versuch, der klare Gestalt und kräftiges Leben gewinnt; aber gleichzeitig die ganze Weite von Kafkas rätselhafter Welt auszuspannen und durchzugestalten wie die beiden gewichtigen Romane, dazu fehlt «Amerika» noch ein entscheidendes Moment. Die Erkenntnis dieser Mittelstellung hat bedeutende methodische Folgen. Den Interpreten galt «Amerika» bisher einfach als einer von drei Romanen, in denen Kafka sein Weltbild niedergelegt hat. Diese undifferenzierte Vorstellung liegt zum Beispiel Max Brods Vorgehen zugrunde, wenn er den Roman als Hauptzeugnis für seinen Nachweis der «helleren» Elemente in Kafkas Welt anführt. Dieser Schluß verliert seine Beweiskraft weitgehend, und mit ihm alle Schlüsse, welche auf der gleichen Modellvorstellung beruhen, denn «Amerika» steht nicht als andere Möglichkeit neben dem «Prozeß» und dem «Schloß», sondern entstammt einer früheren Stufe der Entwicklung. Vor der größeren Aufgabe, einen Roman zu schreiben, behält Kafka auch im Herbst 1912 noch bedeutende Reste jener Scheu, die er mit dem «Urteil» abgelegt zu haben meinte. Noch hat er Angst davor, mit seiner fremdartigen Welterfahrung ungeschützt aufzutreten; er getraut sich nicht, in vollem Umfang zuzugeben, daß sie einem erwachsenen Menschen begegnen könne. Wir treffen in «Amerika» auf Schutzmaßnahmen, die ganz an jene in der «Beschreibung eines Kampfes» erinnern. Es zählen dazu so grundlegende Elemente des Romans wie die Gestalt der Hauptperson, der Schauplatz des Geschehens und der naturalistische Stil.

An Karl Roßmann, dem sechzehnjährigen, treuherzigen, von seinen Eltern ausgestoßenen Jungen findet der Leser manches Befremdliche naiv-reizvoll, was er an einem erwachsenen Menschen tadeln oder belächeln würde; Übertreibungen seiner Jugend schreibt er zu, was eigentlich für den erwachsenen Kafka Wirklichkeit ist. Zehn Jahre früher hatte Kafka sein erschütterndes Erlebnis im Garten bei der Übernahme in die Dichtung durch den Zusatz «als Kind» verniedlicht. So radikale Tarnung braucht der neunundzwanzigjährige Kafka nicht mehr, aber wenn wir die Gestalt Karls gegen die beiden K. halten, entdecken wir in ihr doch noch deutliche Reste jener Scheu. Kaum an einem andern Detail wird so deutlich die Mittelstellung «Amerikas» sichtbar. Nicht minder befremdliche Erlebnisse überfallen im «Prozeß» einen Mann, der selbstbewußt eine angesehene berufliche Stellung ausfüllt.

Kaum anders läßt sich auch die Wahl Amerikas zum Schauplatz des Geschehens verstehen. Daß Kafka eine realistisch geschilderte Romanhandlung in Amerika spielen läßt, würde niemand aus seinen übrigen Werken schließen (darum wirkt der von Brod eigenmächtig gesetzte lakonische Titel «Amerika» so anstößig). Auch das aber verschafft dem Dichter und dem Leser Raum, um vor dem Ernst der schrecklichen Wirklichkeit auszuweichen; manchen seltsamen Vorfall wird man, wenn er in Amerika passiert, leichter nehmen als in bekannterer Umgebung.

Daß schließlich auch der Realismus, zu welchem Kafka im «Verschollenen» zurückkehrt, seinem Sicherheitsbedürfnis entgegenkommt, ist uns schon früher aufgefallen. Wie die reiferen Werke zeigen, sollte die surrealistische Komponente auch in einem Roman auf ihre Rechnung kommen. Stattdessen übernimmt Kafka in «Amerika» von der Haltung des naturalistischen Romanerzählers so viel, daß sich der Leser des Eindrucks nicht erwehren kann, hier sei epische Erzählfreude am Werk. Im «Prozeß» und im «Schloß» dagegen beschränkt sich die äußere Szenerie völlig auf ihre dienende Funktion, sie wird unter der beklemmenden Atmosphäre, unter den Überlegungen und Diskussionen, in denen drückend die Problematik der inneren

Welt erscheint, kaum mehr sichtbar. Die Selbständigkeit und Stärke der aus der Tradition übernommenen Elemente in «Amerika» zeigt, wie wenig Vertrauen zu seiner eigensten Erfahrung Kafka noch hatte, als er diesen Roman schrieb. Sein späteres Eingeständnis, er habe eigentlich Dickens nachgeahmt, ist durchaus glaubwürdig; diese Abhängigkeit verrät jene Anfälligkeit für fremde Muster, die wir als Symptom der Unsicherheit ebenfalls schon in den frühen Werken kennen lernten.

Auch im «Verschollenen» also begegnet uns das alte Dilemma Kafkas: naturalistische Einstellung als Hindernis für die Entfaltung von Kafkas «surrealistischem» Zug – das heißt seiner eigensten Fähigkeit, die uns umgebende Alltagswelt in erschütternder Fremdheit zu sehen. Warum aber wählt Kafka so entschieden den «naturalistischen» Stil, gerade nachdem die «surrealistische» Methode im «Urteil» zu einem so durchschlagenden Erfolg geführt hatte?

Auch die Antwort auf diese Frage liegt in der Sonderstellung beschlossen, die in Kafkas Frühwerk die Romanversuche einnehmen. Neben dem hohen Anspruch und der Blässe zeigen sie ein drittes charakteristisches Merkmal: In ihnen konzentriert sich Kafkas «naturalistischer» Frühstil. Die «Hochzeitsvorbereitungen» sind im reinsten Naturalismus gehalten. Ähnliches gilt für die beschreibenden Abschnitte der «Städtischen Welt»; in den direkten Reden ahmt Kafka wie im naturalistischen Drama, das er gut kannte, den Stil der Umgangssprache nach. So hebt er den burschikosen Ton, der unter Freunden üblich ist, vom familiären Gespräch mit dem Vater ab. In seinem Vergleich des «Heizers» mit Dickens betont er ausdrücklich die Übernahme der «Methode», womit nur der naturalistische Stil gemeint sein kann (siehe S. 22–24). Aus alledem müssen wir schließen, daß in Kafkas Vorstellungen der früheren Zeit «naturalistische» und «surrealistische» Komponente zwei verschiedenen Gattungen zugeordnet werden. Noch 1912 ist es für ihn undenkbar, den Roman etwa «surrealistisch» zu konzipieren. Das tut er dann erst im «Prozeß», gleich vom ersten Satz an und mit nachhaltigster Wirkung. Der «Prozeß» gleicht darin auffällig der «Verwandlung». Er bezeichnet, was das Verhältnis von «surrealistischer» und «naturalistischer» Methode angeht, genau die gleiche Stufe wie die «Verwandlung» unter seinen Novellen.

II. TEIL:

EINZELSTUDIEN

Naturalismus, Einzelnenperspektive und sozialkritische Tendenz
Kafkas «Schulden»

Die erste Etappe unseres Weges ist abgeschlossen. Wir haben im Umgang mit Kafkas Befremden Erfahrung gewonnen; in nicht zu verachtendem Maß erschlossen sich schon charakteristische Merkmale; und wir überblicken das frühe Schaffen, aus dem «Amerika» herauswächst, und seine eigentümliche Gesetzmäßigkeit. Tastend sucht der junge Dichter den Ausdruck einer Welt, die er stark und deutlich erlebt, die er aber noch nicht klar wiederzugeben vermag; einer widersprüchlichen Welterfahrung, die die ganze Generation untergründig beschäftigt, fühlt sich Kafka so total ausgeliefert, daß er sie zunächst nicht direkt auszusprechen wagt. Er trifft Schutzmaßnahmen, und nur langsam gelingt es ihm, sie mit zunehmendem Selbstvertrauen abzubauen: Das ist einer der Vorgänge, die Kafka bis zum kritischen Jahr 1912 hinhalten.

Von jener eigentümlichen Grunderfahrung läßt sich fürs erste erkennen, daß sie ein Befremden in gewöhnlicher Umgebung ist, das den Dichter von irgendwoher – vielleicht weiß er selbst nicht von wo – überfällt. Kafka empfindet den Widerspruch zwischen den beiden Komponenten, die wir provisorisch «naturalistisch» und «surrealistisch» nannten, so stark, daß er sie zunächst nur getrennt darstellen kann. In seinen ersten Werken schon, der subjektiv-phantastischen «Beschreibung eines Kampfes» und den naturalistisch beschreibenden «Hochzeitsvorbereitungen auf dem Lande», treten die beiden Pole auseinander; Kafka selber scheint es selbstverständlich zu finden, mit dem «naturalistischen» Stil im Roman, mit dem «surrealistischen» in der Novelle zu operieren. Daß er sie zu einem spannungsgeladenen Ganzen verschmelzen muß, wenn seine Welt zu ihrer adäquaten Gestaltung kommen soll, hat er erst noch zu lernen. Auch diese Schranke hemmt den Dichter während der vorbereitenden Jahre; er überspringt sie 1912 mit dem «Urteil» und der «Verwandlung» im Rahmen von Novellen, 1914 im Prozeßroman.

In diesem Diagramm nimmt der Amerikaroman eine genau bestimmbare Stellung ein. Bei seiner Niederschrift ist Kafkas künstlerisches Selbstbewußtsein so weit geformt, daß er sich klar und lebendig ausdrücken kann, ganz sicher aber noch nicht, so daß er auf gewisse Schutzmaßnahmen in der Gesamtkonzeption nicht verzichtet. «Amerika» ist sein erster Roman, der feste Gestalt gewinnt, kann aber doch nur als Vorstufe zum «Prozeß» und zum «Schloß» gelten, weil er nach Methode und Stil noch einseitig naturalistisch ist; noch fehlt das Charakteristikum von Kafkas ausgereiften Werken: die meisterhaft ausgewogene, unauflösbar verschlungene Polarität von Alltäglichem und erschütternd Fremdem.

Methodische Vorfragen: Textgestalt, Inhalt und Deutungswege

Nachdem wir so die notwendigen Vorübungen gemacht und die künstlerische Umgebung kennengelernt haben, trauen wir uns mutiger in den Roman selbst hinein. Zuerst müssen wir uns mit einem editorischen Problem herumschlagen. Die Textgestalt, die uns Max Brod in Fischers Gesamtausgabe präsentiert, ist nicht unbestritten geblieben: Herman Uyttersprot (in «Tijdschrift voor levende Talen» 1954 und «Eine Neuordnung der Werke Kafkas? Zur Struktur von 'Der Prozeß' und 'Amerika'», Antwerpen 1957), der schon Brods Anordnung der Kapitel im «Prozeß» angriff, macht darauf aufmerksam, daß in der Handlung des Amerikaromans zwischen dem siebenten und dem «letzten» Kapitel eine große Lücke klafft, die Brod in der Ausgabe ignoriert und die auch die Interpreten nicht beachteten. Tatsächlich schildert Kafka Karl Roßmanns Abenteuer in Amerika in ununterbrochener Erzählung bis zum Ende des siebenten Kapitels, wo Karl in

Delemarches Wohnung einschläft. Hier schließt offensichtlich als Beginn des nächsten, also achten Kapitels die Szene der Waschung und Speisung Bruneldas an, die Brod als «Fragment I» in den Anhang gesetzt hat («'Auf! Auf!' rief Robinson, kaum daß Karl früh die Augen öffnete.») Ein weiteres Fragment, das zeitlich nicht direkt ans erste anschließt, aber an der gleichen Örtlichkeit neu beginnt, schildert den Auszug Bruneldas aus dieser Wohnung – Karl transportiert sie in einem Handwagen an einen anderen Ort.

Das heiß umstrittene «letzte Kapitel» aber beginnt abrupt, in völlig neuer, völlig unbekannter Umgebung:

«Karl sah an einer Straßenecke ein Plakat mit folgender Aufschrift: 'Auf dem Rennplatz in Clayton wird heute von sechs Uhr früh bis Mitternacht Personal für das Theater in Oklahoma aufgenommen! Das große Theater von Oklahoma ruft euch! Es ruft nur heute, nur einmal! Wer jetzt die Gelegenheit versäumt, versäumt sie für immer!' ...» und so weiter (S. 305).

Der erste Abschnitt von Karls Amerikaaufenthalt liegt weit zurück: Einmal wird in diesem fünfundzwanzigseitigen Stück darauf angespielt, daß Karl in mehreren früheren Stellungen den Rufnamen «Negro» angenommen habe – wovon in den ersten sieben Kapiteln kein Wort steht; eine beträchtliche Zeit muß seither verflossen sein. Keine Einzelheit im neuen Textstück erinnert an das alte, nur der generelle Schauplatz Amerika, die Gestalt Karl Roßmanns sowie ein Liftjunge aus dem Hotel «Occidental», dem er überrascht begegnet und mit dem er Erinnerungen an Dinge austauscht, die in weiter Ferne liegen. («Was für Erinnerungen an vergangene Zeiten! Wo war die Oberköchin? Was machte Therese? ...» S. 328). Aber sogar das Mädchen Fanny, uns völlig neu, begrüßt er als gute Bekannte – sie sagt: «Wie gut es sich trifft, daß wir wieder beisammen sein werden» (311).

Und in welcher seltsamen Gesellschaft begegnet ihm Fanny: Auf hohen Podesten sind zwei lange Reihen trompetenblasende Engel in langen, weißen Gewändern aufgestellt, zwischen denen hindurch die Interessenten für das «Theater von Oklahoma» schreiten müssen. Die ganze Welt ist gegenüber dem strengen Realismus der ersten sieben Kapitel sonderbar verändert. Das Plakat schlägt mit seinem marktschreierischen Aufruf eine Sprache an, die im ersten Teil kaum denkbar wäre; der Alltagswelt, die dort beschrieben ist, dem Haus des Onkels, dem Hotel, der Wohnung Delamarches, tritt eine bizarre, geradezu megalomanische Szenerie gegenüber, die wir kaum irgendwo einzuordnen wissen. Auffällig die Häufung chiliastischer Züge: das Plakat, welches jedem die Erfüllung seiner Wünsche verheißt und ein Paradies erwarten läßt, gleichzeitig aber droht: «Verflucht sei, wer uns nicht glaubt»; die fanfarenblasenden Engel und Teufel, die uns unwillkürlich an die Posaunen des Jüngsten Gerichts erinnern; die Verlockung, sich aus allen Bindungen zu lösen, und die Verheißung, jeder sei zu brauchen: Alles ist in einem euphorischen Zustand, irgendwie dem Irdischen entrückt, ohne daß wir uns getrauten, Bestimmteres darüber zu äußern. Die Bindungen an Bekanntes, Traditionelles, deren Stärke uns im Hauptteil überraschte, scheinen ganz zerrissen. Alles in allem: Die Unterschiede zwischen den ersten sieben Kapiteln und dem selbständigen Textstück, das Karls Bewerbung und Aufnahme ins rätselhafte Theater von Oklahoma bis zur Eisenbahnfahrt in diese Stadt beschreibt, sind so groß, daß wir von einer tiefen Kluft sprechen müssen, die kaum so rasch zu überbrücken sein wird.

Das hat unangenehme Folgen. Wenn wir sauber vorgehen wollen, kommen wir nicht darum herum, die beiden Stücke separat zu untersuchen; es geht nicht an, Belege aus Welten zu mischen, die auf den ersten Blick so verschieden erscheinen. Es bleibt uns nichts anderes übrig, als die Behandlung des Theaterfragments auf später zurückzustellen und uns zuerst ganz auf das Hauptstück der ersten sieben Kapitel zu beschränken. Diese Trennung nach den stilistischen Unterschieden wird durch die Umstände der Entstehung gestützt: Kapitel 1 bis 6 sind ja in einem Zug im Herbst 1912 entstanden; das siebente ist, vermutlich sporadisch geschrieben, zwei Jahre später vollendet worden, und da es keine ins Auge fallenden Unterscheide aufweist und die Handlung der ersten sechs Kapitel direkt fortführt, darf man es wohl dazunehmen, ebenso die zwei Fragmente. Was aber das Oklahomastück betrifft, so drängen uns starke Indizien, die wir erst später würdigen können (siehe S. 212–216), zur Annahme, daß es im Juni/Juli 1914 unter ganz außergewöhnlichen Umständen entstanden sei.

Ein weiterer grundsätzlicher Einwand meint, in ihrer fragmentarischen Form repräsentierten Kafkas Romane nicht seinen endgültigen Willen – er habe deutlich demonstriert, daß er mit ihnen nicht zufrieden sei. Uns scheint, es sei für Kafka typischer, wie der Roman wirklich geworden ist, als wie er geworden wäre, wenn Kafka fähig gewesen wäre, ihn zu vollenden. Kafka selbst denkt ähnlich. Über das erste Kapitel, den «Heizer», schreibt er, wie er es Kurt Wolff zum Verlegen sendet:

«Es ist ein Fragment und wird es bleiben, diese Zukunft gibt dem Kapitel die meiste Abgeschlossenheit» (4. April 1913).

Ebenso zieht uns das ganze, von Brod vor der Vernichtung gerettete «Amerika» als ein authentisches Dokument von Kafkas dichterischen Bemühungen an. Am Schluß wird zu entscheiden sein, was wohl bei Kafka dieses Aufgreifen, Abbrechen, Neuaufgreifen, Wiederabbrechen und Verwerfen für einen Sinn hat.

Im Herbst 1912 schreibt er also während seiner Freizeit in fortlaufender Erzählung an den Abenteuern eines sechzehnjährigen Jungen in Amerika, den seine Eltern wegen eines Mißgeschickes mit dem Dienstmädchen verstoßen haben. Sehr prägnant setzt Kafka mit der Beschreibung ein bei Karls Einfahrt in den Hafen von New York. Ein Versehen hält ihn vor dem Aussteigen auf; durch diesen Zufall lernt er den Schiffsheizer kennen, ist sofort von dessen Klagen über ungerechte Behandlung eingenommen und hilft nach Kräften, seinen Fall im Kapitänsbüro darzulegen. Darin werden die beiden durch den Senator Edward Jakob unterbrochen, Karls verschollenen Onkel, der ihn, wie sich herausstellt, auf einen Brief des Dienstmädchens hin auf dem Schiff suchte. Ohne die weiteren Verhandlungen abzuwarten, verlassen sie miteinander das Schiff. – Der Onkel nimmt sich zunächst Karls an und führt ihn ins amerikanische Leben ein. Nach einiger Zeit verstößt er ihn aus undurchsichtigen Motiven; Karl erfährt das im Landhause eines Geschäftsfreundes, Pollunder, der ihn für einen Abend eingeladen hatte, von Green, einem anderen Geschäftsfreund, und begibt sich daraufhin sofort für den Rest der Nacht ins nächste Wirtshaus. Delamarche und Robinson, die zwei nicht sehr vertrauenerweckenden Burschen, die er in der Schlafkammer findet, nehmen ihn mit auf ihre Wanderung nach Butterford, wo es Arbeit geben soll, doch trennt er sich nach einem Tag im Städtchen Ramses von ihnen; die Oberköchin im Hotel

«Occidental», wohin er einkaufen ging, nimmt ihn gut auf und verschafft ihm eine Stelle als Liftjunge. – In einer Nacht etwa anderthalb Monate später kompromittiert ihn in dieser Stellung Robinson durch einen überraschenden Besuch so sehr, daß Karl froh sein muß, nach einem strengen Verhör beim Oberkellner und einigen Mißhandlungen durch den Oberportier bloß fortgejagt zu werden. (An dieser Stelle hat Kafka die Niederschrift Mitte November 1912 zum erstenmal unterbrochen.) Robinson bringt ihn nach Delamarches Wohnung, wie es dessen Plan war, denn Delemarche hatte unterdessen die Sängerin Brunelda zu sich genommen, und diese verlangte nach einem Diener. Nach starkem Widerstreben, das Delamarche schließlich mit brutaler Gewalt zu brechen versucht, läßt sich Karl in nächtlichem Gespräch von einem Studenten überzeugen, den Dienst anzunehmen. Kafka beschreibt noch zwei Dienstleistungen am andern Tag (Brod placiert diese zwei Skizzen unglücklich nach dem Oklahomastück, sie schließen sich ans siebente Kapitel an), und dann bricht die fortlaufende Handlung zum erstenmal ab; im zweiten von Brod mitgeteilten Fragment ist noch der Umzug Bruneldas in eine neue Wohnung dargestellt.

So läßt sich der Inhalt des Werkes ohne Schwierigkeiten und durchaus zureichend wiedergeben. Was aber will Kafka damit sagen? Diese Frage bringt uns zunächst in große Verlegenheit. Es ist mit diesem Roman nicht etwa so bestellt wie mit jenen schwerverständlichen Werken, die schwierige Auslegungsprobleme aufgeben; vielmehr sehen wir gar keine deutlich anvisierten Probleme, obwohl wir mit Bestimmtheit fühlen, daß uns der Roman zu einer Deutung auffordert. Wir vermissen die sichere Führung, die uns auch bei den schwierigsten Werken noch spüren läßt, worauf es dem Dichter ankommt, worum seine Äußerungen kreisen. Ähnliches mag uns schon bei Werken begegnet sein, die wir bedenkenlos als verworren taxierten. Auch dieses Verdikt aber wagen wir über den «Verschollenen» nicht auszusprechen; er macht vielmehr den Eindruck, daß er in vorläufig unerreichbarer Tiefe Wesentliches berge.

Analysieren wir diese eigenartige Wirkung etwas genauer, so glauben wir in «Amerika» verschiedene Intentionen durcheinandergehen zu sehen, so als wenn jede nur angetippt und nur unvollständig ausgeführt würde. Eine gewisse sozialkritische Tendenz; eine kaum verhehlte, aber offenbar bewußt gezügelte Anteilnahme an der Gestalt des jugendlichen Helden und seinem bedauernswerten Schicksal; die widerwillige Wiedergabe unbewältigter intimer Probleme, welche an die Atmosphäre in Musils «Törleß» erinnern, in den beiden Vergewaltigungsszenen mit der Magd und mit Klara; daneben wieder Partien, vor allem im Onkelkapitel, wo eine fast ausgelassene Fabulierlust schaltet und waltet, zum Beispiel in der Beschreibung des Bades und des wunderbaren Schreibtisches: Jede dieser Tendenzen wird abwechslungsweise spürbar, aber ohne feste Grenzen; auf keiner konzentriert sich das Interesse des Lesers so, daß sie feste Gestalt gewinnt. Auch der Stil ist nicht einheitlich: Neben naturalistisch gehaltenen Beschreibungen finden sich Klischeevorstellungen (der «amerikanische» Schreibtisch mit seinen hundert Fächern, der Erbonkel), dann wieder waltet eine unheimliche Bildphantasie (Brunelda); nicht selten ist auch ein parodistischer Zug zu spüren, vor allem in den marionettenhaften Arbeitsszenen, die Brod nicht ganz zu Unrecht mit Chaplin-Filmen vergleicht; kaum damit zu vereinbaren ist wieder der tiefe Ernst, mit dem Kafka Karls Leiden in der Welt behandelt. Jedenfalls ist der Roman nicht aus einem Guß. Indessen sucht man auch vergeblich nach offenen Bruchstellen. Eher würde man sagen, daß Kafka tastet, dies und jenes, was sich meldet, zum Zug kommen läßt, ohne es deutlich auszuführen, aber auch ohne die verschiedenen Anstöße in ein wohlabgewogenes Zusammenspiel zu setzen oder sie einer strengen Gesamtkonzeption zu unterwerfen. Dieser Befund paßt zum Übergangscharakter von «Amerika», den wir im ersten Teil unsrer Arbeit kennenlernten. Vor der großen Aufgabe, einen Roman zu schreiben, behält Kafka auch im Herbst 1912 die vorsichtig abtastende Haltung bei, die er mit dem «Urteil» abgelegt zu haben meinte.

Wie sollen wir an ein solches Werk herangehen? Da sich die verschiedenen Tendenzen nirgends kompakt niederschlagen, sondern da und dort, in stärkeren und schwächeren Dosen, fast immer unentwirrbar gemischt auftreten, wäre es wenig aussichtsreich, mit der Deutung dem Ablauf der Handlung zu folgen. Vielmehr greifen wir Strömungen, die uns auffallen, einzeln heraus und tragen aus dem ganzen Roman alle Einzelheiten zusammen, die dazuzugehören scheinen. Ob diese

Züge zu einem Gesamtbild zusammenwachsen werden, bleibt abzuwarten.

Die naturalistischen Züge des Amerikaromans

Der Zug zum Naturalismus, der uns bisher am deutlichsten in die Augen stach, bietet sich zwanglos zum Anfangen an. Er schließt an Bekanntes an; wie ein Scharnier verklammert er Kafkas Werk mit der Tradition und wird der zuverlässigste Lotse sein, uns vom Bekannten in die geheimnisvollen Tiefen dieser Dichterwelt zu geleiten.

Als wir in den frühen Schöpfungen Kafkas eine Tendenz antrafen, die uns naturalistisch anmutete, setzten wir das Wort zunächst, um nichts zu präjudizieren, in Anführungszeichen. Jetzt wollen wir der Sache auf den Grund gehen mit der strengen Frage: Was ist im Amerikaroman naturalistisch? – Was ist aber eigentlich unter diesem Begriff zu verstehen? Wo wir es heute verwenden, gibt das Wort eigentümliche Probleme auf, weil uns die Grundvorstellung der Naturalisten fremd geworden ist: daß die uns im Alltag umgebende Welt der «realen Dinge» die echteste, ja überhaupt die einzige «Wirklichkeit» sei, alles andere aber, insbesondere das, womit Klassik, Idealismus und Romantik sich abgeben, bloßes Phantom. Diese Ansicht trat in Deutschland um 1890 als militante Weltanschauung auf und gewann in den folgenden Jahren rasch weiteste Verbreitung. Diejenigen, die ihr anhingen, zogen konsequenterweise den Schluß, nur mit dieser Wirklichkeit lohne es sich abzugeben, und konzentrierten ihre Energien auf das, was sie dafür hielten: den Alltag, die sozial benachteiligten Volksschichten, den triebhaften Bereich im Menschen. Daß das nicht «die Wirklichkeit» ist, sondern ein perspektivischer Ausschnitt aus ihr, mit nicht mehr und nicht weniger Wirklichkeit als ein anderer, wurde erst später erkannt und ist heute so gut wie unbestritten. Das hindert uns heute, den Naturalismus als richtige Weltanschauung gelten zu lassen. Damit ist jedoch die Tatsache nicht aus der Welt geschafft, daß sich einst weite Kreise dieser Überzeugung hingaben, so falsch sie uns vorkommen mag. Wir bezeichnen demgemäß als «naturalistisch» die geschilderte Anschauung überall dort, wo sie auftritt, und als Naturalisten jeden Menschen, der ihr anhängt; als «naturalistische Kunst», als «Naturalismus» eine dichterische Grundhaltung, die, wie schlecht sie auch begründet sei, die Welt der natürlichen Dinge um uns her mit ihren Mitteln möglichst genau wiedergeben will.

Diese Triebkräfte sind beim jüngeren Kafka und im Amerikaroman sehr lebendig. Wir spürten das von Anfang an. In diesem Punkt hat übrigens Emrich ein großes Verdienst; er ist der erste Kafka-Forscher, der auf diesen Zug mit Nachdruck hingewiesen hat («Kafka», S. 30–40, «Der naturalistische Ansatz Kafkas, seine Steigerung und Verfremdung»).

So dürfte denn unsere erste Frage richtigerweise so zu stellen sein: Was alles stimmt im Amerikaroman mit der zeitgenössischen Theorie und Praxis des Naturalismus überein?

Was an naturalistischer *Theorie* um die Jahrhundertwende verkündet wird, geht mittelbar oder unmittelbar auf Zola zurück, den unbestrittenen Vorkämpfer dieser Schule. Seine wesentlichen Gedanken sind im Sammelband «Le roman expérimental», Paris 1880, niedergelegt, vor allem in den Aufsätzen «Le roman expérimental» auf Seite 51–53, «Le naturalisme au théâtre» in den Abschnitten I und II Seiten 109–128, und «Les documents humains», Seiten 255–262. Wenn wir im folgenden Zolas und Kafkas Vorstellungen vergleichen, dürfen wir natürlich nur auf ihren reinen Sachgehalt achten. Von Zolas polemischem Ton und seiner literarischen Kampfstellung unterscheidet sich Kafkas scheue Sachlichkeit gewaltig; auch scheint Zola auf Kafka nicht einen direkten Einfluß ausgeübt zu haben wie Dickens und Flaubert. Nichtsdestoweniger deckt sich die naturalistische Substanz ihres Glaubensbekenntnisses. Zola ist es, der in aller Form den Roman in den höchsten Rang unter den Gattungen eingesetzt hat. «Le roman n'a donc plus de cadre, il a envahi et dépossédé les autres genres. Comme la science, il est maître du monde» (S. 124). Und: «Le roman restera peut-être l'outil par excellence du siècle, tandis que le théâtre ne fera que le suivre et en compléter l'action» (S. 149). Daß diese Vorstellung für Kafka in seinen jüngeren Jahren schon ganz selbstverständlich ist, haben wir gesehen: Er kennt gar kein anderes Ausdrucksmittel mehr als die erzählende Prosa, und als höchstes künstlerisches Ziel steht ihm unverrückbar der Roman vor Augen. Weiter: Welche Forderungen stellt Zola an den naturalistischen Romancier? Sein Ziel soll es sein, ohne zu werten die objektive Wahrheit in der menschlichen Gesellschaft zu erforschen und darzustellen. Damit wendet sich Zola vor allem gegen das romantische Erfinden von möglichst ausgefallenen Abenteuern; alle Romanelemente sollen sich an der Wirklichkeit bewähren (daher der Ausdruck «roman experimental»). Dem scheint nun Kafkas Wahl des Schauplatzes Amerika direkt zu widersprechen, denn da erwarten wir eher abenteuerliche Geschichten – und wir fühlen uns bestätigt, wie der reiche Onkel auftaucht. Diese Episode wird aber bald abrupt abgebrochen, und im ganzen Rest des Romans schildert uns Kafka Milieus, die ganz der naturalistischen Romanpraxis entsprechen: die Dachkammer im Wirtshaus, Schlaf-, Büro- und Restaurationsräume im Hotel, die schmutzige Wohnung Delamarches. Karl Roßmanns Gesellschaft sind seither zwei heruntergekommene Maschinenschlosser und das Hotelpersonal mittlerer bis unterster Chargen, vom Oberkellner bis zum Liftjungen. Der Umkreis der Dinge und Menschen, die Karl in den Blick kommen, erfüllt genau das Postulat Zolas nach Banalität und Alltäglichkeit (S. 259/60).

Die Handlung ist, wie wir schon gesehen haben, stark von Dickens abhängig, einem der einflußreichsten Wegbereiter des naturalistischen Romans. Sein Einfluß wirkt so stark und selbstverständlich, daß Kafka, wie er selber zugibt, einzelne Motive unverändert übernimmt. Zum Beispiel: In «David Copperfield» spielt ein schwarzer Anzug für David eine Rolle (I, 147–150), ebenso ein Koffer (I, 206–208); David ist Laufbursche in einem Büro (I, 180/81), verliert seine Jacke (I, 212–215), auch eine Flucht durch die Stadt kommt vor; Klara entspricht Davids «Geliebter auf dem Landgut» (II, 100–112). Auch die andern Details der Handlung von «Amerika» bewegen sich (immer mit Ausnahme des Onkelkapitels) ganz im Rahmen der naturalistischen Theorie und Praxis: Karls schlechte Erfahrungen mit übelwollenden Menschen, seine niedrige Arbeit im Hotel «Occidental», das ungerechte Verhör und seine Folgen, sein Dienst bei Delamarche – das sind Ereignisse aus einer beliebten Thematik der programmatischen Naturalisten: dem Existenzkampf der unteren sozialen Klassen, exemplarische Fälle von der Übermacht der gesellschaftlichen Verhältnisse. Sogar die sozialkritische Tendenz ist, ein Unikum in Kafkas Werk, deutlich zu spüren. Explizit ausgesprochen wird sie zwar nur an wenigen Stellen, und auch da sehr diskret: Im Heizerkapitel und im Verhör vor dem Oberkellner verwendet Karl Ausdrücke wie «Gerechtigkeit» und «Ungerechtigkeit». In seinem Verhalten und in seinen Überlegungen ist aber der moralische Unterton so unüberhörbar, daß ihn viele Leser als Kafkas Hauptanliegen ansehen.

Wie schildert Kafka diese Geschichte? Seite für Seite beschreibt er sorgsam und unbeirrt, was sich in Karl Roßmanns Leben abspielt. Ganz genau trifft darauf wieder ein zentraler Satz Zolas zu (S. 124): «Au lieu d'imaginer une aventure, de la compliquer, de ménager des coups de théâtre qui, de scène en scène, la conduisent à une conclusion finale, on prend simplement dans la vie l'histoire d'un être ou d'un groupe d'êtres, dont on enregistre les actes fidèlement.» Auf den dreihundert Seiten des «Verschollenen» findet sich keine einzige Reflexion des Dichters, keine Abschweifung, keinen Moment tritt er aus der Geschichte selbst heraus, jedes Wort dient der schlichten Beschreibung von Karls Leben in dem ihm überschaubaren Kreis. Eine leichte Akzentverschiebung gegenüber Zola können wir allerdings nicht übersehen: Auch Kafka geht zwar mit großer Sorgfalt den Vorgängen nach, die sich in der «äußeren» Wirklichkeit abspielen, daneben aber gewinnt das, was «innen» vorgeht, eine unheimliche, gespannt beobachtete Intensität, die sich in diesem Maß bei Naturalisten der strengen Observanz nicht findet, obgleich auch bei ihnen die Überlegungen der Hauptpersonen selbstverständlicher Bestandteil des Romans sind. Bei Flaubert, einem von Programmen unabhängigen Dichter, den aber Zola ganz zur naturalistischen Garde rechnet, ist ja das innere Leben unter der realistischen Hülle auch sehr kräftig.

Die auffälligsten naturalistischen Details in «Amerika» wollen wir in Einzelbeispielen vorführen. Wir nehmen vorweg Kafkas Bestreben, die im Theater gebräuchliche naturalistische Färbung der Sprechweise in den Romandialogen nachzuahmen: Karls Naivität, des Heizers ungeschlachte Reden («das soll der Zehnte aushalten!», S. 11), die Roheit des Portiers («ich bestätige bloß nach deinem Gesicht, daß du ein ausgegorener Lump bist», 203). Bei diesem Ton ist uns nicht wohl, er wirkt chargiert. Daß er ein wenig geglücktes naturalistisches Experiment ist, steht außer Zweifel. Noch nicht ganz im «Prozeß», wohl aber im «Schloß» hat Kafka diese Unebenheit völlig ausgeglichen. – Unübertrefflich in ihrer Art sind indessen die überaus häufig eingestreuten Einzelbeobachtungen. Von ihrer Fülle und Präzision einen Begriff zu geben ist unmöglich, man muß schon besonders aufmerken, wenn man nicht über sie hinweglesen will. Auf den ersten Seiten des Romans finden wir: den Stock des Bekannten, der Karl an seinen Regenschirm erinnert; das leere Zimmer auf dem Weg mit dem verlassenen Schreibtisch; den Heizer, der seinen Koffer mit beiden Händen immer wieder zudrückt, um das Einschnappen des Schlosses zu behorchen; Bett, Schrank, Sessel und Mann in der kläglichen Kabine. So aufgezählt, verlieren indessen diese Details ihre Wirkung. Im Roman sind sie wie unabsichtlich eingestreut, ganz im Gegensatz etwa zu Kleists auffälligen Details, und halten im Leser unwillkürlich das Gefühl wach, hier sei ein unheimlich starkes Auge auf der Lauer, bereit, ständig zuzupacken. Einige weitere Beispiele: Der kleine Vorgiebel vor dem Kapitänsbüro mit den vergoldeten Karyatiden (18); «Green führte einen Bissen in den Mund, wo die Zunge, wie Karl zufällig bemerkte, mit einem Schwunge die Speise ergriff» (72); die auf der Soldatenphotographie der Oberköchin nachträglich vergoldeten Uniformknöpfe (155); «Robinson, der mit möglichst weit geöffnetem Munde das fette Brot verspeiste, während er mit einer Hand das vom Brot herabtropfende Öl auffing, um von Zeit zu Zeit das noch übrige Brot in diese, als Reservoir dienende, hohle Hand zu tauchen» (260).

Die Präzision geht bis in die kleinsten Details. Noch die nebensächlichsten Einzelheiten werden genau dosiert: «Hie und da», «ein wenig», «für einen Augenblick», «vielleicht», «offenbar», «vollständig», «auch nur annähernd», «vor allem», «leicht parfümiert», «den Kopf etwas gehoben», «sehr eilig, mit nur flüchtig zugezogenem Schlafrock»: ein Füllhorn von Maßausdrücken gießt Kafka über den Roman aus. Noch in den dramatischsten Augenblicken wird präzis gemessen, so mitten im Kampf mit Delamarche (S. 290):

«... Karl griff, sich bückend und aufspringend, nach dem breiten Schlafrockkragen des Delamarche, schlug ihn in die Höhe, zog ihn dann noch weiter hinauf – *der Schlafrock war ja für*

Delemarche viel zu groß – und hielt nun glücklich den Delamarche beim Kopf ...» (Zwischensatz von uns hervorgehoben).

Kafkas Genauigkeit geht bis in sprachliche Imponderabilien, die wir nur fühlen und bewundern, aber kaum mehr beschreiben können. Man meint, der Satzbau suche sich dem wirklichen Ablauf in seinen feinsten Regungen anzuschmiegen, wenn etwa gesagt wird:

«Da faßte unversehens der Mann die Türklinke und schob mit der Türe, die er rasch schloß, Karl zu sich herein» (11). – Oder: «Oben auf dem Balkon, den man aus Zerstreutheit noch ansah, obwohl ihn Delamarche schon verlassen hatte, erhob sich nun unter dem Sonnenschirm tatsächlich eine starke Frau in rotem, taillenlosem Kleid, nahm den Operngucker von der Brüstung und sah durch ihn auf die Leute hinunter, die nur allmählich die Blicke von ihr wandten» (236).

Die beschreibende Grundhaltung verdichtet sich in der eigentlichen *Beschreibung*, das heißt der geschlossenen Wiedergabe eines «Stücks Wirklichkeit», etwa einer Landschaft, eines Zimmers, durch den Dichter. In dieser Weise beschreibt Kafka das Meer (19, 25), Photographien (117, 154/55), eine Landschaft (124), Straßen (236/37), Höfe (248/49), Personen (Therese 156, Delamarche 237, Gepäckträger 242) und Vorgänge (Portierloge 220–224, Wahlzug 277). Als Beispiel zitieren wir das Kapitänsbüro (S. 19/20):

«An einem runden Tisch saßen drei Herren, der eine ein Schiffsoffizier in blauer Schiffsuniform, die zwei anderen, Beamte der Hafenbehörde, in schwarzen amerikanischen Uniformen. Auf dem Tisch lagen, hochaufgeschichtet, verschiedene Dokumente, welche der Offizier zuerst mit der Feder in der Hand überflog, um sie dann den beiden anderen zu reichen, die bald lasen, bald exzerpierten, bald in ihre Aktentaschen einlegten, wenn nicht gerade der eine, der fast ununterbrochen ein kleines Geräusch mit den Zähnen vollführte, seinem Kollegen etwas in ein Protokoll diktierte.

Am Fenster saß an einem Schreibtisch, den Rücken der Türe zugewendet, ein kleinerer Herr, der mit großen Folianten hantierte, die auf einem starken Bücherbrett in Kopfhöhe vor ihm aneinandergereiht waren. Neben ihm stand eine offene, wenigstens auf den ersten Blick leere Kassa.

Das zweite Fenster war leer und gab den besten Ausblick. In der Nähe des dritten aber standen zwei Herren in halblautem Gespräch. Der eine lehnte neben dem Fenster, trug auch die Schiffsuniform und spielte mit dem Griff des Degens. Derjenige, mit dem er sprach, war dem Fenster zugewendet und enthüllte hie und da durch eine Bewegung einen Teil der Ordensreihe auf der Brust des andern. Er war in Zivil und hatte ein dünnes Bambusstöckchen, das, da er beide Hände an den Hüften festhielt, auch wie ein Degen abstand.»

Überaus sorgfältig, fast pedantisch gibt Kafka den Anblick des Zimmers wieder, in welches Karl geraten ist; die naturalistischen Details, die wir bisher über den Roman verstreut aufgefunden haben, vereinigen sich hier zum geschlossenen Gesamteindruck.

Grenzen von Kafkas Naturalismus

Was wir bis jetzt beschrieben haben, zeugt von einem zielbewußten naturalistischen Stilwillen. Die wesentlichen theoretischen Postulate Zolas sind erfüllt; die Handlung gestaltet ein unter naturalistischen Romanciers beliebtes Thema; «Amerika» ist durchsetzt mit präzisen Einzelbeobachtungen; Kafkas längere Beschreibungen können als naturalistische Musterarbeit gelten. Käme es nur auf den Stilwillen an, so wäre «Amerika» ein durch und durch naturalistischer Roman. Daß davon keine Rede sein kann, weiß jeder, der ihn gelesen hat. Wo, wie, warum versiegen in «Amerika» die naturalistischen Quellen?

Der moderne Betrachter möchte wohl glauben, der schwache Punkt des Naturalismus sei offenkundig und leicht zu treffen: Mit der Frage nämlich, woher der Dichter eigentlich die Gegenstände der Natur nehme, die er so getreu abzubilden vorgibt? In der *Auswahl* der Gegenstände müsse doch auch beim Naturalisten der subjektive Gesichtspunkt, somit etwas durchaus Nichtnaturalistisches, ins Spiel kommen! Allein, so einfach ist der Naturalismus nicht zu erledigen. Selbst Zola zeichnet nur zum geringsten Teil wie ein realistischer Maler nach einer wirklichen Vorlage, obwohl er sich in den theoretischen Schriften mit Vorliebe so ausdrückt, sondern *erfindet* ganz unbekümmert die meisten Details seiner naturalistischen Wirklichkeit. Dieser Widerspruch bereitet ihm nicht die geringsten Schwierigkeiten, ja er bemerkt ihn nicht einmal. Da sich Zola in seiner Zeit gegen eine Flut romantisch-phantastischer Erfindung wehren muß, ist sein Bedarf an naturalistischer Haltung schon vollauf gedeckt, wenn der Romancier seine Erfindungsgabe an die natürlich-gesellschaftliche Durchschnittswirklichkeit wendet. Der Naturalismus war in seiner Hochblüte durchaus unkritisch und fand es selbstverständlich, daß der Naturalist seine naturalistische Wirklichkeit erfindet.

Dieses Alibi der historischen Kampfsituation fällt zwar bei Kafka aus zeitlichen und persönlichen Gründen ganz weg. Wie es aber in der Geistesgeschichte bei solchen Übergängen zu geschehen pflegt, behält Kafka die Haltung seiner Vorbilder zunächst noch bei, obwohl die Voraussetzungen dazu verschwunden sind. Die erfundene Wirklichkeit der Frühnaturalisten bildet unzweifelhaft die Szenerie seines ersten Romans. Wir haben die vielen naturalistischen Details einmal als solche hinzunehmen; es widerspräche den naturalistischen Anschauungen, hinter ihnen von vornherein einen Sinn zu vermuten, den es aufzudecken gälte. Kafka hat bei seinem frühen Schaffen noch die unproblematische Wirklichkeit des naiven Naturalismus vor Augen, die der Dichter bloß hinzustellen braucht, um seine wahre Aufgabe zu erfüllen.

Darum also macht es ihm nicht das geringste aus, unbesehen Motive eines andern Dichters zu übernehmen! Die Herkunft eines Gegenstandes ist völlig uninteressant und gleichgültig, weil er, jedes individuellen Zuges und aller Atmosphäre beraubt, bloß dazustehen hat. Wir können diese Praxis an einer hübschen Miniatur studieren.

«Dann nahm er die Photographie der Eltern zur Hand, auf welcher der kleine Vater hoch aufgerichtet stand, während die Mutter in dem Fauteuil vor ihm, ein wenig eingesunken, dasaß. Die eine Hand hielt der Vater auf der Rückenlehne des Fauteuils, die andere, zur Faust geballt, auf einem illustrierten Buch, das aufgeschlagen auf einem schwachen Schmucktischchen ihm zur Seite lag» («Amerika», S. 117).

Dieses naturalistische Bildchen fügt sich den übrigen Partien des «Verschollenen» fugenlos ein. Dabei ist nun diese Photographie nach Vorlage gezeichnet. Man vergleiche damit diejenige, welche Wagenbach in seinem Buch vor Seite 17 reproduziert! Jenes Bild stellt Kafkas Großeltern (von der Vaterseite) dar, nicht seine Eltern; das bestätigt uns, daß Herkunft, Bedeutung und Zusammenhang der Vorlage dem naturalistischen Abzeichner gleichgültig sind. Auch an den Änderungen, die Kafka daran vornahm, kann man mit dem besten Willen keinen Sinn bemerken. Den auf der Photographie nicht erkennbaren Stuhl tauft Kafka «Fauteuil»; den Schirm der Großmutter läßt er weg; dafür erfindet er das Buch, auf welchem die Hand des Vaters ruht, doch das «schwache Schmucktischchen» darunter entstammt wieder genau der Vorlage. Auf das Individuelle, das die verschiedenen Bestandteile des Bildes mitbringen, scheint Kafka keinen Wert zu legen. Erfundenes und Abgezeichnetes fügt sich zu einem geschlossenen Bild zusammen, weil der Dichter mit allem doch nur den Eindruck eines kleinen Stücks Wirklichkeit hervorrufen will; abgeschirmt gegen jede mögliche Bedeutsamkeit und jeden weiteren Zusammenhang, eingeebnet in das naturalistische Gerinnsel, erscheint es selbst wie eine flache Photographie.

Bloß komplizierter, aber grundsätzlich gleich ist es im ganzen Roman. Seine Bestandteile sind verschiedenster Herkunft. Von den Motiven, sahen wir, sind einige einfach von Dickens übernommen, die anderen entstammen Kafkas eigener Erlebnis- und Gedankenwelt. Unter diesen halten sich manche an Vorlagen, eine Photographie oder einen selbsterlebten Traum (im Hafen von New York, Tagebuch 11. September 1912), viele «erfindet» er auch; die einen sind unbedeutend und mehr zufällig, hinter anderen steckt vielleicht ein bewußtes Ziel oder ein erregtes persönliches Interesse, das, losgelöst vom vorliegenden Zusammenhang, wohl ungehemmt ausbrechen und sich verselbständigen würde. Ein solches Interesse vermuten wir zum Beispiel hinter den Beobachtungen, die mit dem Essen zusammenhängen: Wie es Karl übel wird, als er die Zunge Greens erblickt; einen ähnlichen Ekel erwecken auch Robinsons Manieren beim Sardinenessen (260) und Biertrinken (140), und wir brauchen uns nur an die Thematik des «Hungerkünstlers» zu erinnern, so bekommen diese Details vor bedeutsamem Hintergrund plötzlich ein unheimliches Profil. Von dieser Interessensphäre meilenweit entfernt finden wir uns wieder in folgendem schönen Beispiel, das wir

Alfred Borchardt verdanken (S. 131). Er weist auf einen Satz hin («Amerika» S. 53, Mitte), der sich, ohne daß wir anstoßen, im Tonfall von Goethes Altersstil lesen läßt: «...und niemand hätte auch nur eine Kleinigkeit in der Einrichtung aufzeigen können, welche die vollständigste Gemütlichkeit irgendwie gestört hätte.»

So sind offenbar die Bestandteile des Werks ziemlich wahllos zusammengekommen, sie umfassen so ungefähr alles, was in Kafkas reich verzweigtem Innenleben angelegt war. Er hat anscheinend alles darin aufgenommen, was sich in ihm nach dem Durchbruch vom Herbst 1912 noch unabgeklärt zu regen begann. Die wenigsten dieser Ansätze gewinnen dabei schon größeres Gewicht. Wenn das anders wäre, würden sie wohl die Einheit des Werkes sprengen. Nun sagten wir zwar, von Geschlossenheit könne nicht gesprochen werden. Ebensowenig aber stellen wir ein Auseinanderbrechen fest. Jetzt vermögen wir die merkwürdige Mitte zu beschreiben, die der Roman zwischen diesen beiden Polen einnimmt: Ihr fahles Spannungsfeld bildet sich unter dem paralysierenden Einfluß von Kafkas gerade noch intaktem naturalistischem Stilwillen, der die auseinanderstrebenden Elemente unter seinen Bann zwingt, indem er verhindert, daß ihre Eigenart eine Rolle spielt. Das Eigenleben vieler besonderer Anliegen Kafkas, die Atmosphäre, sie sie allenfalls mitbringen könnten, die Bedeutsamkeit, die hinter ihnen läge, alles das erscheint in «Amerika» wie abgeblendet, ihre Funktion ist so weit wie möglich auf ein plattes Vorhandensein und Beschriebenwerden eingeschränkt. So ist im Unterschied zum kleistischen Seitensprung in den «Hochzeitsvorbereitungen» die formelhafte Wendung im Stil des alten Goethe in den Sprachfluß von «Amerika» völlig eingeebnet, und wir müssen schon darauf aufmerksam gemacht werden, um sie zu bemerken. So ist dem Ekel vor dem Eßvorgang im Rahmen des Amerikaromans die ganze Wirkung wie abgeschnitten. Die Bemerkung «ihm wurde fast übel» (S. 72) drückt in ihrer Form nicht direkt Karls Empfinden aus, sondern beschreibt unbeteiligt einen Vorgang. An den beiden andern Stellen unterdrückt Kafka überhaupt jeden Hinweis auf die Wirkung von Robinsons Eßmanieren und läßt dafür ihrer Beschreibung allergrößte Sorgfalt angedeihen (S. 140, 260). Auf eine neutrale Bemerkung und die Wiedergabe einer bloßen Gebärde beschränkt sich Kafka auch beim Kaffeetrinken aus der gemeinsamen Kanne (S. 121):

«So konnte immer nur einer trinken und die beiden anderen standen vor ihm und warteten. Karl hatte keine Lust zu trinken, wollte aber die anderen nicht kränken und stand also, wenn er an der Reihe war, untätig da, die Kanne an den Lippen.»

Kein Wort verliert Kafka über das Motiv von Karls Unlust; ob es der Ekel ist, bleibt hier völlig offen. Ein so folgenschweres Ereignis wie die Übergabe des Verbannungsbriefes (S. 108) hinterläßt im Romantext nicht die geringste Spur seelischer Erschütterung. Überall erscheint vielfältigste Wirklichkeit reduziert auf tiefenlose Tatsächlichkeit, ein Substrat, das als Gegenstand genau der dichterischen Absicht entspricht, bloß zu beschreiben.

Die eben gewonnenen Erkenntnisse profilieren das Bild, welches wir im ersten Teil von der charakteristischen Mittelstellung des Amerikaromans in Kafkas Entwicklung gewonnen haben. Kafkas geheime Neigungen regen sich nach ihrem ersten Aufbrechen im «Urteil» sehr lebendig und drängen auch im Roman an die Oberfläche; sie sind aber durch die Vorherrschaft naturalistischer Prinzipien noch zurückgestaut und ermangeln deswegen jeder Leuchtkraft. Darum kam es uns so vor, als ginge in diesem Werk ein ganzer Knäuel von Tendenzen wie unausgeführt durcheinander.

Sind aber auf der einen Seite Kafkas Regungen von seinem naturalistischen Stilwillen gerade noch unterdrückt, so ist andrerseits der Naturalismus schon stark von ihnen unterhöhlt. Diese Feststellung ist eine erste Antwort auf unsere Frage, wo die naturalistischen Impulse im «Verschollenen» versiegen. Auch wenn er es sich nicht eingesteht, zieht es Kafka innerlich schon ganz in jene geheimnisvollen tieferen Schichten, die später aufbrechen werden und die mit dem Naturalismus nichts mehr zu tun haben, sondern einem unvergleichlich brüchigeren Weltbild zugehören. Kafkas Wille zum Naturalismus hat darum nichts mehr von der jugendlich-zukunftsgläubigen Stoßkraft eines Zola an sich, die mit intensiver Glut alle Poren des Werkes durchdringt; er legt sich nur noch wie eine mit letzter Anstrengung zusammengehaltene eiserne Klammer um die dunklen Kräfte, die ihn zu sprengen drohen.

Kafkas Großeltern: Jakob Kafka und Franziska, geb. Platowski

Kafka steigert den Naturalismus bis zu seinem Versagen

Warum aber klammert sich denn Kafka so hartnäckig an den Naturalismus? Die natürliche Neigung des jungen Dichters, sich an vorhandene Muster anzulehnen, hat wohl den Anstoß gegeben; die Verbissenheit, mit der das geschieht, muß wesentlich tiefere Gründe haben. Es ist ein außerordentliches Schauspiel, zu verfolgen, wie sich Kafka in «Amerika» auf die Mittel des Naturalismus geradezu stürzt und ihn bis zur Weißglut steigert.

Dieses Schauspiel beginnt mit der überraschenden Beobachtung, daß Kafkas Naturalismus trotz seiner prekären Stellung viel konsequenter, strenger, intensiver ist als derjenige der prominenteren Naturalisten. Das flache Substrat, auf welches Kafka die Wirklichkeit einschränkt, sozusagen die der dritten Dimension beraubte Oberfläche der Dinge, ist nämlich genau das, was die historische Bewegung des Naturalismus mit ihrem Streben nach «Wahrheit» und «Wirklichkeit» anvisierte – anvisierte, aber nicht realisierte. Das ist der paradoxe Tatbestand: Die fanatischen Naturalisten der achtziger und neunziger Jahre, Zola, Holz und Schlaf, verschwenden in ihrer Kampfstellung große Energien an Aufgaben, die nicht direkt naturalistisch sind – polemische Exzesse, pseudowissenschaftliche Verkleidung ihrer Thesen, wortreiche theoretische Rechtfertigungen, tendenziöse Identifikation mit der sozialen Bewegung. Ihr naturalistisches Programm blieb Programm, befeuerte als fernes Ziel ihren Kampfeseifer, mußte gegen eine widerborstige Umwelt errungen und verteidigt werden. Nicht in der streng naturalistischen, gegen alle Tendenzen und Interessen unempfindlichen Hingabe an die Wirklichkeit erfüllte sich ihr Drängen, sondern im Kampf um die Freiheit, dies alles tun zu dürfen. Was der naturalistischen Bewegung ihre Lebenskraft gab, ist die Lust an der Polemik gegen Romantik und Idealismus, die Freude, bisher verfemte Bereiche für die Literatur zu erobern, die heftig verfochtene, aber nie geprüfte Annahme, mit der erfolgreichen Naturwissenschaft im Bund zu stehen – lauter sekundäre, nicht direkt naturalistische Tätigkeiten. (Deren Wert soll natürlich nicht bestritten werden; wie oft in der Geistesgeschichte verhalf hier ein fruchtbarer Irrtum zu bleibenden Errungenschaften.) Nicht umsonst wirken bei allen Naturalisten starke moralische Impulse. Die zweite Generation, in Deutschland Holz, Schlaf und Hauptmann, ist bezeichnenderweise nach einer Jugendphase in diesem naiven Naturalismus über das naturalistische Programm hinausgegangen. Schon 1890 schrieb Gerhart Hauptmann die psychologisch-phantastische Studie «Der Apostel», und Holz und Schlaf verloren sich bald ganz in erdenferne Regionen.

Kafka aber machte den Versuch, den Naturalismus so weit wie möglich zu treiben und seine Folgen auf sich zu nehmen. Er drängt alles Polemische zurück und konzentriert alle Energien auf das entscheidende naturalistische Ziel, möglichst dicht die natürliche Umgebung zu erfassen und wiederzugeben. Wie unerhört intensiv er im Vergleich mit den klassischen Naturalisten der Wirklichkeit nachjagt, lehrt uns eine Tagebuchnotiz vom 16. Dezember 1910, in der er ausspricht, wie wenig ihm die Wirklichkeit genügt, die Gerhart Hauptmann in den «Jungfern vom Bischofsberg» (Lustspiel von 1907) auf die Bühne bringt:

«Dieses Verfolgen nebensächlicher Personen, von denen ich in Romanen, Theaterstücken usw. lese. Dieses Zusammengehörigkeitsgefühl, das ich da habe! In den 'Jungfern vom Bischofsberg' (heißt es so?) wird von zwei Näherinnen gesprochen, die das Weißzeug für die eine Braut im Stücke machen. Wie geht es diesen zwei Mädchen? Wo wohnen sie? Was haben sie angestellt, daß sie nicht mit ins Stück dürfen, sondern förmlich draußen vor der Arche Noah unter den Regengüßen ertrinkend zum letztenmal nur ihr Gesicht an ein Kajütenfenster drücken dürfen, damit der Parterrebesucher für einen Augenblick etwas Dunkles dort sieht?»

Bei Kafka ist denn auch die Präzision, die Fülle und Intensität des Beschriebenen unvergleichlich größer. Kafkas Naturalismus ist, so unglaublich das klingt, mit Abstand konsequenter, viel «naturalistischer» als derjenige seiner prominenteren Vertreter. Von Kafka stammen wohl die naturalistischsten Partien deutscher, vielleicht sogar europäischer Prosa. (Dabei denken wir weniger an «Amerika», wo der Naturalismus schon unterhöhlt ist, als an die «Hochzeitsvorbereitungen».)

Damit bekommt die Untersuchung von Kafkas Naturalismus eine ungeahnte geistesgeschichtliche Tragweite. Denn das heißt nichts anderes, als daß die historische Bewegung, welche vor aller Welt das naturalistische Programm verkörpert, über der Polemik gar nicht dazu kam, den Naturalismus als Fundament für Dichtung und Geistesleben bis in alle Konsequenzen durchzustudieren und auszuprobieren, während diese entscheidende Probe mit unvergleichlicher Intensität und größtem Ernst vom jungen Kafka in Angriff genommen wurde. Bei diesem Experiment ist ihre Tragfähigkeit, sind die Stärken und Schwächen des Naturalismus schonungslos an den Tag getreten. Der «Verschollene» bietet eine der besten Gelegenheiten, den Ablauf dieses ideengeschichtlich bedeutsamen Geschehens zu verfolgen. Kafka macht darin mit seinem Naturalismus höchst seltsame Erfahrungen; er stößt nämlich an dessen naturgegebene Grenzen, die viel enger gezogen sind, als die früheren Naturalisten glaubten.

Woher auch die Elemente kommen, wie sie zusammenstimmen und wie er selber dazu gekommen ist – der Naturalist soll also nach Zolas Rezepten einfach eine Wirklichkeit als solche hinstellen und darin seine Aufgabe erschöpft sehen. Fragen wie: warum steht in diesem Werk das und das, und warum gerade hier? wie hängen diese Dinge «innerlich» miteinander zusammen? – solche Fragen muß er ausschalten, weil sie über die bloße Wirklichkeit hinausgehen ins verfemte Gebiet des Ideellen, nur Gedeuteten, Spekulativen. Kafka führt diese Vorschrift stellenweise konsequent aus – und sonderbar: da breitet sich ein eigentümliches, kaum beschreibbares, aber bestürzend eindringliches Gefühl der Leere aus, der Stumpfheit, und es wird umso bedrängender, je «naturalistischer» er sich bloß ans Darstellen nackter Wirklichkeit hält. Das schönste Beispiel dafür ist ein Abschnitt aus dem siebenten Kapitel unseres Werkes (S. 248/49).

«Auch die Höfe, durch die sie kamen, waren fast gänzlich verlassen. Nur hie und da schob ein Geschäftsdiener einen zweirädrigen Karren vor sich her, eine Frau füllte an der Pumpe eine Kanne mit Wasser, ein Briefträger durchquerte mit ruhigen Schritten den ganzen Hof, ein alter Mann mit weißem Schnauzbart saß mit übergeschlagenen Beinen vor einer Glastür und rauchte eine Pfeife, vor einem Speditionsgeschäft wurden Kisten abgeladen, die unbeschäftigten Pferde drehten gleichmütig die Köpfe, ein Mann in einem Arbeitsmantel überwachte mit einem Papier in der Hand die ganze Arbeit; in einem Büro war das Fenster geöffnet, und ein Angestellter, der an seinem Schreibpult saß, hatte sich von ihm abgewendet und sah nachdenklich hinaus, wo gerade Karl und Delamarche vorübergingen.»

An naturalistischer Dichte und Konsequenz läßt sich diese Passage wohl kaum überbieten. Völlig unbeteiligt, ohne zu werten und zu deuten, gibt der Dichter der Reihe nach verschiedene Vorgänge bloß beschreibend wieder. Besonders auffällig ist die Sprache. In konkreten, welthaltigen Substantiven, Adjektiven und Verben erschöpft sich der wesentliche Inhalt des Abschnitts. Wer bloß sie zur Kenntnis nähme, würde nichts von seiner sachlichen Substanz verlieren. Die Beschränkung auf einen Telegrammstil wäre die einzige Möglichkeit, den Naturalismus noch zu verdichten. Sogar die Adverbien des Maßes sind hier bis auf zwei ausgeschaltet, wie wenn auch sie noch eine zu große Teilnahme verrieten. Die Möglichkeiten der Syntax aber, des Instruments, mit dem die Sprache die in den Wörtern angesprochenen Gegenstände aufeinander bezieht und mit unwägbarer Feinheit differenziert, bleiben praktisch unbenützt, die Syntax ist auf ihr allergröbstes, gerade den sprachlichen Anstandsregeln genügendes Schema Subjekt – Prädikat – Objekt – Adverbiale zusammengeschrumpft.

Ein solcher Abschnitt wirkt aber keineswegs befreiend, wie Zola und seine Jünger stillschweigend erwarteten, sondern aufs höchste beklemmend. Man glaubt einen Hauch aus dem Nichts zu spüren. Denn so müßte ja eigentlich ein konsequenter Naturalismus ins Unendliche fortfahren, und je mehr solcher Details er aneinanderreihte und je fahler der Reigen würde, desto näher wäre er seinem Ziel. In dieser Beklemmung hat ein großer Teil der befremdenden Wirkung des Amerikaromans ihren Ursprung. Denn Kafka behandelt auch die größeren Motivkomplexe ähnlich. Wenn er willkürlich den Onkel an einer anscheinend beliebigen Stelle den Ablauf der Heizerepisode unterbrechen läßt, auf deren Ende der Leser gespannt ist, und wenn er ebenso abrupt und undurchsichtig wieder die Onkelepisode abbricht, dann ist das mindestens mitbestimmt von Kafkas Absicht, den Anschein natürlicher Zufälligkeit und Beliebigkeit des wirklichen Lebens zu erwecken, die nicht gelenkt werden soll durch künstlerische Rücksichten auf sinnvolle Zusammenhänge und formale Geschlossenheit. Wieder lebt Kafka konsequent nach einer Anweisung Zolas, die dieser niemals so wörtlich durchgeführt hat:

«Même parfois ce n'est pas une existence entière, avec un commencement et une fin, que l'on relate; c'est uniquement un lambeau d'existence, quelques années de la vie d'un homme ou d'une femme, une seule page d'histoire humaine, qui a tenté le romancier» («Le naturalisme au théâtre» II, S. 124). Auch im kleinen Maßstab gehören solche blinden Motive zum festen Bestand von Kafkas Romanhandlung. Undurchsichtige, beunruhigende Antworten des Heizers (S. 11: «Es handelt sich doch um jetzt ...») und des Onkels (das Problem seines Familiennamens: Jakob oder Bendelmayer, S. 34) werden nie aufgeklärt, ohne daß das dem Schaffen kriminalistischer Spannung oder einer Stimmung diente (wie etwa der unaufgeklärte Mord an Förster Brandes in Annette von Drostes «Judenbuche»). Die Beschreibung des Wahlzuges, auf den der Dichter eine Zeitlang das Interesse konzentriert, wird unvermittelt abgebrochen und nicht wieder aufgenommen (S. 288). Bei der Begegnung mit dem Studenten (293–296) betont Kafka ostentativ das Zufällige des Ablaufs.

Der Naturalist schränkt sich also nicht ungestraft auf die «bloße Realität» ein. Die Beklemmung, die sich bis zum Gefühl niederdrückender Sinnlosigkeit steigert, ist das Zeichen dafür, daß der Mensch sein Bedürfnis nach Sinn und Zusammenhang nicht einfach ausschalten kann. Gerade in der beängstigenden Leere bedrängt es ihn elementar. Die Leere der sinnentblößten Welt ist jedoch nicht die einzige Schranke, an die Kafka mit seinem radikalen Naturalismus stößt. Eine andere besteht in der Beschränktheit der Ausdrucksmöglichkeiten, die die Sprache dem Menschen zur Verfügung stellt. An Kafkas verzweifelten Bemühungen im Amerikaroman kann folgendes Gesetz abgelesen werden: Je präziser er die Wirklichkeit wiedergeben will, desto unpräziser wird der Ausdruck. Er scheint an eine Grenze zu stoßen, die mit den sprachlichen Mitteln auch unter den größten Anstrengungen nicht überschritten werden kann. Wir können die verschiedenen Stufen dieses Prozesses genau verfolgen.

Kafka sucht angelegentlich den Eindruck zu erwecken, er treibe das Beobachten bis an die Grenze seines Vermögens. Im Hotel:

«Die Uhr am anderen Ende des Saales, deren Zeiger man bei scharfem Hinsehen durch den Rauch gerade noch erkennen konnte, zeigte schon neun vorüber» (134).

Und:

«Er sah in einen Lichtschacht hinunter, der von den großen Fenstern der Vorratskammern umgeben war, hinter denen hängende Massen von Bananen im Dunkel gerade noch schimmerten» (181).

Bis an die Grenze des Beobachtungsvermögens: Das heißt zwar einerseits, daß die Leistungsfähigkeit aufs höchste angespannt wird, aber gleichzeitig, daß sie nicht mehr gesteigert werden kann. Trotzdem bleibt Kafka dabei nicht stehen, sondern sucht noch größere Präzision zu erreichen – und muß zu sprachlichen Notbehelfen greifen.

Schon in den dosierenden Maßausdrücken, die Kafka so gern braucht, ist eine ambivalente Wirkung angelegt: nicht nur eine Steigerung, sondern auch eine latente Gefährdung der Präzision. Einerseits rufen sie den Eindruck größerer Genauigkeit, also größerer Wirklichkeitsnähe, hervor; andererseits macht ihre Verwendung jedesmal darauf aufmerksam, das durch sie präzisierte Wort reiche allein nicht mehr für die Beschreibung aus. Ausdrücke wie «fast», «etwas», «ein wenig» können im Leser den Eindruck von Deutlichkeit sowohl steigern als auch verwischen. Man kann solche Sätze auf beide Arten lesen:

«Er hatte sich von Klara aus dem Zimmer fast schleppen lassen» (77).

«Ziemlich aufrecht, nur mit noch etwas unruhigen Knien» (234).

Der negative Effekt wird besonders deutlich, wenn die Präzisierungen eine Aussage nachträglich einschränken oder verbessern:

«Auch der Baldachin leuchtete, wenigstens am Rande ...» (105).

«... etwas unfolgsam oder, besser, starrköpfig ...» (76).

Schließlich sucht Kafka minime Nuancen zu erfassen, die die Sprache gar nicht mehr wiedergeben kann. Karl Roßmann sucht einmal einen Unterschied in der Größe der beiden Kleider Bruneldas festzuhalten:

«Brunelda trug wieder ein ganz loses Kleid, diesmal aber von blaßrosa Farbe, es war vielleicht ein wenig kürzer als das gestrige, wenigstens sah man die weißen, grobgestrickten Strümpfe fast bis zum Knie» (347).

Was hatte er denn das erstemal gesagt?

«Ihr rotes Kleid hatte sich unten ein wenig verzogen und hing in einem großen Zipfel bis auf den Boden, man sah ihre Beine fast bis zu den Knien» (252).

Er weiß also nichts Genaueres mehr zu sagen! Einmal wird sogar das Versagen der Leistungsfähigkeit selber als Maßausdruck benützt und damit zugegeben:

«.... in nur unmerklich veränderter Richtung» (249).

Kafka liebt es, die Grenze des Gesichtskreises darzustellen, und immer als Übergang ins nicht mehr Sichtbare: Die Straße in New York verläuft in dunstige Ferne (49) wie auch die New-Yorker Landschaft (124 oben), Pollunders Landhaus reicht ins Unsichtbare hinauf (67). Einen Höhepunkt in dieser Kunst bildet die Beschreibung des Panoramas von New York, S. 125:

«Die Brücke, die New York mit Brooklyn verbindet, hing zart über den East River, und sie erzitterte, wenn man die Augen klein machte. Sie schien ganz ohne Verkehr zu sein, und unter ihr spannte sich das unbelebte, glatte Wasserband. Alles in beiden Riesenstädten schien leer und nutzlos aufgestellt. Unter den Häusern gab es kaum einen Unterschied zwischen den großen und den kleinen. In der unsichtbaren Tiefe der Straßen ging wahrscheinlich das Leben fort nach seiner Art, aber über ihnen war nichts zu sehen als leichter Dunst, der sich zwar nicht bewegte, aber ohne Mühe verjagbar zu sein schien. Selbst in den Hafen, den größten der Welt, war Ruhe eingekehrt, und nur hie und da glaubte man, wohl beeinflußt von der Erinnerung an einen früheren Anblick aus der Nähe, ein Schiff zu sehen, das eine kurze Strecke sich fortschob. Aber man konnte ihm auch nicht lange folgen, es entging den Augen und war nicht mehr zu finden.»

Meisterhaft beschreibt Kafka Situationen, wo nur noch wenige Eindrücke auf die Sinne treffen. Im Dachzimmer des Wirtshauses:

«Karl wußte zuerst nicht recht, ob die Fenstervorhänge bloß herabgelassen waren oder ob vielleicht das Zimmer überhaupt keine Fenster habe, so finster war es; schließlich bemerkte er eine kleine, verhängte Luke, deren Tuch er wegzog, wodurch einiges Licht hereinkam» (112).

Und er bringt Karl Roßmann mit auffälliger Vorliebe in solche Situationen: in die Kajüte des Heizers, in welche nur «ein trübes, oben im Schiff längst abgebrauchtes Licht» fiel (10), ins Landhaus, dessen elektrische Lichtanlage noch nicht installiert ist (zum Beispiel 78/79), ins dunkle Zimmer bei Delamarche (291 bis 293).

Auf der nächsten Stufe wird das Ungenügen der Sprache offenkundig. Herman Uyttersprot nannte Kafka einmal den «Aber-Mann[1]» und meinte damit seine Vorliebe für adversative Ausdrücke. Tatsächlich häufen sie sich auffällig:

«Auf ihren Masten trugen sie schmale, aber lange Flaggen, die zwar durch die Fahrt gestrafft wurden, trotzdem aber noch hin und her zappelten ... die Kanonenrohre ... waren wie gehätschelt von der sicheren, glatten und doch nicht waagrechten Fahrt» (19).

«... mit locker aufgesetzten, kleinen, aber hochgehenden Hüten» (154).

«... voll von einem stolzen, aber unterdrückten Lachen» (155).

Es leuchtet sofort ein, was hier sprachlich vorgeht: Der Dichter findet kein Wort mehr, das den Gegenstand genügend genau trifft, und «interpoliert» sozusagen, sucht ihn mit entgegengesetzten Ausdrücken einzukreisen. Uyttersprot hat vor allem die adversativen Konjunktionen im Auge. Kafka ist aber auf den expliziten Ausdruck gar nicht angewiesen. Schon im folgenden Beispiel treten die Konjunktionen vor dem adversativen Gehalt des Satzes zurück:

«Erwarten wird er mich nicht», sagte Karl, «aber er wird allerdings hinkommen» (62).

Es können aber auch, als wenn das selbstverständlich wäre, Ausdrücke gekoppelt werden, die sich gegenseitig ausschließen:

«... Kleine Falten in dem gelblichen, zarten und festen Stoff» (75).

«... rief er erfreut und streng zugleich» (237).

Ein kleines Kabinettstück dieser Art gelingt Kafka in der Fügung:

«Er sah dort Mack in einem großen Himmelbett halb liegend sitzen» (104).

Bis zu welchem Ausmaß sich aber Kafkas Energie steigern kann, ermessen wir erst ganz beim Lesen der folgenden Beispiele, wo sich das Ergründen der wirklichen Verhältnisse quälend über ganze Sätze hinzieht:

«Überdies war dieser Grundsatz vielleicht das einzige, was Karl an seinem Onkel nicht gefiel, und selbst dieses Nichtgefallen war nicht unbedingt» (86).

[1] In der «Tijdschrift voor levende Talen», 20, 1954, Heft 6, S. 452–457.

«Das Zimmer war zwar nicht zum Schlafzimmer bestimmt, es war eher ein Wohnzimmer, oder, richtiger, ein Repräsentationszimmer der Oberköchin» (154).

In Robinsons Mund wirkt der sprachliche Aufwand geradezu komisch:

«Es war ja fast keine Berührung, aber schließlich war es eben doch eine Berührung» (262).

Das Mißverhältnis zwischen Anlaß, Aufwand und Ergebnis wird hier offenkundig. Auch die andern Sätze würden grotesk wirken, wenn dahinter nicht ein gespannter, ja ängstlicher Ernst spürbar würde. Wir erkennen seinen Ursprung: Wir sind der Einsicht schon gefährlich nahe, daß das ganze Unterfangen scheitern könnte. So gibt denn der Dichter das Versagen stellenweise offen zu:

«...an einem, wie es Karl schien, eisernen Tisch» (127).

«...einzelne unkenntliche Gegenstände» (281).

Nie aber läßt er sich entmutigen. Der Drang, festzustellen, was es festzustellen gibt, arbeitet unbeirrt weiter, auch wenn das Ergebnis mager ist und das beobachtende Organ versagt. Aus dieser Quelle werden später Kafkas berühmte, endlos sich hinziehende Exegesen fließen. Vieles im «Verschollenen» deutet schon auf sie hin: so der häufige Gebrauch von potentialen Wörtern und Wendungen. Im Potentialis erscheint bei Kafka die Kluft zwischen der angestrebten Wirklichkeit und der Fähigkeit des Beobachters, die dahinter zurückbleibt:

«...während dieser offenbar einem großen Freitrinken dienenden Vorbereitungen» (283).

«...wenn nicht alles täuschte, hatte sich auch ein Gegenkandidat eingefunden» (287).

In Ausdrücken dieser Art können wir Kafkas Exegesen im Entstehungsstadium beobachten: Er beginnt immer dann zu mutmaßen und zu schließen, wenn die Sinne nicht mehr zureichen.

«...jedenfalls dröhnend, in dieser Höhe aber unhörbar...» (285).

«Sie hatte ein rundes, gleichmäßiges Gesicht, nur die Stirn war ungewöhnlich hoch, aber das konnte auch vielleicht nur an der Frisur liegen, die ihr nicht recht paßte» (156).

«...reichte die Kerze dem Diener hin, welcher ihm bloß zunickte, ohne daß man wußte, ob er es mit Absicht tat oder ob es eine Folge dessen war, daß er mit der Hand seinen Bart strich» (90).

Ausgebaute Exegesen wie die bekannte über die Parabel «Vor dem Gesetz» im Domkapitel des «Prozesses» gibt es in «Amerika» noch nicht. Hingegen stellt Karl Roßmann oft im gleichen Ton Erwägungen über die Zukunft an, Pläne zum Beispiel, wie er aus dem Landhaus heimkehren und den Onkel überraschen wird (75/76), Befürchtungen während des Verhörs im Hotel (192, 193/94), Zukunftspläne vor dem Einschlafen in Delamarches Wohnung (303/04). Diese Erwägungen haben einen ganz eigenen Ton. Die Sprache wird plötzlich fließend, hingezogen, während sie sonst überall gehalten ist, ja stockend. Wir wohnen hier einem sehr bezeichnenden Vorgang bei: In der Zukunft eröffnet sich dem Naturalisten, den die Probe an der Wirklichkeit in der Gegenwart verzweifeln läßt, ein Loch, in das hinein sich Hoffnungen, Wünsche, Pläne, aber auch Befürchtungen widerstandslos ergießen können.

Statt der Exegesen benützt Kafka in «Amerika» noch lieber ein konventionelleres Mittel der Sprache, um den Abstand zwischen naturalistischen Zielen und Möglichkeiten zu überbrücken: den einfachen Vergleich. Vergleiche sind ein Sprachelement, welches, wohl aus tiefen zeitgeschichtlichen Voraussetzungen heraus, weit über Kafka hinaus zu seiner Zeit eine auffällige Verbreitung und Bedeutung gewinnt: Man denke nur an Musil und Rilke! Im folgenden Beispiel aus «Amerika» dient der Vergleich offensichtlich einer Interpolation zwischen Straße und Platz, so wie andernorts die adversativen Ausdrücke:

«...eine dieser, ganzen Plätzen gleichenden, großen Straßen» (65).

Wenn Kafka sagt «wie verzweifelt» anstatt bloß «verzweifelt» (von Brunelda, S. 252), dann hat er mit demselben Mittel, ohne daß man spürt, wie es zugegangen ist, wieder einmal eine Nuance eingefangen. Wie eifrig jagt er auch (S. 64) mit drei Vergleichen dem schwer faßbaren Lärm nach!

«Obwohl er am Abend noch niemals durch die New-Yorker Straßen gefahren war, und über Trottoir und Fahrbahn, alle Augenblicke die Richtung wechselnd, wie in einem Wirbelwind der Lärm jagte, nicht wie von Menschen verursacht, sondern wie ein fremdes Element ...»

Die Schwäche des Heizers sucht er nicht nur durch Beschreibung seiner unsicheren Haltung, sondern auch durch einen zugegebenermaßen falschen Vergleich wiederzugeben (S. 30):

«Er stand da, die Beine auseinandergestellt, die Knie unsicher, den Kopf etwas gehoben, und die Luft verkehrte durch den offenen Mund, als gäbe es innen keine Lungen mehr, die sie verarbeiteten.»

Daß das Vergleichen tatsächlich nicht der Lust an überraschenden Beziehungen entspringt, sondern ein Notbehelf ist für Fälle, wo kein direkter Ausdruck mehr für die gemeinte Sache zureicht, zeigt Kafkas eigentümliche Verwendung der Ausdrücke «förmlich» und «geradezu», die im «Verschollenen» schon vereinzelt auftreten; «förmlich» entwickelte sich zu einem ausgesprochenen Lieblingswort Kafkas. In beiden Ausdrücken setzt sich Kafkas Werben um die Wirklichkeit sogar da noch fort, wo nicht einmal mehr Vergleiche möglich sind. Ursprünglich war «förmlich» ein Synonym für «in aller Form», so braucht es Kafka zum Beispiel auf Seite 76: «Dann wollte er anklopfen und auf das förmliche 'Herein!' ins Zimmer laufen.» Bald aber wurde es eine Formel, mit der man anzeigte, sehr wohl über die Uneigentlichkeit eines Ausdrucks Bescheid zu wissen, und diese Verwendungsmöglichkeit faszinierte Kafka außerordentlich:

Seite 49: «... zwischen zwei Reihen förmlich abgehackter Häuser ...»

Seite 92: «... ich habe es mir herausgenommen, gegen seine bessere Einsicht die Erlaubnis förmlich zu erzwingen.»

Seite 287: «... durch die Vorgänge auf der Straße förmlich rücksichtslos gemacht ...»

Man stelle sich dieselben Sätze ohne «förmlich» vor, dann spürt man sofort, was Kafka zu seiner Verwendung treibt. «Zwei Reihen abgehackter Häuser» – davor schreckt er zurück. «Die Häuser sind natürlich nicht abgehackt, wir sagen bloß so»: Das gibt Kafka mit dem zugesetzten «förmlich» zu verstehen, ja es schwingt so etwas wie der Stolz des in die Schwäche der Sprache Eingeweihten mit. Jedes «förmlich» ist eigentlich ein Mißtrauensvotum gegen das Wort, das es begleitet. Sehr aufschlußreich, welchen Wörtern Kafka so reserviert begegnet! In den zitierten Beispielen dehnt Kafka den Anwendungsbereich von «förmlich» über die Metapher hinaus auf seelische Vorgänge aus. Dieselben Möglichkeiten liegen im Wort «geradezu» und werden von Kafka ausgenützt:

Seite 230: «Diese Automobile waren geradezu ineinandergefahren.»

Seite 20: «Dieser Herr – das sah man deutlich – erstarrte geradezu unter den Worten des Dieners.»

Wenn aber Kafka sagt:

«Sie traten in eine Küche ein, von deren Herd, der reparaturbedürftig schien, geradezu schwarze Wölkchen aufstiegen» (343) – dann hat das Mißtrauen sogar auf den Bereich übergegriffen, der des Naturalisten sicherste Bastion war: die natürliche Welt um uns her, die unsere Sinne erfassen.

Wir schließen die Belegreihe mit dem Zitat zweier Beschreibungen, welche zu den naturalistischen merkwürdige Gegenstücke bilden. In ihnen sammeln sich nämlich Elemente der zerfallenden naturalistischen Welt in geschlossenen Abschnitten und geben so etwas wie ein «durchlöchertes Stück Wirklichkeit». Besonders das zweite Beispiel ist überaus eindringlich und stößt in Bereiche des sprachlichen Versagens vor, die kaum mehr mitzuteilen sind; in den nichtssagenden Worten «es war, als wäre ...» scheint die Sprache nur noch über eine leere Welt hinzureden. An der Wirkung der Stelle ist wohl der Umstand beteiligt, daß sie den Schmutz beschreibt, eines jener Motive, die Kafka in einer geheimnisvollen Tiefe, dem angestrengtesten Naturalismus unzugänglich, viel brennender interessieren, als er in «Amerika» noch zuzugeben bereit ist.

Seite 104/05: «Karl schwang sich mit beiden Füßen zugleich über die Klavierbank und öffnete die Tür. Er sah dort Mack in einem großen Himmelbett halb liegend sitzen, die Bettdecke war lose über die Beine geworfen. Der Baldachin aus blauer Seide war die einzige, ein wenig mädchenhafte Pracht des sonst einfachen, aus schwerem Holz eckig gezimmerten Bettes. Auf dem Nachttischchen brannte nur eine Kerze, aber die Bettwäsche und Macks Hemd waren so weiß, daß das über sie fallende Kerzenlicht in fast blendendem Widerschein von ihnen strahlte; auch der Baldachin leuchtete, wenigstens am Rande, mit seiner leicht gewellten, nicht ganz fest gespannten Seide. Gleich hinter Mack versank aber das Bett und alles in vollständigem Dunkel.»

Seite 355 (Schluß von Fragment II, «Ausreise Bruneldas»): «Wohl aber erschreckte ihn, als er jetzt den Wagen in den Flur schob, der Schmutz, der hier herrschte und den er allerdings erwartet hatte. Es war, wenn man näher zusah, kein faßbarer

Schmutz. Der Steinboden des Flurs war fast rein gekehrt, die Malerei der Wände nicht alt, die künstlichen Palmen nur wenig verstaubt, und doch war alles fettig und abstoßend, es war, als wäre von allem ein schlechter Gebrauch gemacht worden und als wäre keine Reinlichkeit mehr imstande, das wieder gutzumachen. Karl dachte gern, wenn er irgendwohin kam, darüber nach, was hier verbessert werden könne und welche Freude es sein müßte, sofort einzugreifen, ohne Rücksicht auf die vielleicht endlose Arbeit, die es verursachen würde. Hier aber wußte er nicht, was zu tun wäre.»

Wir haben nun den naturalistischen Weg Kafkas verfolgt von den lockenden Aussichten, die ihn reizten, bis zu dem Punkt, wo er dessen enttäuschende Unzulänglichkeit erfahren mußte. Können wir eine Bilanz ziehen?

Beim Rückblick fällt vor allem der Eifer auf, mit dem sich Kafka die naturalistische Haltung aneignet. Seine Hingabe ist außerordentlich stark, viel stärker als bei den Protagonisten dieser Weltanschauung, und das zu einer Zeit, da sie schon aus der Mode war. Die Lockungen des Naturalismus müssen für Kafka eine tiefe persönliche Bedeutung haben. Fast kommt es uns so vor, als erhoffe er vom Naturalismus Unterstützung im Kampf um die Wirklichkeit; eine Wirklichkeit, deren er sich anscheinend so wenig mehr mächtig fühlt, daß er ihr mit ganzem Einsatz nachjagen muß. Die Kraft dieses naturalistischen Impulses treibt ihn weit über alles hinaus, was die Klassiker des Naturalismus erreichen. Kafka scheint am Naturalismus vor allem das Versprechen fasziniert zu haben, der wahren Wirklichkeit habhaft zu werden, im Gegensatz zu den Ahnen der Bewegung, denen diese Aussicht so selbstverständlich war, daß sie sie gar nicht zur Diskussion stellten. Kafka aber macht die Erfahrung, daß sie um so weiter entschwindet, je stärker er ihr nachsetzt.

Langsam erscheint so Kafkas Verhältnis zum Naturalismus in einem Zwielicht. Wir fühlen uns immer mehr zur Vermutung gedrängt, er brauche ihn als Stütze in einer auseinanderbrechenden Welt. Doch kündigen sich mit dieser Frage tiefere Zusammenhänge an, die wir nicht bloß auf Grund von Kafkas naturalistischen Neigungen beurteilen sollten. Wir wollen uns vorher noch in anderen Bereichen umsehen.

Wir greifen jetzt, von neuem ansetzend, einen andern jener Stränge heraus, die im «Verschollenen» durcheinanderlaufen. Ganz am Anfang, als wir uns die allerersten Eindrücke zurechtzulegen suchten, stießen wir auf die Vermutung, alle Fakten, die uns Kafka vor Augen führt, seien bloß aus der Perspektive Karl Roßmanns gesehen (vergleiche S. 19–21). Dieser Vermutung wollen wir jetzt auf den Grund gehen.

Dabei erhalten wir wertvollste Unterstützung aus der Kafka-Literatur. Friedrich Beißner hat das schon 1951 behauptet[1] und die Sache in den allgemeinen Zügen klar dargestellt. Er spricht von «einsinniger Erzählerhaltung» und von «Einheit der Perspektive»; wir wollen sie als «Einzelnenperspektive» bezeichnen. Was damit gemeint ist, kann folgendermaßen zusammengefaßt werden:

Alles, was Kafka in einem Roman erzählt, erscheint als Gedanke, Empfindung, Beobachtung *einer* zentralen Gestalt. Nicht pedantisch, sondern mit der unaufdringlichsten Selbstverständlichkeit hält er diese Perspektive ohne die geringste Störung durch. Der nachrechnende Kritiker findet diese Regel kein einziges Mal verletzt. Natürlich kann Kafka nicht jeden Satz mit einem entsprechenden Hinweis begleiten; aber mit unauffälligen Wendungen wie «Karl schien es ...» und ähnlichen wiegt er den Leser, ohne daß der es merkt, mit zwingender Sicherheit in Karl Roßmanns Perspektive ein. Ihr unwiderstehlicher Bann umfängt den Leser des «Verschollenen» vom ersten Satz an. Rasch tut Kafka die für das Verständnis unerläßliche, komplizierte Vorgeschichte in einem Nebensatz ab und kommt sofort auf Karls ersten Eindruck von Amerika zu sprechen.

«... erblickte er die schon längst beobachtete Statue der Freiheitsgöttin wie in einem plötzlich stärker gewordenen Sonnenlicht.»

«die schon längst beobachtete Statue»: Mit diesem Kunstgriff verlegt sogar Kafka die Wirksamkeit der Perspektive rückwirkend noch vor den Romanbeginn. Ganz diskret, aber unmißverständ-

[1] F. Beißner, «Der Erzähler Franz Kafka», 2. Auflage, W. Kohlhammer-Verlag, Stuttgart 1952. (Wiedergabe eines Vortrags, gehalten an der Universität Amsterdam am 19. Oktober 1951.)

lich suggeriert er dann dem Leser, auch den Bekannten, der den Koffer bewachen soll, mit Karls Augen zu sehen:

«Aber *wie er über seinen Bekannten hinsah* ...»

«Er bat schnell den Bekannten, der nicht sehr beglückt *schien* ...»

Durch die folgenden kleinen Hinweise –

«Er *fand* ... einen Gang versperrt, was *wahrscheinlich* mit der Ausschiffung sämtlicher Passagiere zusammenhing ...»

fühlt sich der Leser in dieser Perspektive schon bestätigt und empfängt von da an mit zufriedenem Einverständnis die Winke, die den Romaninhalt unauffällig in diesen Blickwinkel einbetten. Nur beispielhalber zählen wir aus ihrem Arsenal auf:

«Karl war, wie er merkte, niemals in diese Gegend gekommen» (18);

«Die kleinen Schiffchen und Boote konnte man, wenigstens von der Tür aus, nur in der Ferne beobachten» (19);

«Das rote Gesicht des Herrn mit dem Bambusstöckchen, das er von seinem jetzigen Standort zum erstenmal sah» (22);

«Er fühlte noch ein Weilchen Klaras Hand an seinem Hals» (81);

«Das Rücken eines Tisches auf dem Nachbarbalkon machte Karl aufmerksam, dort saß ja jemand und studierte» (293).

Selbstverständlicher, als es der raffinierteste Kunstverband zustande brächte, beobachtet Kafka die unscheinbarsten Konsequenzen dieser Perspektivität. Nach seinen Irrgängen im Schiffsbauch begegnet Karl dem Heizer. Kafka stellt ihn dem Leser nicht auf einmal, sondern in Portionen vor: nämlich immer genau so weit, wie er jeweils Karl Roßmann bekannt ist. Und das, ohne diese künstlerische Absicht mit einem Wort zu erwähnen, nur durch die sorgfältigste Beobachtung jener sprachlichen Imponderabilien, die dem Leser unbeachtet, aber nachhaltig ins Bewußtsein dringen. Karl schlägt, ganz allein in den leeren Gängen, an irgendeine Tür –

«'Es ist ja offen', *rief es von innen*, und Karl öffnete mit ehrlichem Aufatmen die Tür. 'Warum schlagen Sie so verrückt auf die Tür?' fragte *ein riesiger Mann* ...»

Wenn danach vom Heizer die Rede sein soll, sagt Kafka immer «*ein Mann*» und läßt es sich nicht verdrießen, gegen alle Regeln des guten Stils auf einer Seite sechsmal die Formel «sagte der Mann» zu wiederholen (S. 10/11). Und erst wie Karl zufällig erfährt, der Mann sei der Schiffsheizer, von da an aber konsequent, nennt ihn Kafka auch im Roman den «Heizer». Ebenso sorgfältig führt Kafka auch die andern Gestalten ein. Besonders schön Klara (67–69):

«Im Dunkel der Kastanienallee hörte er eine Mädchenstimme neben sich sagen: 'Da ist ja endlich der Herr Jakob.'»

'Ich heiße Roßmann', sagte Karl und faßte die ihm hingereichte Hand eines Mädchens, das er jetzt in Umrissen erkannte ... Trotzdem fragte Karl noch, während er zwischen Herrn Pollunder und dem Mädchen auf das Haus zuschritt: 'Sie sind das Fräulein Klara?'

'Ja', sagte sie, und schon fiel ein wenig unterscheidendes Licht vom Hause her auf ihr Gesicht, das sie ihm zuneigte, 'ich wollte mich aber hier in der Finsternis nicht vorstellen.'

'Ja hat sie uns denn am Gitter erwartet?' dachte Karl, der im Gehen allmählich aufwachte ...

'Kommt', sagte Pollunder und bog auf die Freitreppe ein. Hinter ihm gingen Karl und Klara, die einander jetzt im Licht studierten.»

Daß Klara die Braut Macks ist, den Karl schon kennt, erfährt der Leser mit Karl erst Seite 89.

Aber nicht nur beim Einführen, sondern auch während des ganzen Umgangs mit den Personen des Romans hält sich Kafka aufs präziseste an die Phasen, mit denen sie in Karls Gesichtskreis eintreten. So im Hotel:

«Da klopfte ihm jemand auf die Schulter. Karl, der natürlich dachte, es wäre ein Gast, steckte den Apfel eiligst in die Tasche und eilte, kaum daß er den Mann ansah, zum Aufzug hin. 'Guten Abend, Herr Roßmann', sagte nun aber der Mann, 'ich bin es, Robinson'» (182).

Und schließlich wird uns klar, daß dieses Prinzip nicht nur die Personen, sondern überhaupt alles im Roman beherrscht. Alle Angaben befinden sich auf der Höhe von Karls jeweiligen Kenntnissen. Kafka erzählt eigentlich nicht Karls Leben; er zeichnet vielmehr die Geschichte seines Bewußtseins auf, notiert protokollarisch den Ablauf der Ereignisse in Karls mitlebendem Bewußtsein. Darum treten die einzelnen Fakten nicht nach ihrem inneren Zusammenhang geordnet auf, sondern in der Reihenfolge und in der Beleuchtung, wie sie Karl erscheinen. Daß Karl

Roßmann das Hotel verläßt, ist Delamarches Plan, der ihm darum Robinson auf den Hals schickt; diesen einfachen Zusammenhang erfährt aber der Leser mit Karl Roßmann erst viel später und ganz zufällig, als es Robinson einmal ausplaudert. Vorher erlebt der Leser wie Karl Robinsons Auftreten als unglückseligen Zufall, der eine Kette verderblicher Reaktionen auslöst, und das ganze Geschehen als blindes Verhängnis. Ähnlich ist es mit der Verbannung durch den Onkel, nur daß Karl deren Hintergründe überhaupt nie erfährt, und damit auch der Leser nicht. Auch kleine Details erscheinen noch in Portionen aufgeteilt. So wird Karls Kopfwunde aus dem Kampf mit Delamarche nicht gleich richtig beschrieben, da sie Karl im Dunkeln zuerst nur ertasten kann und für viel gefährlicher hält, als sie ist (292). Wenn ihm nicht Kafka vier Seiten später auf dem Balkon gerade noch einfallen ließe, daß er eigentlich hinausgegangen war, um sie im Licht zu besehen, würden wir das auch nicht mehr erfahren. Ein anderes Beispiel: Verständnislos steht der Leser (S. 97) mit Karl Roßmann dem Spaß gegenüber, den Green mit einer Mütze treibt, die Karl zufällig paßt – bis sie Karl bei der Kontrolle des Kofferinhalts im Wirtshaus (18 Seiten später) als seine eigene erkennt. Und nur wenn wir uns Zeit nehmen, uns in jene Lage zurückzuversetzen – Karl tut es nicht –, können wir ausrechnen, welch großes Geheimnis sich damals hinter dieser Mütze verbarg: die Verstoßung Karls; denn sie hätte ja darauf hingewiesen, daß Green Karls Ausstattung mit sich trug. Oft muß sich der Leser auch mit halben Kenntnissen begnügen, mit kläglichen Resten der wirklichen Vorgänge, wie bei des Onkels rätselhafter Familienzugehörigkeit. Wie Stollen von verschiedener Länge, die niemals vollendet werden, treibt Kafka die Erzählung nur so weit in die wirkliche Welt vor, als Karls Bewußtsein reicht.

Diesen blinden Motiven sind wir schon beim Thema « Dilemma des Naturalismus » begegnet. Wir entdecken auch sonst im Ordnungsprinzip der Einzelnenperspektive überraschende Parallelen zu Kafkas radikalem Naturalismus. Den folgenden Abschnitt können wir je nachdem als Ausdruck des letzteren wie auch der Einzelnenperspektive lesen:

«'Roßmann!' rief da eine Stimme aus der Höhe. Es war Delamarche, der das vom Balkon des letzten Stockwerks rief. Er selbst war nur schon recht undeutlich gegen den weißlich blauen Himmel zu sehen, hatte offenbar einen Schlafrock an und beobachtete mit einem Operngucker die Straße. Neben ihm war ein roter Sonnenschirm aufgespannt, unter dem eine Frau zu sitzen schien» (235/36).

Die Grenze des naturalistischen Beobachtungsvermögens fällt mit den Grenzen zusammen, die die Romanwelt in die Perspektive der Hauptgestalt einschließen. Diese Kongruenz zweier Stilprinzipien scheint anzudeuten, daß wir auf tiefere, Kafka unverrückbar eigene Strukturen stoßen. Damit zeichnet sich unsere nächste große Aufgabe ab. Wir werden sie in Angriff nehmen, sobald wir in den abgegrenzten Bereichen, in denen wir uns jetzt bewegen, noch heimischer geworden sind, noch sicherer im Umgang mit den heterogenen Instrumenten, deren sich Kafkas verborgenes Wollen bedient.

Wir beobachten also weiter, wie er mit der Einzelnenperspektive schaltet, und greifen jetzt einen kritischen Punkt heraus: das Ein- und Aussetzen des Bewußtseins der Hauptgestalt. Wenn Kafka auch da konsequent ist, sollte er das Aussetzen nicht beschreiben, da es ja von der betroffenen Person selber nicht registriert wird. Und tatsächlich weicht Kafka an den kritischen Stellen in auffälliger Weise der naheliegenden Wendung «Karl schlief ein» aus; während er sie für andere Personen unbesorgt braucht (siehe S. 116, 139, 189), gestaltet er diesen Vorgang höchst subtil, sobald es sich um Karl handelt. Bei der Autofahrt ins Landhaus schlummert Karl ein; das sagt aber Kafka nicht direkt, sondern läßt Karl, wie er sich diesem Zustand nähert, selber feststellen, wie er immer schläfriger wird, teilt noch sein letztes Widerstreben im Halbschlaf mit – und schließt ohne ein weiteres Wort Abschnitt und Kapitel. An die erste Stelle des nächsten setzt er den Satz Pollunders, der Karl wieder aufschreckt:

«'Wir sind angekommen', sagte Herr Pollunder gerade in einem von Karls verlorenen Momenten.»

Auch Karls Bewußtlosigkeit nach dem Kampf mit Delamarche (291) übergeht Kafka auf gleiche Weise:

«'Du Halunke!' hörte er den Delamarche in dem Dunkel, das vor seinen zitternden Augen entstand, noch laut ausrufen. Und in der ersten Erschöpfung, in der er vor dem Kasten zusammensank, klangen ihm die Worte 'Warte nur!' noch schwach in den Ohren nach.

Als er zur Besinnung kam, war es um ihn ganz finster, es mochte noch spät in der Nacht sein ...» – und weiter geht es wieder mit Karls Beobachtungen. Noch drei ähnliche Fälle hat Kafka genau gleich behandelt: Karls Schläfrigkeit auf dem Bett beim Heizer (16/17), seine erste Nacht im Hotel «Occidental» (160) und seinen kurzen Nachtmittagsschlaf auf dem Balkon von Delamarches Wohnung (256). Nur ein Mal unter sieben hat Kafka diese Regel ganz außer acht gelassen (S. 118 im Wirtshaus: «... und mit einem angenehmen Gefühle schlief er ein»); das zweite Mal, wo ihm der Ausdruck «Karl schlief ein» entschlüpft, beeilt er sich, den Fehler zu korrigieren:

«In solchen Gedanken schlief Karl ein und nur im ersten Halbschlaf störte ihn noch ein gewaltiges Seufzen Bruneldas, die, scheinbar von schweren Träumen geplagt, sich auf ihrem Lager wälzte» (Schluß von Kapitel 7, S. 304).

Gegen die Strenge von Kafkas perspektivischer Ordnung möchte man einwenden, er verliere sich ja einmal ganz in die Beschreibung einer Episode, die Karl nicht selbst erlebt hat: das Ende von Thereses Mutter (170–176). Aber dieser Ausbruch aus Karls Perspektive ist nicht nur der einzige im ganzen Roman, Kafka deklariert ihn auch ganz entschieden als Erzählung Thereses bei einem Zusammensein mit Karl. Eine ernstere Schwierigkeit taucht da auf, wo ruhende Gegenstände beschrieben werden sollen. In die Beschreibung von Vorgängen läßt sich das beobachtende Auge naturgemäß leicht einbauen; zusammenhängende Darstellungen von Zimmern, Landschaften usw. müßte es dagegen stark belasten, wenn zwischenhinein immer ein «Karl sah ...» und ähnliches geschaltet würde. Aber auch da sucht sich Kafka zu behelfen. Einmal indem er wenigstens am Schluß Karls registrierende Funktion deutlich markiert, zum Beispiel so:

«Karl hatte nicht viel Zeit, alles anzusehen ...» (S. 20 nach der Beschreibung des Kapitänsbüros);

«Alles dieses hatte Karl mit der angespanntesten Aufmerksamkeit in wenigen Augenblicken in sich aufgenommen ...» (das bezieht sich auf die vier vorhergehenden Seiten 220–224, wo der Betrieb in der Portierloge beschrieben wurde).

So ist anzunehmen, daß wir auch innerhalb dieser Beschreibungen die Reihenfolge der Details als Ablauf von Karls Eindrücken empfinden sollen, um so mehr als uns Kafka doch hie und da das gleitende Auge zu suggerieren versucht, wie im ersten New-Yorker Landschaftsbild (S. 124):

«Glitten die Blicke von den Häusern ab, dann sah man ...»

Kafka gelingt sogar der erstaunliche Kunstgriff, die Vorgänge in Karls Sinnesorganen unter die scheinbar bewegungslose Beschreibung seines Zimmers im Landhaus zu mischen: Seite 78! Wie Karl eintritt, sieht er zuerst überraschendes Dunkel und sucht sofort die Ursache: Es «erklärte sich durch einen Baumwipfel, der sich dort in seinem vollen Umfang wiegte». Da das Auge nichts zu tun findet, treten die Hörorgane in Funktion: «Man hörte Vogelgesang.» Dann ein angestrengteres, aber immer noch unergiebiges Umherschauen im Zimmer und der unerfüllte Wunsch, dem mittels einer Taschenlampe abzuhelfen. Darauf das Horchen auf Einzelgeräusche: ein aufgestörter Vogel, die Pfeife eines Vorortzuges; und am Schluß die negative Bilanz – «Sonst war es still.» Manchmal hat man sogar das Gefühl, daß sich die Wortstellung dem Ablauf von Karls Erleben anschmiege. So wenigstens empfinden wir den schon zitierten Satz:

«'Ich heiße Roßmann', sagte Karl und faßte die ihm hingereichte Hand eines Mädchens, das er jetzt in Umrissen erkannte.»

Oder auch den folgenden (beim Kampf mit Delamarche, S. 291):

«Plötzlich versagten seine Füße, die Robinson, der sich hinter ihm auf den Boden geworfen hatte, schreiend auseinanderpreßte.»

Dieses Material, das sich mit Leichtigkeit vermehren ließe, erlaubt keinen Zweifel mehr: Alles, was im Roman vorkommt, kann nur in Karl Roßmanns Sicht auftreten. In allen Teilen gilt der Satz Beißners:

«Alles, was in dem Roman 'Der Verschollene' erzählt wird, ist von Karl Roßmann gesehen und empfunden; nichts wird ohne ihn oder gegen ihn, nichts in seiner Abwesenheit erzählt, nur seine Gedanken, ganz ausschließlich Karls Gedanken und keines andern, weiß der Erzähler mitzuteilen» («Der Erzähler Franz Kafka», S. 28).

Allerdings geschieht das sehr diskret, so daß wir unsere Organe sehr schärfen müssen, um wahrzunehmen, daß wirklich jeder Satz Kafkas von dieser Perspektivität durchdrungen ist; tun wir das aber, so ist die Wirkung vollkommen.

Der Sachverhalt ist eindeutig. Die Folgerungen daraus sind aber keineswegs leicht zu erkennen und zu bemessen, wir haben uns mit ihnen aufs aufmerksamste auseinanderzusetzen.

Beißner sieht in der Einzelnenperspektive die künstlerisch vollendete Antwort auf ein ästhetisches Problem, das im Lauf des 19. Jahrhunderts entstand: Da die natürliche Beziehung des Romanschriftstellers zum Publikum seit der Goethezeit immer mehr in die Brüche geht, geht ihm auch die natürliche Erzählerhaltung verloren (sei es nun die Allwissenheit oder die fingierte Bindung an Quellen), und er sieht sich plötzlich vor die Frage gestellt, wo, in welchem Zusammenhang er eigentlich steht und aus welchen Quellen er sein Erzählen speisen soll. Als Richtlinie in dieser Unsicherheit hat Friedrich Spielhagen schon 1883 aus ästhetischen Erwägungen postuliert, «der Held müsse gewissermaßen das Auge sein, durch welches der Autor die Welt sehe[1]» – das ist nichts anderes als die perspektivische Ordnung, die wir im «Verschollenen» verwirklicht fanden; praktisch durchgeführt haben diese Regel am sichtbarsten Carl Spitteler in «Konrad der Leutnant» (1898) und Albrecht Schaeffer im Riesenroman «Helianth» (1921).

Nun ist aber Kafkas Perspektivität zweifellos viel mehr als die bloße Befriedigung eines ästhetischen Postulats. Das betont auch Beißner, und wenn wir ihn recht verstehen, sieht er Kafkas Leistung darin, daß ihm in der modernen Verwirrung der Perspektiven ein vollkommenes Sprachkunstwerk gelingt. So sagt er abschließend:

«Der hohe Wert, die Errungenschaft der Kafkaischen Erzählkunst liegt darin beschlossen, daß einer auf das Innerseelische verwiesenen Dichterindividualität, welche die schöpferische Verbindung zur Welt und ihrer Wirklichkeit verloren hat, hat verlieren müssen, die *Verwandlung* gelingt, die Verwandlung einer Wirklichkeit (einer Seelenwirklichkeit) in ein lückenlos strukturiertes Kunstgebilde der Sprache» (S. 41/42).

Wir glauben indessen, damit sei die Einzelnenperspektive noch nicht in ihrem eigensten Leben erfaßt. Beißner genügt es, ihre künstlerische Vollkommenheit feststellen zu können, während wir uns gedrängt fühlen, nach dem Grund für sie zu fragen. Es

[1] Friedrich Spielhagen, «Beiträge zur Theorie und Technik des Romans», Leipzig 1883, S. 72 (zitiert nach Beißner).

wäre denkbar, daß der reine Kunstverstand einen ähnlichen Grad der Perfektion zu erreichen fähig wäre. Bei Kafka aber spüren wir eine andere Kraft am Werk. In seiner Einzelnenperspektive wirken nicht Wille, Absicht oder Kunstverstand, sondern etwas viel Festeres, Mächtigeres, eine tief innere Disposition, die sich in unwillkürlichen Imponderabilien mitteilt und den Roman ohne viel äußere Maßregeln unwiderstehlich unter ihre Gewalt zwingt. Der Drang zur Einzelnenperspektive scheint ihm angeboren; die Vollkommenheit der Durchführung ist darum nicht errungen, sondern ergibt sich von selbst. Karl Roßmann bekommt in der Einzelnenperspektive ein Stück von des Dichters eigener Erlebnisweise mit.

Das könnte den Eindruck erwecken, Roßmann sei nichts als eine Kopie von Kafka selbst, und da gilt es gleich, einen Riegel zu schieben. Wenn wir nicht in den Romanen merkten, daß sich die Träger der Einzelnenperspektive nicht einfach mit Kafka decken, würden es uns die Sätze lehren, die Janouch aufzeichnet (S. 24):

«... 'Der Heizer' ist die Erinnerung an einen Traum, an etwas, was vielleicht nie Wirklichkeit war. Karl Roßmann ist nicht Jude. Wir Juden werden aber schon alt geboren.»

Der augenfälligste Ausdruck dieser Distanz ist ja die Erzählung in der dritten Person, die, wenn Kafka bloß von sich selber erzählen wollte, überflüssig wäre. So wirkt sie aber keineswegs, vielmehr spüren wir, daß er an ihr ein tiefes Interesse hat. In keinem Roman hat er je ernsthaft etwas anderes als die Er-Form erwogen, und auch in den Novellen, die «Amerika» zeitlich flankieren, ist der Entscheid eindeutig ausgefallen. Andrerseits ist auch wieder nicht daran zu zweifeln, daß Kafkas Romanhelden gleich oder ähnlich in der Welt stehen wie er selbst. Auch Karl Roßmann trägt im Vornamen den Stempel der K.-Familie, der die Verwandtschaft mit dem Verfasser markiert. Indessen spüren wir, daß wir im Moment noch nicht in der Lage sind, diese subtile Beziehung genauer zu erfassen, und müssen die Frage auf später verschieben (vergleiche S. 152).

Die Bilanz unserer Beschäftigung mit der Einzelnenperspektive sieht ähnlich aus wie jene beim Naturalismus. Die Problematik ist nicht originell, das Stilphänomen durchaus in der Zeit angelegt und schon von andern Dichtern ausgeführt; im einen Fall von

Vorkämpfern einer historischen Bewegung mit größter Resonanz, im andern von Spezialisten der Romantechnik. Kafka nimmt beide Techniken begierig auf, aber anscheinend aus ganz anderen Beweggründen. Eine urpersönliche Problematik scheint sich ihrer als Ausdrucksmittel zu bemächtigen.

Unruhe und Betriebsamkeit in Kafkas Amerika

Nach den in der Diskussion um den «Verschollenen» wenig beachteten Merkmalen des Naturalismus und der Einzelnenperspektive wenden wir uns jetzt jenem Zug zu, der bisher im Mittelpunkt der Aufmerksamkeit stand: der sozialkritischen Tendenz. Allerdings müssen wir das Thema gleich einschränken. Wir halten diese Schicht des Romans für so kompliziert, daß wir hier erst einen einzelnen Zug herausgreifen wollen, der immer als wesentlicher Bestandteil der sozialkritischen Tendenz gegolten hat: die Unruhe, die Hast, die Betriebsamkeit, welche die Menschen des Romans beherrscht.

Schon während der Überfahrt im Schiff kam Karl kaum zum Schlafen, weil er seinen Koffer bewachen mußte (16/17). Wie er sich beim Heizer gerade zu einem «von allen Sorgen um Koffer und Slowaken befreiten Schlaf» ausstrecken will, wird er von Tritten im Schiffsgang aufgeschreckt (17). Dann beginnt der anstrengende Kampf um die Sache des Heizers im Kapitänsbüro. Im Hause des reichen Onkels, denkt man, sollte ein geruhsameres Leben beginnen; aber gerade da stürmen die verwirrendsten Eindrücke vom ruhelosen amerikanischen Leben auf Karl ein, der aufreibende Verkehr, die pausenlose Arbeit im Speditionsbetrieb des Senators. Karl selber bleibt, obwohl ihm fast jeder Wunsch erfüllt wird, nicht von der Aufregung verschont – «er litt hier, wohl infolge der steten Aufmerksamkeit, die er während des Tages aufwenden mußte, geradezu an Schlafsucht» (55), zur Aneignung des Englischen ist «keine Eile groß genug» (54), und auf halb sechs Uhr früh täglich wird eine Reitstunde verabredet. Nach Karls Verbannung wird es natürlich nicht besser; der Dienst als Liftjunge ist außerordentlich streng, und ebenso der bei Brunelda.

Im Beschreiben von Hast und Unruhe entfaltet Kafka wieder einen überaus vielfältigen sprachlichen Reichtum.

«Alles mahnte zur Eile, zur Deutlichkeit, zu ganz genauer Darstellung ...» (25);

«Karl wollte vieles über das Fräulein Klara hören, als sei er ungeduldig über die lange Fahrt und könne mit Hilfe der Erzählungen früher ankommen als in Wirklichkeit» (64);

« – nur die Uhr schlug in Bestätigung der Worte des Oberkellners halb sieben und mit ihr, wie jeder wußte, gleichzeitig alle Uhren im ganzen Hotel, es klang im Ohr und in der Ahnung wie das zweimalige Zucken einer einzigen großen Ungeduld – » (214).

Kafka zeichnet viele eindrückliche Szenen in diesem hastigen Grundton: Karls verzweifelte Nahrungssuche am Hotelbuffet (132–135), den Schlafsaal der Liftjungen (166–168), die Einkäufe mit Therese (169/70), die Portierloge (220–226), Karls Flucht vor dem Polizisten (245/46), Waschung, Speisung und Umzug Bruneldas (336–355, in den beiden «Fragmenten»). Solche Szenen sind es wohl, die Max Brod an Chaplin-Filme gemahnt haben (Nachwort zur ersten Ausgabe, S. 359). Ein Glanzstück, das Tableau des Verkehrs in New York, wollen wir hierhersetzen:

«Und morgens wie abends und in den Träumen der Nacht vollzog sich auf dieser Straße ein immer drängender Verkehr, der, von oben gesehen, sich als eine aus immer neuen Anfängen ineinandergestreute Mischung von verzerrten menschlichen Figuren und von Dächern der Fuhrwerke aller Art darstellte, von der aus sich noch eine neue, vervielfältigte, wildere Mischung von Lärm, Staub und Gerüchen erhob, und alles dieses wurde erfaßt und durchdrungen von einem mächtigen Licht, das immer wieder von der Menge der Gegenstände verstreut, fortgetragen und wieder eifrig herbeigebracht wurde und das dem betörten Auge so körperlich erschien, als werde über dieser Straße eine alles bedeckende Glasscheibe jeden Augenblick immer wieder mit aller Kraft zerschlagen» (49).

Nicht nur die selbstverständlichen Mühen jedes Lebens erscheinen Karl als Last, sondern häufig auch die erfreulichen Dinge, auffällig vor allem beim Onkel:

«Dieser Besuch, auf den er sich gefreut hatte, fing an, eine Last zu werden ...» (62) –

auch die Freude am Klavierspiel und am Schreibtisch vergällt ihm ja der Onkel. Kein Wunder, daß Karl ständig übermüdet ist und ein unstillbares Schlafbedürfnis hat. Es gibt im Roman nur wenige Momente, wo er sich nicht schon auf den nächsten Schlaf freut. Schlaf braucht er als auszeichnendes Prädikat:

«Nach einer halben Stunde solchen wie Schlaf vergehenden Vergnügens ...» (57).

Kafka gönnt ihm aber dieses Glück nur selten. Der Schlafsaal der Liftjungen ist eine Karikatur; Kafka läßt Karl mit Vorliebe aus halbem Schlummer wieder aufschrecken: beim Heizer, bei der Ankunft im Landhaus, im Zimmer der Oberköchin (155), durch Robinson im Hotel (182), durch einen Schrei Bruneldas (254) – immer neue Hindernisse türmt er auf, bevor Karl zur wohlverdienten Ruhe kommt. Einen großen Bogen voll übermäßiger Anstrengungen, seelischer und körperlicher Belastungen fast ohne Pause spannt Kafka über die zweite Hälfte des Romans hin, von der strengen Nacht am Lift über das Verhör, die Flucht vor dem Polizeimann, den kurzen Nachmittagsschlaf auf dem Balkon, die erfolglosen Befreiungsversuche bei Delamarche bis zum nächtlichen Gespräch mit dem Studenten.

Diese Feststellungen sind nicht umstritten, die Gesamttendenz ist klar, und darum dürfen wir auf das Vorlegen weiteren Materials verzichten. Hingegen treten Differenzen auf, wenn es sie zu deuten gilt. In bemerkenswerter Übereinstimmung fassen es die Leser als selbstverständlich auf, daß Kafka damit ein Grundübel der modernen Gesellschaft brandmarken wolle. Ihr markantester Sprecher ist wiederum Emrich. Er sieht hinter dem Werk ein umfassendes System radikaler Gesellschaftskritik im 20. Jahrhundert. Folgendermaßen leitet er sein Amerikakapitel ein:

«Die alles zu Staub zermahlende moderne Arbeitswelt, in der keine Pausen, nur Händewechsel gestattet sind, hat Kafka bereits in seinem ersten großen Roman 'Der Verschollene', an dem er in den Jahren 1911 bis 1914 schrieb, eingehend geschildert. Der Roman gehört zu den hellsichtigsten dichterischen Enthüllungen der modernen Industriegesellschaft, die die Weltliteratur kennt. Der geheime ökonomische und psychologische Mechanismus dieser Gesellschaft und seine satanischen Konsequenzen werden hier schonungslos bloßgelegt» (S. 227).

Emrich stellt die Analyse der rastlosen Betriebsamkeit an den Anfang des Kapitels, unter dem Titel: «Die pausenlose Arbeit der Moderne.»

Da heißt es aber sich besinnen. Wir haben schon wahrgenommen und belegt, daß Emrich nicht alle Elemente des Romans in seiner Deutung unterbringt, sondern eine einseitige Auswahl treffen muß (siehe oben, S. 18); als Beispiel erwähnten wir die beiden Meerbilder (S. 19, 25), von denen nur das eine unruhig, das andere dagegen fröhlich bewegt ist. Irgend etwas an dieser Interpretation der Unruhe kann nicht stimmen. Unsere Einsicht in die strenge Perspektivität des Romans führt uns auf die Spur. Jene Deutungen überschätzen wohl den Anspruch und die Tragweite von Kafkas Dichtung. Was sich in ihnen an Behauptungen über den Gesichtskreis eines Einzelnen hinaus erstreckt, ist illegitim. Im ganzen Roman verrät kein Wort den Anspruch, über die bestehende Welt und Gesellschaft etwas Gültiges auszusagen; dieser Anspruch wird Kafka von den Vertretern dieser These bloß wie selbstverständlich unterschoben. Er findet sich schon gar nicht in Kafkas übrigen Werken, und man müßte also ein Interesse an echter Gesellschaftskritik in seinen Lebensäußerungen nachweisen. Alle Zeugnisse aber, Briefe, Tagebücher und die Angaben der Freunde, sprechen da eine eindeutige Sprache: Von der «äußeren Welt» schlagen nur gerade die letzten Wellen an Kafkas Ohr; außer der Kunst, der eigenen, der klassischen und der zeitgenössischen, ist es der engste persönliche Umkreis des Alltags, Beruf, Familie, Freunde, wenige Zerstreuungen, was sein Leben und Denken ausfüllt. Es ist erstaunlich, welch geringe Spuren etwa der Weltkrieg in seinen Tagebüchern und Briefen hinterläßt, er begegnet ihm gleichgültig, fast ärgerlich, immer wie einem ganz fernen Ereignis. Mitten in der Mobilisierung, am 31. Juli 1914, schreibt er: «Ich bin wenig berührt von allem Elend»; der bekannte Satz «Der Sinn für die Darstellung meines traumhaften innern Lebens hat alles andere ins Nebensächliche gerückt und es ist in einer schrecklichen Weise verkümmert und hört nicht auf zu verkümmern» stammt vom darauffolgenden 6. August und ist wahrscheinlich aus schlechtem Gewissen wegen seiner Teilnahmslosigkeit geschrieben, die er vorher bemerkt hat: «Ich entdecke in mir nichts als Kleinlichkeit, Entschlußunfähigkeit, Neid und Haß gegen die Kämpfenden, denen ich mit Leidenschaft alles Böse wünsche.» Bloß ein gewisses Interesse für soziale Probleme im engsten Sinn findet sich hie und da. Klaus Wagenbach hat

Dokumente aufgestöbert, welche beweisen, daß Kafka an Anarchistenversammlungen teilgenommen hat. Ganz typisch ist aber sein Verhalten in diesen Fragen, das ebenfalls aus allen Zeugnissen klar hervorgeht (und wie es auch Wagenbach herausstreicht). Die Probleme interessierten ihn von der menschlichen Seite her; in Aktionen hat er sich nie engagiert. Daraus wird Kafkas Motiv ganz deutlich. Aus eigener Not heraus fühlte er sich zur Mitarbeit aufgerufen, wo die Stellung der Menschen in seiner Umwelt diskutiert wurde, doch seine Teilnahme mußte bloß informativ bleiben, weil er sich zu allem, was über die dichterische Wiedergabe persönlicher Drangsal hinausging, unfähig fühlte. Mit diesen Worten ist der Bezirk genau umschrieben, in dessen Grenzen sich Kafkas dichterischer Anspruch hält. Zwar schreibt er Szenen, die uns an die Hast des modernen Alltags erinnern. Aber sie als «hellsichtige Enthüllung» auszugeben, hätte er selber wohl nie gewagt, und zu so scharfen Ausdrücken wie denjenigen Emrichs hätte er wohl ähnlich die Achseln gezuckt wie oft auf Janouchs Antworten, wenn dieser Kafkas Aussprüche ohne Umstände auf die realen Verhältnisse übertrug. Kafkas Aussagen haben meistens, nicht nur bei Janouch, die Tendenz, von sicher Bestehendem weg, nicht darauf zu zu führen. Als Beleg für die gesellschaftskritische Deutung von «Amerika» zitiert man gern das Janouch-Gespräch über soziale Fragen (S. 90), aber, wie genaues Lesen lehrt, zu Unrecht. Es verrät vielmehr, daß Kafka den gesellschaftlichen Fakten nicht mehr Einfluß als den subjektiven zubilligt:

«Der Kapitalismus ist ein System von Abhängigkeiten, die von innen nach außen, von außen nach innen, von oben nach unten und von unten nach oben gehen. Alles ist abhängig, alles ist gefesselt. Kapitalismus ist ein Zustand der Welt und der Seele.»

Kafka sagt sogar ausdrücklich, daß er sich nicht fähig fühlt, den Kapitalismus darzustellen. Janouch fragte weiter:

«'Wie würden Sie ihn also darstellen?'

Doktor Kafka zuckte die Achseln und lächelte traurig. 'Ich weiß nicht. Wir Juden sind eigentlich keine Maler. Wir können die Dinge nicht statisch darstellen. Wir sehen sie immer im Fluß, in der Bewegung, als Wandlung. Wir sind Erzähler.'»

Gerade gegen alles Festlegen wehrt sich Kafka. Er fühlt sich nur zuständig, immer wieder davon zu berichten, wie ihm selber alles, was andere festgehalten zu haben meinen, brüchig vorkommt. Die Gespräche mit Janouch sind dafür in ihren eigentümlichen, zitternden Gleiten das schönste Zeugnis.

Aber vielleicht hat Kafka in «Amerika» mehr enthüllt, als er selber wußte und sich zutraute? Da müssen wir uns diese Bilder der modernen Hast denn doch genauer ansehen. Merkwürdigerweise zeichnen gerade sie sich durch ein auffallendes Nachlassen der Präzision aus. Die Beobachtungen sind schematisch, der Ton spielerisch. Die endlosen Autoschlangen, der rasende Verkehr, die lächerlich übertriebenen Anstalten im Speditionsbetrieb und im Hotel: Das sind keine hellsichtigen Enthüllungen, sondern ganz einfach – Klischees. Sie gehören in dieser Hinsicht zum Schreibtisch mit den hundert Fächern, dem wunderbar im gläsernen Aufzug neben Karl schwebenden Klavier und dem mißratenen Millionärssohn mit seinem Keep smiling (S. 55)! Verräterisch in ihrem Gegensatz zur sonstigen Genauigkeit der Maßausdrücke sind vor allem die summarischen Behauptungen: New York sieht Karl «mit hunderttausend Fenstern seiner Wolkenkratzer an» (19), in Klammern wird rasch eingefügt «der Onkel hatte zehn verschiedene Büros allein in diesem Hause» (61), die beiden Auskunftserteiler in der Portierloge hatten immer «zumindest zehn fragende Gesichter vor sich» (221), «während des ganzen Tages seit dem frühesten Morgen hatte Karl kein Automobil halten, keinen Passagier aussteigen sehen» (131). Alle diese Bilder haben mit dem «typischen Amerika» zu tun, und wir erkennen plötzlich, woher sie stammen: Es sind die stereotypen Vorstellungen, die im Europa der Jahrhundertwende das Bild von Amerika noch viel mehr als heute bestimmten. Kafka bildet sich etwas darauf ein, das «allermodernste New York» dargestellt zu haben («Briefe», 117) – er, der Naturalist, eine so ferne, ihm nur vom Hörensagen bekannte Stadt! In seinem Roman fehlt nicht einmal der berühmte Erbonkel, der wie im Märchen rettend auftaucht. Eine neue Stilschicht entfaltet sich vor unserem Blick, die natürlich im Onkelkapitel besonders ausgeprägt ist, aber den ganzen Roman durchzieht. Denn zu ihr gehören auch der Wahlfeldzug «amerikanischen» Stils und der Werkstudent, der nachts bei Kaffee seine Bücher liest. Einmal auf der Spur, finden wir sogar nicht wenige Stellen, wo Kafka das Geständnis entschlüpft, die Angaben stammten aus zweiter Hand:

«Ich habe von irgend jemandem gelesen, der bei Tag in einem Geschäft gearbeitet und in der Nacht studiert hat, bis er Doktor und ich glaube Bürgermeister wurde ...» (13).

«Auf Mitleid durfte man hier nicht hoffen, und es war ganz richtig, was Karl in dieser Hinsicht über Amerika gelesen hatte ...» (48).

Greens Zigarre ist «von jener Dicke, von der der Vater zu Hause hie und da als von einer Tatsache zu erzählen pflegte, die er wahrscheinlich selbst mit eigenen Augen niemals gesehen hatte ...» (74). Und auch sein Verhalten richtet Karl nach angelesenen Vorstellungen aus:

«Unangenehm war bloß, daß der eine ein Irländer war. Karl wußte nicht mehr genau, in welchem Buch er einmal zu Hause gelesen hatte, daß man sich in Amerika vor den Irländern hüten solle» (116).

Den seltsamen Umstand, daß sich in diesen naturalistisch orientierten Roman Klischees einschleichen, vermögen wir jetzt noch nicht aufzuklären, an ihrem Vorhandensein aber können wir nicht mehr zweifeln. Das macht es höchst unwahrscheinlich, daß die Szenen der Hast Abbilder der gesellschaftlichen Wirklichkeit sind; es ist unglaubhaft, daß in einem Werk, das sich der Wirklichkeit mit größter naturalistischer Anstrengung zu nähern sucht, gerade die Partien gültige Urteile enthalten sollen, welche im Stil lässiger Ungenauigkeit gehalten sind. Die Unruhe in «Amerika» läßt sich nicht in so einfache Formeln pressen. Karl ist nicht einfach das tapfere, aber machtlose Objekt der Ausbeutung durch eine seelenlose Umwelt. Nicht bloß in der dämonischen Maschinerie, von der sich Karl umgeben fühlt, auch in seinem eigenen Innern sitzt nämlich die quälende Unruhe. «Kapitalismus ist ein Zustand der Welt *und der Seele*» sagt Kafka! Ebensoviel Mühe wie die Außenwelt macht Karl Roßmann sich selber. Unter den Liftjungen ist er ein ausgesprochener Streber, den Dienst tritt er aus verkrampftem Pflichtbewußtsein freiwillig einen Tag früher an, als er müßte (160), er gönnt sich selber keine Ruhe und macht sich beim geringsten Verweilen unberechtigte Vorwürfe:

«'Wäre ich früher gekommen, statt aus dem Fenster zu schauen', sagte sich Karl ...» (27).

Seine Gewissenhaftigkeit ist skrupulös, man bekommt das Gefühl, keine Leistung, kein Erfolg, und sei er noch so groß, würde ihn jemals befriedigen – er steht wie unter einem inneren Zwang, sich ständig zu bewähren. Er verliert darum seine Aufmerksamkeit an Gegenstände, die ihrer gar nicht würdig sind. Seine Sorge um den Koffer steht in keinem Verhältnis zu seinem Wert und zur Gefahr, die ihm droht, und würde völlig lächerlich wirken – wenn wir nicht hier wie hinter jedem Wort Kafkas jene Leidenschaft spürten, die verrät, daß in dieser unsicheren Welt der Dichter selbst mit seinem Innersten engagiert ist.

Ein Grundrhythmus Kafkas: das Schulden

Dieser Leidenschaft, die scheu, stark und verborgen alles zusammenzuhalten scheint, was Kafka von sich gibt, wollen wir jetzt auf den Grund gehen. Schon dreimal ist sie uns als eigentlicher Motor hinter stilistischen Merkmalen erschienen, die uns zunächst ganz selbständig vorkamen – hinter der naturalistischen Bewegung, der Erzählhaltung im Roman und dem modernen Kulturpessimismus. Wir haben auch schon Hinweise darauf empfangen, wie sie innerlich bei Kafka zusammenhängen, und wollen diese zunächst sammeln.

Am auffälligsten war der Zusammenhang zwischen der Einzelnenperspektive und den Grenzen des Naturalismus. Im Gesichtsbereich, in welchem sich Kafka am liebsten bewegt, an der Grenze zum nicht mehr Sichtbaren, fallen beide Erfahrungen zusammen, und das mußten wir eigentlich erwarten. Der Potentialis bei Kafka, in dem so bezeichnend die Kluft zwischen naturalistischen Zielen und Mitteln erscheint, das Reich der «offenbar» und «wie es schien», setzt ja einen Standpunkt voraus, von dem aus abgeschätzt wird. Das «wahrscheinlich», welches sich Emrich in einem Zitat auszumerzen erlaubt (siehe oben, S. 18), ist also keineswegs unwesentlich, sondern gehört zu einer Wortschicht, die sich wie ein Schleier um alle Dinge legt – wie der Rauch vor die Zeiger der Uhr im Hotel. Kafka fühlt sich stets zu einem aussichtslosen Kampf an den Grenzen seiner Möglichkeiten gedrängt, wo alles Feste ins Wahrscheinliche und Unsichere verschwimmt; und eben darum muß er ihnen so pausenlos nachjagen, ohne zur Ruhe zu kommen, und gerät in die charakteristische Hast und Betriebsamkeit. An beiden im Zusammenhang mit der Einzelnenperspektive zitierten Sätzen, welche längere naturalistische Beschreibungen abschließen, fällt die Bemerkung auf, Karl habe zu diesen Beobachtungen wenig Zeit gehabt. Es war Kafkas Schicksal, die naturalistischen Impulse aufzunehmen und so weit zu treiben, bis er an die Grenzen der Einzelnenperspektive stößt. Genau in diesem Punkt unterscheidet er sich von den ursprünglichen Naturalisten: Nur weil sie diese Grenze nicht kennen, konnte «die Wirklichkeit» für sie zur ungeprüften, selbstverständlichen Voraussetzung, der Naturalismus zum unbedingten, naiven Glauben, zu einem diffusen Reich ohne Grenzen und Probleme werden.

Und umgekehrt bleibt Kafkas immenser naturalistischer Aufwand in erstaunlichem Maß ohne Wirkung. In «Amerika» entsteht vor unseren Augen keineswegs der Eindruck prallvoller Wirklichkeit, vielmehr der einer bruchstückhaften, aus Wirklichkeitsfetzen bestehenden Welt. Gerade die Details, in denen Kafka die größtmögliche Präzision gewährleistet glaubte, wirken durchaus als herausgerissene Teilstücke.

«Kaum fühlte Robinson das Bett unter sich, als er sofort – ein Bein baumelte noch aus dem Bett heraus – einschlief» (189).

Daß Kafka so wie hier ein Detail in Gedankenstriche einschließt, ist nicht selten; das hebt dieses Detail besonders heraus, und der Sprachfluß wird dadurch unterbrochen, wie man einen Film einen Moment aufhält, um ein Bild zu fixieren. Diese Schnappschüsse, die mitten im laufenden Satz stehen, wecken im Leser das rhythmische Empfinden, der Dichter lehne sich erfolglos gegen einen unaufhaltsamen Strom von Eindrücken auf, und mehr als Bruchstücke daraus könne er nie festhalten. Tatsächlich ist Kafka sein Leben lang für bruchstückhafte Eindrücke und Bilder besonders empfänglich. Zum Beispiel:

Notiz im Tagebuch: «Die Tür öffnete sich zu einem Spalt. Ein Revolver erschien und ein gestreckter Arm» (T. 357).

Oder: «Der Torso: seitlich gesehn, vom obern Rand des Strumpfes aufwärts, Knie, Oberschenkel und Hüfte, einer dunklen Frau gehörig» (T. 556).

«Durch die Allee eine unfertige Gestalt, der Fetzen eines Regenmantels, ein Bein, die vordere Krempe eines Hutes, flüchtig von Ort zu Ort wechselnder Regen» («Fragmente», in: «Hochzeitsvorbereitungen», S. 290).

Für Kafkas Neigung, den Blick von einem blassen und oberflächlichen Gesamteindruck sofort auf herausgegriffene Details zu lenken, gibt es einen hübschen Beleg, eine Tagebuchnotiz (vom 7. November 1910) über eine Romantikerzeichnung:

«Julius Schnorr von Carolsfeld – Zeichnung Friedrich Olivier, er zeichnet auf einem Abhang, wie schön und ernst ist er da (ein hoher Hut wie eine abgeplattete Clownmütze mit steifem, ins Gesicht gehendem, schmalem Rand, gewellte lange Haare, Augen nur für sein Bild, ruhige Hände, die Tafel auf den Knien, ein Fuß ist auf der Böschung ein wenig tiefer gerutscht). Aber nein, das ist Friedrich Olivier, von Schnorr gezeichnet.»

Und bekommt denn der Leser von irgendeinem der Aufenthaltsorte Karls in Amerika ein zusammenhängendes Bild? Vom Schiff kennt er die Gänge, die Kabine des Heizers und das Kapitänsbüro; vom Landhaus die beleuchtete Unterseite der Fassade, drei Zimmer und die dunklen Gänge; vom Hotel das Restaurant, die Zimmer der Oberköchin, den Lift, den Schlafsaal und die Portierloge. Vielleicht hat Karl während seines anderthalbmonatigen Aufenthaltes mehr gesehen, die Einzelnenperspektive wäre also in diesem Falle kein zwingendes Hindernis, mehr mitzuteilen, aber Kafka kommt es anscheinend gar nicht in den Sinn, etwas Abgerundetes zu sehen, die fragmenthafte Sehweise ist ihm wie angeboren. Zu einem Gesamteindruck versucht er, wie Emrich nachweist (S. 30ff.), durch Summierung von Teileindrücken zu kommen. Auch die längeren Beschreibungen in «Amerika» wirken fast wie Gucklöcher in den wenigen ruhigen Momenten des Romans – als Gedankenstrich-Schnappschüsse größeren Formats. Es sind bezeichnenderweise immer kleine Gegenstände oder die engste Umgebung, Miniaturen, die Karl so zu Gesicht bekommt. Erhält man vom Kapitänsbüro einen echten Gesamteindruck? Hat man nicht auch innerhalb dieser Abschnitte das Gefühl, Karls Auge gleite gespannt, aber ohne Einfühlung von Einzelheit zu Einzelheit?

Nicht anders als bei Örtlichkeiten und Gegenständen muß Kafkas Einbildungskraft auch bei lebendigen Menschen verfahren. Hastig sucht der Dichter an jeder Gestalt ein Einzelmerkmal und hält es im Fortgang der Erzählung wie einen Rettungsanker krampfhaft fest, ohne einen Schritt tiefer einzudringen: das Stöckchen des Polizeimannes, die zerfressene Nase des Burschen,

Julius Schnorr von Carolsfeld:
Der Maler Friedrich von Olivier (1817)

die zur festen Bezeichnung wird, und – es sei einmal gestattet, ein besonders schönes Beispiel aus dem «Prozeß» zu nehmen – die gewalttätig aufgezwungenen Merkmale der drei Bankbeamten am Anfang:

«Wie hatte K. das übersehen können? Wie hatte er doch hingenommen sein müssen von dem Aufseher und den Wächtern, um diese drei nicht zu erkennen! Den steifen, die Hände schwingenden Rabensteiner, den blonden Kullich mit den tiefliegenden Augen und Kaminer mit dem unausstehlichen, durch eine chronische Muskelzerrung bewirkten Lächeln» («Prozeß», S. 25).

Solche Merkmale können sich bis zu Leitmotiven oder noch größeren Rollen auswachsen. Das frappanteste Beispiel ist Karls Koffer, ein sehr diskret gehandhabtes Delamarches Schlafrock im Asylkapitel. Ein einziges Mal beschreibt Kafka in einiger Ausführlichkeit Delamarches Gesicht und Gestalt (S. 237), meist beachtet er nur seinen Schlafrock, der ihm zuerst auffiel (S. 235, 237 zweimal, 246, 247, 250) – diesen aber ganz genau («mit nur flüchtig zugezogenem Schlafrock») und noch in der unmöglichsten Lage (S. 290):

«In einem weit über die augenblickliche Gelegenheit hinausgehenden Wutanfall sprang Delamarche – sein gelöstes Schlafrockseil beschrieb eine große Figur in der Luft – auf Karl los.»

Auch im Leben soll Kafka, wie Willy Haas in der Kafka-Gedenknummer der «Literarischen Welt» erzählt (2. Jahrgang, Nr. 23, 4. Juni 1926), belanglose Details einer Begegnung über Jahre hinaus fixiert haben.

Es gibt in «Amerika» eine Stelle, wo sich Kafka selbst über diesem Verhalten ertappt. Es ist der erste Eindruck von Therese:

«Sie sah noch wie ein Schulmädchen aus, ihre Schürze war sehr sorgfältig gebügelt, auf den Achseln zum Beispiel gewellt, die Frisur recht hoch, und man staunte ein wenig, wenn man nach diesen Einzelheiten ihr ernstes Gesicht sah» (148).

Plötzlich wird sich Kafka seiner Schwäche bewußt und strengt sich an, sie zu korrigieren. Überhaupt sind ihm ja seine Details nicht Selbstzweck, sondern Mittel, das Wesentliche zu treffen – aber gerade diese Versuche sind, wie auch das obige Beispiel zeigt, unbeholfen, sie dringen nicht in die Tiefe und wirken blaß oder oberflächlich. Mit Thereses «ernstem Gesicht» ist schließlich auch nicht viel gesagt. Der erwähnte Gesamteindruck von Delamarche aber lautet so:

«Ebenso wie Robinson hatte auch Delamarche sich sehr verändert. Sein dunkles, glatt rasiertes, peinlich reines, von roh ausgearbeiteten Muskeln gebildetes Gesicht sah stolz und respekteinflößend aus. Der grelle Schein seiner jetzt immer etwas zusammengezogenen Augen überraschte. Sein violetter Schlafrock war zwar alt, fleckig und für ihn zu groß, aber aus diesem häßlichen Kleidungsstück bauschte sich oben eine mächtige, dunkle Krawatte aus schwerer Seide» (237).

Die Unfähigkeit, ein ganzes Gegenüber einzufangen, sitzt zu tief, als daß Kafka sie korrigieren könnte. Gegen allen Willen scheint sich hier eine Grundanlage durchzusetzen.

Wir versuchen diese Grundanlage vorsichtig zu umschreiben. Hier wirkt nicht die glückliche Hand eines Dichters, die vom Ganzen das charakteristische Detail herauszugreifen weiß, viel eher die eines Ertrinkenden, welcher in gieriger Hast nach den letzten festen Gegenständen greift, die er noch erreichen kann. Hier hat der Naturalismus einen Mann gepackt, dem das Jagen nach Dingen aus Angst, sie zu verlieren, tief im Blut sitzt. Kafkas Naturalismus ist ein verzweifelter Rettungsversuch, ein Instrument, mit dessen Hilfe er sich einer entgleitenden Wirklichkeit krampfhaft zu bemächtigen sucht.

Was unsere Einzeluntersuchungen zutage förderten, bestätigt diese Sicht der Dinge aufs nachhaltigste. Wie genau mit diesem Lebensgefühl die Hast übereinstimmt, die sich immer im Rückstand glaubt, ist evident; ebenso das Versagen der naturalistischen Mittel und Möglichkeiten; ebenso der tiefe Sinn für die Einschränkung der Perspektive, die peinlich genaue Beachtung ihrer Grenzen. In diesen Zügen enthüllt sich uns der tiefste, unveränderliche Kern eines Menschen, der mitten in einer um ihn her versinkenden Welt steht und sich anstrengt, ihre Bestandteile mit allen Organen zu erhaschen. Darum gewinnt der Naturalismus bei Kafka seinen tödlichen Ernst. Mit dem Gelingen der naturalistischen Anstrengung steht oder fällt für ihn die Welt. Ihm ist der Naturalismus nicht in erster Linie ein Stil oder ein geistesgeschichtliches Programm, sondern ein existentielles Anliegen: der Versuch, den gefährdeten Kontakt mit der Umwelt zu behaupten.

Das Ergebnis unterliegt keinem Zweifel. Der Versuch kann nicht gelingen, ja er mißlingt mit steigender Anstrengung immer mehr. Das muß Kafka selber erkannt haben, denn nie mehr seit dem Abbruch des Amerikafragments hat er den Naturalismus eine entscheidende Rolle spielen lassen, auch nicht bei der Wiederaufnahme desselben Themas im Theaterkapitel. Natürlich ging ihm der Sinn für Präzision nie verloren, aber er drängte ihn in sekundäre Funktionen zurück. Den großangelegten Versuch, die Welt mit naturalistischen Mitteln zu erobern, hat Kafka nie mehr wiederholt. Wie sehr aber das Anliegen, sich der Welt zu bemächtigen, im Mittelpunkt von Kafkas Dichten steht, beweist seine Reaktion auf diese niederschmetternde Erfahrung. Kafka gibt den Kampf, den er mit naturalistischen Mitteln verloren hat, keineswegs auf. So ursprünglich ist in ihm der Zwang, sich überall zu bewähren, daß er diesen Kampf sein Leben lang in anderen Bereichen weiterführt. Dieses Sichbewährenwollen und Scheitern in immer neuer Umgebung ist der Grundcharakter von Kafkas Welt und Dichtung.

Sollten wir diesen Grundcharakter mit einem Begriff bezeichnen, so würden wir von Kafkas «Schulden» sprechen. Damit meinen wir Kafkas unverrückbares Gefühl, der Welt, wie immer sie ihm begegnet, etwas schuldig zu sein. Das Wort «schulden» umfaßt mit seinen natürlichen Assoziationen die wesentlichen Aspekte dieses Gefühls: den ursprünglichen, unaufhebbaren Abstand zur Welt, der den Eindruck hervorruft, man bleibe hinter ihr zurück, könne sie nie erreichen; und die ständigen Versuche, eben diese «Schuld» abzutragen, ihr Abbrechen vor dem Ziel und unaufhörliches Wiederaufnehmen – alle die mannigfaltigen Spielarten also von Kafkas Verhalten in diesem Spannungsfeld, dem er sich nicht zu entziehen wußte.

Es gilt nun, unsere Meinung sofort zu präzisieren, weil gefährliche Mißdeutungen sehr nahe liegen. Ein Begriff aus der Schuldsphäre drängt sich wohl unwillkürlich auf, wenn wir nach einer zusammenfassenden Kennzeichnung von Kafkas Weltgefühl suchen. In dieser Hinsicht dürfte unsere Wahl auch mit der allgemeinen Meinung übereinstimmen. Der substantivische Begriff «Schuld» wäre aber verfänglich. Er verlockt dazu, irgendwo eine «Schuld» zu suchen und festzulegen, was Kafka sein Leben lang durchaus fernlag. Umso mehr kommt dieser Schuldbegriff eine weitverbreiteten modernen Neigung entgegen, und um uns diesem gefährlichen Sog möglichst auch schon terminologisch zu entziehen, wählen wir den verbalen Ausdruck «das Schulden», der in dieser Form eindeutig bloß das neutrale Verhältnis «etwas schuldig sein» bedeutet und jedes Werten, alles Fragen nach Ursachen und Verantwortung zunächst aus dem Spiel setzt. Die Assoziation «schuld sein an etwas», die mit ihrem Appell an den modernen Pessimismus das Blickfeld verhängnisvoll einschränkt, ist damit zurückgestellt. Sie hat innerhalb eines bestimmten Bereichs von Kafkas Welt ihre hohe Bedeutung, die es an ihrer Stelle gebührend herauszustreichen gilt (vergleiche Kapitel «Gerichtswelt», S. 179–189), reicht aber nicht aus, die Tiefe und Weite von Kafkas Schuldverhältnis zur Welt zu umfassen

Des weiteren schützt uns die verbale Dynamik des Ausdrucks «das Schulden» vor der Illusion, in Kafkas Schuldwelt ließe sich irgend etwas endgültig festlegen. Trotz der in dieser Hinsicht eindeutigen Lehre seiner Parabeln scheint die Versuchung für den Interpreten fast unwiderstehlich zu sein, Kafkas Geheimnis irgendwie zu fixieren. Das Wort «Schulden» mit seinem Sinn «etwas schuldig sein und ständig schuldig bleiben» weist uns darauf hin, daß der Abstand, in dem die Schuld aufklafft, für Kafka immer offen bleibt und darum auch unser Interpretieren nur dann einen Sinn erfüllt, wenn wir ebenso offen seinen unaufhörlichen, immer neuartigen Überbrückungsversuchen nachgehen.

Damit zeigen sich im Ausdruck «Schulden» die beiden grundlegenden Komponenten von Kafkas Welt und Werk, die es zu verfolgen gilt: der unaufhebbare Abstand, der Kafka von vornherein als Schuldner in die Welt blicken läßt, und seine unablässigen Anstrengungen, die so geschaffene Spannung zu überbrücken, auszuhalten oder wenigstens auszudrücken. Kafkas Welt ist ein ständiges Schulden – das heißt nicht, er suche in der Welt irgendwo eine Schuld, sondern *er* sehe von vornherein als Schuldner in die Welt, in einem für ihn unverrückbaren, ständig mitgetragenen Abstand zwischen dem, was gefordert, und dem, was erfüllbar ist – der Schuld, die es überall abzutragen gilt. Alles, noch das Neutralste und Unscheinbarste, gibt sich Kafka nur in diesem aufgegeben-unaufhebbaren Abstand – so ist, sobald und solange er überhaupt sieht, Kafkas Art zu sehen; das ist Kafkas Welt – Welt in dem prägnanten Sinn des Worts, den ihm

Heidegger beigelegt hat: als das, woraufhin das Ganze und alles Einzelne einer geistigen Individualität übereinstimmend angelegt ist.

Auf diese Schuld hin angelegt sind Kafkas naturalistische Anstrengungen: Sie nämlich spornt Kafka an, den bedrückenden Abstand zu den Dingen zu überwinden. Sie ist es aber auch, welche das Gelingen dieser Anstrengungen hintertreibt. Demselben Abstand tut auch die Einzelnenperspektive genüge: Sie setzt eine tiefe, grundsätzliche Kluft zwischen dieser und allen andern möglichen Welten. In diesem unverständlichen, herausfordernden, aber unerschütterlich festen Abstand fühlen sich Josef K. und K. zu den Gerichts- und Schloßbehörden; in den reifen Tiergeschichten stellt ihn Kafka, gewitzigt in eigener Sache und sich ins Unvermeidliche fügend, durch die Tierperspektive von Anfang an her, um in deren Spannungsfeld hin und her zu spielen – während er in der frühen «Verwandlung» davon gegen den größten Widerstand langsam überwältigt wird. Das Gefühl dieses Abstands kann ihn schlagartig überfallen:

«Es ist noch nicht zu still. Plötzlich im Theater, angesichts des Gefängnisses Florestans, öffnet sich der Abgrund. Alles, Sänger, Musik, Publikum, Nachbarn, alles ferner als der Abgrund» (Tagebuch, S. 557).

Das Datum dieser Notiz, 21. Januar 1922, zeigt, daß die Empfindlichkeit für solche Eindrücke im Alter um keinen Grad abnimmt. Am 5. Dezember 1919 heißt es im Tagebuch:

«Wieder durch diesen schrecklichen langen engen Spalt gerissen, der eigentlich nur im Traum bezwungen werden kann. Aus eigenem Willen ginge es allerdings im Wachen niemals» (T. 539).

Eine nicht minder deutliche Sprache als diese direkten Zeugnisse sprechen Kafkas Versuche, den Abstand, in dem die Schuld aufklafft, zu überwinden. Wir kennen sie natürlich aus den durchsichtigsten seiner Parabeln, «Vor dem Gesetz» und «Eine kaiserliche Botschaft». Nie führen sie zum anvisierten Ziel: Darin erweist sich die Unüberwindlichkeit des Abstands. Nie aber verliert dieser deswegen etwas von seiner herausfordernden Kraft: Das beweist die unaufhörliche Wiederholung der Versuche. So, ausweglos in eine Welt des Schuldens gespannt, ohne Hoffnung auf Erfolg und doch unfähig, sich der Forderung zu entziehen, gibt es für Kafka nur ein unaufhörliches Hin und Her zwischen diesen Polen, die sich widersprechen und doch beide unerschütterlich fest in seinem Wesen verankert sind.

Dieses Hin und Her umfaßt bei Kafka viel mehr als das Thema zweier Geschichten. Es ist das, was die Schule der temporalen Interpretation einen Grundrhythmus nennt, das heißt eine Figur, die sich in den verschiedensten Bereichen eines Werkes ausprägt, in Motiven wie im Gedanklichen, im Aufbau wie in der Sprache (siehe E. Staiger, «Die Kunst der Interpretation»). Auf diese Figur, ein ständiges Anfangen und Abbrechen, Sichaufraffen und wieder Sinkenlassen, weist uns alles bisher Erörterte hin: das naturalistische Haschen nach einer entschwindenden, lockenden Wirklichkeit; die Welle von Aufschwung und Enttäuschung, die Kafka im Herbst 1912 erfaßte; das ständige Stoßen gegen die Grenze der Einzelnenperspektive; das ewige Sichbewährenwollen und Scheitern in immer neuer Umgebung. Wir finden die Figur wieder in der eigentümlichen Struktur von Kafkas Gesamtwerk: im bekannten Umstand, daß die meisten von Kafkas längeren Werken Fragment geblieben sind. «Fragment» heißt ja nichts anderes als «ein Werk anfangen und nicht beenden». Und man ist sich darüber einig, daß Kafkas Werke in einem tieferen Sinn «fragmentarisch» sind. Schriftgattungen wie Aphorismen, Skizzen, Impressionen, Notizen, Kurzgeschichten, Novellen, die sich in besonderer Weise für bruchstückhafte Eindrücke eignen, nehmen unter seinen Schöpfungen den Vorrang ein. Von allen seinen Werken hat Kafka bloß zwei von einigem Umfang in abgeschlossener Gestalt zurückgelassen: die «Verwandlung» und die «Strafkolonie». Und gerade gegen die Schlußstücke dieser beiden Geschichten bezeugt Kafka einen tiefen Widerwillen. Im Tagebuch, S. 351, 19. Januar 1914:

«Großer Widerwillen vor 'Verwandlung'. Unlesbares Ende. Unvollkommen fast bis in den Grund.»

Aus einem Brief an Kurt Wolff (4. September 1917, «Briefe» 159):

«Hinsichtlich der Strafkolonie besteht vielleicht ein Mißverständnis. Niemals habe ich aus ganz freiem Herzen die Veröffentlichung dieser Geschichte verlangt. Zwei oder drei Seiten kurz vor ihrem Ende sind Machwerk, ihr Vorhandensein deutet auf einen tieferen Mangel, es ist da irgendwo ein Wurm, der selbst das Volle der Geschichte hohl macht.»

Kafka selber statuiert die Unüberwindlichkeit des fragmentarischen Stils in einem anderen Brief an Kurt Wolff (vom 4. April 1913, «Briefe» 115) mit folgenden Worten:

«Das erste Kapitel des Romans werde ich auch tatsächlich gleich schicken, da es von früher her zum größten Teil schon abgeschrieben ist; Montag oder Dienstag ist es in Leipzig. Ob es selbständig veröffentlicht werden kann, weiß ich nicht; man sieht ihm zwar die 500 nächsten und vollständig mißlungenen Seiten nicht gerade an, immerhin ist es wohl doch nicht genug abgeschlossen; es ist ein Fragment und wird es bleiben, diese Zukunft gibt dem Kapitel die meiste Abgeschlossenheit.»

Und zweieinhalb Jahre vor seinem Tode faßt Kafka die Bilanz seines Lebens in folgendem unvergeßlichen Bild zusammen:

«Es war so, als wäre mir wie jedem andern Menschen der Kreismittelpunkt gegeben, als hätte ich dann wie jeder andere Mensch den entscheidenden Radius zu gehn und dann den schönen Kreis zu ziehn. Statt dessen habe ich immerfort einen Anlauf zum Radius genommen, aber immer wieder gleich ihn abbrechen müssen. (Beispiele: Klavier, Violine, Sprachen, Germanistik, Antizionismus, Zionismus, Hebräisch, Gärtnerei, Tischlerei, Literatur, Heiratsversuche, eigene Wohnung.) Es starrt im Mittelpunkt des imaginären Kreises von beginnenden Radien, es ist kein Platz mehr für einen neuen Versuch, kein Platz heißt Alter, Nervenschwäche, und kein Versuch mehr bedeutet Ende. Habe ich einmal den Radius ein Stückchen weitergeführt als sonst, etwa beim Jusstudium oder bei den Verlobungen, war alles eben um dieses Stück ärger statt besser» (23. Januar 1922, Tagebuch 560).

Der Grundrhythmus manifestiert sich auch im einzelnen. Ihm entsprechen im Bereich des Bildlichen jene aus dem Zusammenhang gerissenen Einzeleindrücke. Im Begrifflichen hat Kafka eine starke Neigung zu Ausdrücken wie

«Das Unglück eines fortwährenden Anfangs» (16. Oktober 1921, Tagebuch 542).

«Es kommen daher immer nur abreißende Anfänge zutage, abreißende Anfänge zum Beispiel die ganze Automobilgeschichte hindurch» (5. November 1911, Tagebuch 142).

Hierher gehört auch alles, was wir im Kapitel «Versagen des Naturalismus» aufzählten: die blinden Motive, die abgebrochenen

Episoden, die unbeantworteten Fragen. Und ein Anstrengen und Steckenbleiben sind schließlich auch jene Beobachtungsversuche an der Grenze des Sehvermögens, die wir bei der Erforschung des Naturalismus entdeckten.

Die beiden Momente der hilflosen Zuckung, das Anfangen und das Enden, erregen Kafka auch für sich allein. Für alles Aufhören, Erlahmen, Abbrechen, Steckenbleiben hat Kafka ein feines Organ, wofür unter anderem der bekannte Aphorismus zeugt:

«Alle menschlichen Fehler sind Ungeduld, ein vorzeitiges Abbrechen des Methodischen, ein scheinbares Einpfählen der scheinbaren Sache» (Band «Hochzeitsvorbereitungen», S. 39).

Im Tagebuch (S. 542) steht:

«... das Fehlen der Täuschung darüber, daß alles nur ein Anfang und nicht einmal ein Anfang ist ...»

Ebensosehr berührt Kafka alles Fortwollen vom Festen. So überfällt ihn einmal auf der Straße der Eindruck der zuckenden Füße:

«Das Bild der Unzufriedenheit, das eine Straße darstellt, da jeder von dem Platz, auf dem er sich befindet, die Füße hebt, um wegzukommen» (21. August 1912, Tagebuch 286).

In Goethes Reisebetrachtungen fiel Kafka sofort eine Stelle ins Auge, welche ihm vertraute Erfahrungen zu verraten schien; er notierte sich bei der Lektüre:

«Viel über den Rheinfall bei Schaffhausen niedergeschrieben, mitten drin in größeren Buchstaben: 'Erregte Ideen'.»

Zwei Tage später stellt er nämlich enttäuscht fest, daß hinter dem «erregt» keine Spur von Emotion steht, sondern eine ganz triviale Partizipbildung:

«Zu Goethe: 'Erregte Ideen' sind bloß die Ideen, die der Rheinfall erregt. Man sieht das aus einem Brief an Schiller» (29. September und 1. Oktober 1911, Tagebuch S. 68, 73).

In dieser unscheinbaren Episode wird ergreifend Kafkas latente Unsicherheit, die tiefe, unheilbare Disposition für alles Unruhige sichtbar. Die Tagebuchnotiz über die starrenden Radien seines Lebenskreises wurde durch einen ähnlichen Anfall ausgelöst:

«23. Januar. Wieder kam Unruhe. Woher? Aus bestimmten Gedanken, die schnell vergessen werden, aber die Unruhe unvergeßlich hinterlassen. Eher als die Gedanken, könnte ich den Ort angeben, wo sie kamen, einer zum Beispiel auf dem kleinen

Rasenweg, der an der Alt-Neu-Synagoge vorüberführt. Auch Unruhe aus einem gewissen Wohlbehagen, das hie und da, scheu und fern genug, sich näherte. Unruhe auch daraus, daß der nächtliche Entschluß nur Entschluß bleibt. Unruhe daraus, daß mein Leben bisher ein stehendes Marschieren war, eine Entwicklung höchstens in dem Sinn, wie sie ein hohlwerdender, verfallender Zahn durchmacht.»

In jenen Tagen anfangs 1922 drängen sich überhaupt nach dem Ausweis der Tagebücher alle Symptome des tiefen Schuldens in unerhörter Konzentration. Eine Notiz vom 20. Januar:

«Beim Kragen gepackt, durch die Straßen gezerrt, in die Tür hineingestoßen. Schematisch ist es so, in Wirklichkeit sind Gegenkräfte da, nur um eine Kleinigkeit – die leben- und qualerhaltende Kleinigkeit – weniger wild als jene. Ich der beiden Opfer.»

Wenn man das Augenmerk nicht auf die einzelne Gebärde, sondern auf die Dauer richtet, erscheint das Hin und Her als ein Treten an Ort. Unter dieser Form ist uns die Grundfigur soeben begegnet in Kafkas Formulierungen vom verfallenden Zahn und vom stehenden Marschieren. Wir kennen von früher her den Ausdruck aus der Notiz vom 6. August 1914:

«... So schwanke ich also, fliege unaufhörlich zur Spitze des Berges, kann mich aber kaum einen Augenblick oben erhalten ... es ist leider kein Tod, aber die ewigen Qualen des Sterbens» T. 420).

Der Eindruck, den uns Kafkas spezifischer Naturalismus machte, ein Umgebensein von sich entfernenden, fortwährend sich erneuernden Kulissen, wiederholt sich in vielen treffenden Einzelbildern und -formulierungen Kafkas:

«Was ich berühre, zerfällt» (H. 134).

«Wie ein Weg im Herbst: Kaum ist er rein gekehrt, bedeckt er sich wieder mit den trockenen Blättern» (Aphorismus 15, H. 41).

«... Es ist notwendig, förmlich unterzutauchen und schneller zu sinken als das vor einem Versinkende» (Tagebuch 461).

Auffällig ist, daß Kafka das Aussetzen des Einzelnenbewußtseins oft als ein Verschmelzen mit diesem Kreislauf der umgebenden Wirklichkeit darstellt. Zweimal in den «Bewußtseinspausen» zwischen zwei Kapiteln macht Kafka den Übergang im fahrenden Automobil, umgeben vom endlosen Kreislauf des Verkehrs. So schließt das Kapitel «Fall Robinson»:

«Es schien, als müsse unbedingt ein Unglück geschehen, aber gleich nahm der alles umfassende Verkehr auch die schnurgerade Fahrt dieses Automobils ruhig in sich auf» (233).

Es ist, wie wenn Karl Roßmann beim müden Zurücksinken in das Polster in den ewigen Weltlauf einginge, von dem ihn bei wachem Bewußtsein eine strikte Schranke trennt. Von da aus fällt vielleicht ein Licht auf den vieldiskutierten Schlußsatz des «Urteils» nach Georgs Selbstmord («In diesem Augenblick ging über die Brücke ein geradezu unendlicher Verkehr»). Vergessen wir auch nicht, daß der Roman «Amerika» präzise am Ende einer langen Überfahrt über das schaukelnde Meer einsetzt. Sein Beginn ist wie ein Erwachen aus diffuser Versunkenheit. In diesen Dingen wird ein tiefer Zusammenhang zwischen Bewußtsein, Einzelnenperspektive und In-wirklicher-Welt-Stehen sichtbar. Das Bewußtsein ist es, dem die Dinge der Welt gegenüberstehen und in dem sich die Kluft zu ihnen auftut. Konsequenterweise fühlt sich auch Kafka gerade beim Aufwachen den bedrängenden Dingen am schutzlosesten ausgeliefert – man denke an den Anfang von «Verwandlung» und «Prozeß»! Und in einer Variante aus dem Anfang des Prozeßromans wird sogar ausdrücklich ausgeführt:

«Jemand sagte mir – ich kann mich nicht mehr erinnern, wer es gewesen ist –, daß es doch wunderbar sei, daß man, wenn man früh aufwacht, wenigstens im allgemeinen alles unverrückt an der gleichen Stelle findet, wie es am Abend gewesen ist. Man ist doch im Schlaf und im Traum wenigstens scheinbar in einem vom Wachen wesentlich verschiedenen Zustand gewesen, und es gehört, wie jener Mann ganz richtig sagte, eine unendliche Geistesgegenwart oder besser Schlagfertigkeit dazu, um mit dem Augenöffnen alles, was da ist, gewissermaßen an der gleichen Stelle zu fassen, an der man es am Abend losgelassen hat. Darum sei auch der Augenblick des Erwachens der riskanteste Augenblick im Tag; sei er einmal überstanden, ohne daß man irgendwohin von seinem Platze fortgezogen wurde, so könne man den ganzen Tag über getrost sein» (S. 304; schloß an nach S. 20, Zeile 26, wurde aber gestrichen).

Wir schließen unsere Beispielreihe mit einem eindrücklichen Fragment («Hochzeitsvorbereitungen», S. 421).

«'Am Sich-Erheben hindert ihn eine gewisse Schwere, ein Gefühl des Gesichertseins für jeden Fall, die Ahnung eines Lagers, das ihm bereitet ist und nur ihm gehört; am Stilliegen aber hindert ihn eine Unruhe, die ihn vom Lager jagt, es hindert ihn das Gewissen, das endlos schlagende Herz, die Angst vor dem Tod und das Verlangen ihn zu widerlegen, alles das läßt ihn nicht liegen und er erhebt sich wieder. Dieses Auf und Ab und einige auf diesen Wegen gemachte zufällige, flüchtige, abseitige Beobachtungen sind sein Leben.'»

Nicht einmal dieses Fragment vermag Kafka so stehen zu lassen, auch das Provisorische darf nicht den Anschein der Abgeschlossenheit gewinnen, und so läßt er einen andern erwidern:

«'Deine Darstellung ist trostlos, aber nur für die Analyse, deren Grundfehler sie zeigt. Es ist zwar so, daß der Mensch sich aufhebt, zurückfällt, wieder sich hebt und so fort, aber es ist auch gleichzeitig und mit noch viel größerer Wahrheit ganz und gar nicht so, er ist doch Eines, im Fliegen also auch das Ruhen, im Ruhen das Fliegen und beides vereinigt wieder in jedem Einzelnen, und die Vereinigung in jedem, und die Vereinigung der Vereinigung in jedem und so fort, bis, nun, bis zum wirklichen Leben, wobei auch diese Darstellung noch ebenso falsch ist und vielleicht noch täuschender als die deine. Aus dieser Gegend gibt es eben keinen Weg bis zum Leben, während es allerdings vom Leben einen Weg hierher gegeben haben muß. So verirrt sind wir.'»

Im Normalfall ist es unmöglich, am Schluß einer solchen Untersuchung die Herkunft jener Gedanken auszusondern, die man anderen verdankt. Beim eben beendeten Kapitel ist es anders. Dem Fund der «stilistischen Grundfigur» begegnete ich zum erstenmal in einem Seminarvortrag des Studienkollegen Manfred Züfle. Als er bei einer Untersuchung von Kafkas Stil die Figur des Hinwollens und Steckenbleibens herausarbeitete, sah ich meine Vorstellungen von Kafkas Welt des Schuldens auf überraschende Weise vom Stilistischen her bestätigt.

III. TEIL:

VORSTOSS ZU DEN KERNPROBLEMEN

Symbolik; Karls Charakter; die Personen des Romans;
die sozialkritischen Tendenzen; die Gerichtswelt

Mächtig ist im letzten Kapitel unter den an der Oberfläche liegenden Einzelzügen ein gemeinsamer Charakter zutage getreten, der Kafkas Dichtung wie eine Grundwelle zu tragen scheint. Gern überließen wir uns dem schönen Gefühl, mit dem «Schulden» hätten wir unsere Schuldigkeit getan, sei das Geheimnis enthüllt, das uns so lange vexierte. Durch bittere Erfahrungen der Kafka-Forschung vorsichtig gemacht, wehren wir uns jedoch gegen jede Euphorie und unterwerfen die Ergebnisse des letzten Arbeitsgangs einer nüchternen methodischen Prüfung. Wir wollen uns genau vergewissern, wo wir stehen und wie weit uns die Einsicht in den seelischen Mechanismus des «Schuldens» beim Verstehen Kafkas und des Amerikaromans weiterhilft.

Nach einem langen, betont vorsichtigen Anlauf fühlen wir jetzt jedenfalls zum erstenmal festen Boden unter den Füßen. Kein Zweifel: Mit der Entdeckung, daß ein Sichschuldigfühlen gegenüber der Welt die Grundbedingung von Kafkas Existenz, seiner ganzen Sehweise ist, haben wir ins Herz jener rätselhaften Urerfahrung getroffen, die wir im ersten Teil unserer Arbeit noch nicht positiv zu kennzeichnen wußten. Was wir damals als Nichteingeweihte von außen feststellten, eine ständige, nicht gesuchte, sondern erlittene Erschütterung in der gewöhnlichsten Umgebung, das erweist sich jetzt als Äußerung einer Lebenssicht, die sich zu allen Dingen, von denen sie umgeben ist, in dem Abstand fühlt, welchen wir als «Schuld» bezeichnen.

Ist damit erklärt, was uns an jenen Erlebnissen rätselhaft blieb?

«Erklärt» im üblichen Sinne dieses Wortes, das heißt so durchleuchtet, daß nichts Dunkles mehr zurückbleibt, ist es nicht, denn die simple Frage: *Warum* dieser Abstand, woher diese Fremde? – bleibt offen. Wohl aber haben wir es so genau beschrieben, als es das Wesen von Kafkas Dichtung zuläßt – und erfordert. Wir stoßen hier an die Grenzen des undurchdringlichen Geheimnisses um die Frage, warum dieser Dichter so ist und nicht anders. Kafka selber sucht ja offenbar nach einer Erklärung des sonderbar durchschütterten Zustands der Welt, die er sieht – nach der «Schuld». Das allein kennzeichnet ihn aber nicht vollständig. Zum unverwechselbaren, einmaligen Charakter macht ihn erst seine besondere Ausrichtung in diesem Suchen. Sein unablässiges Schaffen ist im tiefsten nicht auf die Erwartung angelegt, die Ursache des Auseinanderklaffens der Welt zu finden und einmal fest zu besitzen, ihn zieht die ganze Gravitation seiner Einbildungskraft in umgekehrter Richtung: an allem, was als fest, ganz, unproblematisch erscheinen möchte, diesen inneren Zwiespalt bloßzulegen. Kafka will im ursprünglichsten die Schuld an allem Seienden nicht finden, sondern bloßlegen.

Dann aber ist es nicht sinnlos, sondern falsch, auf eine noch tiefere «Erklärung» dieser Schuld zu spekulieren. Wir müssen ihr beunruhigendes Dasein als das Letzte anerkennen, was wir im Bemühen, den Ursprung von Kafkas Dichten zu ergründen, aussprechen können. Jede Aussage, die noch dahinter zurückzugehen meint, müßte ja etwas in einer bestimmteren Gestalt festlegen und würde damit gegen das unbeirrbare Anliegen Kafkas verstoßen, nie «sein», sondern immer nur «schulden» zu lassen, was ihm ins Blickfeld tritt.

Diese Erkenntnis wirkt auf unsere eigenen Schlüsse zurück. Wir verwendeten ja auch bestimmte Begriffe für Kafkas Wesen, und wir müssen darum ihre Gültigkeit genau eingrenzen. Damit wir uns einfühlen lernten in Kafkas gleitende Art, sich in der spannungsgeladenen Welt zu halten, brauchten wir ein sprachliches Mittel; dazu schienen uns die Begriffe Schulden, Abstand, dadurch provoziertes Hin und Her geeignet. Mehr sollen sie nicht leisten. Anscheinend ist hier der Interpret in ähnliche Schranken wie der Dichter eingeschlossen: Mit keinem Versuch, Kafkas Innerstes darzustellen, wird einer zu einem erschöpfenden Ergebnis kommen.

Genau innerhalb dieser Grenzen aber stimmen die Ergebnisse der einzelnen Forschungen, die im Wortlaut differieren, erstaunlich überein. Wir stoßen uns nicht an der Tatsache, daß man die Grundstruktur von Kafkas Dichtung in Begriffe gefaßt hat, die ganz verschieden klingen. So zum Beispiel: Kafka stehe immer vor unerfüllbaren Zielen, Forderungen oder Wünschen; oder: In diesen Geschichten spreche sich ein Mensch aus, der nie über eine gegebene Situation hinwegkommt; oder: Kafkas Kunst sei grundsätzlich fragmentarisch; oder auch: Er kenne in seiner Welt keine Vermittlung. Auch sprechende Bilder zog man zu rate: «Le mythe de Sisiphe» (Camus), «The endless labyrinth» (Groethuysen); Erich Heller spricht vom «umgekehrten Höhlengleichnis» mit Zerrspiegeln. Bloß wer sich auf seinen besonderen Aspekt versteift und damit die Grenzlinie überschreitet, welche er mit diesen Ausdrücken selber postuliert, kann die gemeinsame Grundstruktur übersehen, die hinter diesen verschiedenartigen Formulierungen sichtbar wird. Wir fühlten uns stellenweise zu ähnlichen Ausdrücken hingezogen; «die Vermittlung fehlt» sagt auf andere Weise dasselbe wie «der Abstand ist unüberwindlich», und wer nie über eine Situation hinwegkommt, spürt eben jene unabänderliche Verpflichtung allem Vorgegebenen gegenüber, die wir das Schulden nannten – er kann es nie sein lassen. Sogar die theologischen und psychologischen Interpretationen sagen in ihrer Sicht dasselbe: Kafka sei ein «verzweifelter Gottsucher», übertrage einen Vater-, einen Autoritäts- und Schuldkomplex auf die ganze Welt, er suche das Heile in einer zerfallenen Welt: Auch da ist die Grundstruktur dieselbe. Stoßend ist es bloß, wenn die Deuter aus einem bestimmten Weltaspekt nicht herauskommen, den die Allgemeinheit nicht als umfassend anerkennen kann. Bezeichnenderweise stoßen uns jene Deutungen am meisten ab, deren Diktion am kategorischsten tönt: Kafka *ist* ... Kafka *glaubt* ... Genau das bewog uns, das Vokabular und den Ton so neutral und unprätentiös wie möglich zu halten.

In der Richtung auf weitere Abstraktion und Tiefe ist somit dem Interpreten eine eindeutige Grenze gezogen: Alle tiefer zielenden Spekulationen über den Grund von Kafkas Verschuldetsein stoßen ins Leere oder bleiben willkürlich – Kafka selbst traut sich ja nicht einmal ein definitives Urteil zu, und das gehört ganz offensichtlich tief zu seinem Wesen.

Damit sind jedoch keineswegs alle weiteren Erörterungen abgeschnitten; nur ihre Richtung ist ganz anders. Auf neuem Feld harren gewaltige Aufgaben ihrer Lösung. Vor allem können wir uns im Falle Kafkas nicht mit dem bloßen Einfühlen und Verstehen begnügen: Gebieterisch fordert dieses Werk zur Stellungnahme heraus. Zu deutlich spüren wir, daß diese Gesichte, so privat sie auch vorgebracht werden, auf eine empfindliche Stelle im geistigen Gefüge unserer Zeit treffen. So oberflächlich die Kafka-Mode oft auch sein mag, der weltweite Widerhall, den der Dichter gefunden hat, ist deswegen nicht minder verräterisch. Diagnose und Therapie dieses Zeitgefühls gehören zu den ebenso dringlichen wie anspruchsvollen Aufgaben der Gegenwart.

In diesem Sinne gehe ich mit Emrichs offensichtlichem Bestreben einig, Kafka zu «entästhetisieren» und sich in der Auseinandersetzung mit ihm zu engagieren. Allerdings, und hier liegt der Fehler von Emrichs Ansatz, muß dabei der Interpret Mein und Dein sauber trennen. Was als Antwort auf Kafkas herausfordernde Wirkung präsentiert werden sollte, projiziert Emrich unberechtigterweise in Kafka hinein, läßt es als Kafkas bewußte Absicht erscheinen. In diesem Punkt ist die klare Haltung von Günther Anders vorzuziehen, der offen proklamiert, man müsse Kafka «zu Tode denken».

Dazu jedoch scheint mir die Zeit noch nicht reif. Bevor die Kafka-Forschung eine Antwort wagen darf, muß sie im Verstehen Kafkas noch wesentlich sicherer werden. Und eben hierin liegt auch nach dem Herausarbeiten des «Schuldens» im Bemühen um das Amerikawerk noch eine gewaltige Aufgabe. Wohl haben wir ein allgemeines Strukturgesetz entdeckt; aber wir haben es erst in dürren Begriffen gefaßt, und darin dürfen wir noch nicht das Entscheidende sehen. Das Gesetz des Schuldens selber treibt uns weiter, und Kafka geht uns auf dieser Bahn voran. Nie gibt er sich mit einer Lösung zufrieden, unablässig eilt er von Versuch zu Versuch. Wir erfüllen unseren Dienst an ihm nur dann, wenn wir, seine unerfüllbare Aufgabe vor Augen, mit ihm mitgehen in die immer neuen Situationen, die sie ihm aufdrängt, in die Anstrengungen, die sie ihm abzwingt. Auf diesen Wegen, die der Forschung ein unübersehbares, noch lange nicht abgeschrittenes Arbeitsfeld eröffnen, haben wir ihm mit derselben Beweglichkeit zu folgen.

So weist uns denn gerade die allgemeinste Erkenntnis wieder auf die Detailarbeit zurück, und wir fragen uns ganz nüchtern: Was hilft uns die abstrakte Formel vom Schulden für das Verstehen von «Amerika»?

Nicht zu verachten ist einmal der Gewinn an Klarheit und Handlichkeit im Umgang mit Kafkas Schöpfung. Leicht und präzis können wir jetzt zum Beispiel die Rolle des Naturalismus bei Kafka umreißen. Jene Kette naturalistischer Versuche, die sich von den «Hochzeitsvorbereitungen» bis zum «Verschollenen» hinzieht, ist eine frühe Erscheinung von Kafkas Grundanliegen. Als überdurchschnittlich unsicherer Mensch findet der junge Kafka unter dem vielfältigen Angebot an Weltanschauungen um 1900 auch die Kunst- und Welttheorie des Naturalismus vor und stellt sie (wie auch andere, etwa den Impressionismus Altenbergs) ohne Zögern in den Dienst eines ihm selbst noch unklaren, aber höchst drängenden Anliegens: die schwankende, unsichere Welt zu bewältigen, von der er sich umgeben fühlt. Viel radikaler als irgend jemand sonst prüft er darum den Naturalismus auf seine Tauglichkeit, dem Menschen einen Halt in der ihm umgebenden Wirklichkeit zu geben. Bei der Niederschrift des «Verschollenen» muß ihm klargeworden sein, daß mit diesem Mittel der unbekannten Macht, die ihm die Welt ringsum zerfallen läßt, nicht beizukommen ist.

In dieser Art lassen sich unsere vorsichtigen Vermutungen aus der Phase des Abtastens im Gefüge des Schuldens verankern. Das im einzelnen auszuführen stellt aber kein besonderes Problem mehr dar. Wir wenden uns darum ungesäumt neuen Entdekkungen zu. Wir haben uns bisher vor allem in Bereichen umgesehen, wo die Fakten möglichst greifbar und eindeutig waren. Jetzt trauen wir uns, mit solideren Instrumenten ausgerüstet, an Delikateres heran. Und da lassen wir uns denn von Kafkas bildnerischer Phantasie verlocken, die sich im «Verschollenen» zu reichem Leben entfaltet. Unauffällig die Erzählung begleitend, unterstützen Symbole Kafkas Intentionen mit der sanften Gewalt einprägsamer Bilder. Wir sprachen abstrakt vom Abstand, der sich zwischen Kafka und seine Umwelt legt. Nun – außer im Onkelkapitel, dessen Sonderstellung wir noch untersuchen werden (vergleiche S. 226), zeigt Kafka Karl Roßmann auch räumlich mit Vorliebe in «unter-geordneter» Stellung. Oft blickt er in unerreichbare Höhen hinauf:

«Das Automobil stand vor einem Landhaus, das, nach der Art von Landhäusern reicher Leute in der Umgebung New Yorks, umfangreicher und höher war, als es sonst für ein Landhaus nötig ist, das bloß einer Familie dienen soll. Da nur der untere Teil des Hauses beleuchtet war, konnte man gar nicht bemessen, wie weit es in die Höhe reichte» (67).

Ebenso steht Karl vor der Vorstadtwohnung Delamarches, dieser «war nur schon recht undeutlich gegen den weißlich blauen Himmel zu sehen» (235). In diese Wohnung kommt Karl zwar selbst hinauf. Aber wie beschreibt Kafka die Treppen, die nach oben führen!

«'Wir sind gleich oben', sagte Delamarche einige Male während des Treppensteigens, aber seine Voraussage wollte sich nicht erfüllen, immer wieder setzte sich an eine Treppe eine neue in nur unmerklich veränderter Richtung an. Einmal blieb Karl sogar stehen, nicht eigentlich vor Müdigkeit, aber vor Wehrlosigkeit gegenüber dieser Treppenlänge ... Endlich erschien auf einem Treppenabsatz Robinson vor einer geschlossenen Wohnungstür, und nun waren sie angelangt; die Treppe war noch nicht einmal zu Ende, sondern führte im Halbdunkel weiter, ohne daß irgend etwas auf ihren baldigen Abschluß hinzudeuten schien» (249/50).

Wie sinnvoll ist es, daß in Kafkas Welt das Treppensteigen zum Alpdruck wird! Daß die Treppe ins Unendliche weiterzugehen scheint!

Aber auch in der Horizontale fühlt sich Karl verloren. Sein Blick «verliert sich» immer in endlose Weiten, in «Perspektiven, denen niemand bis zum Ende folgen konnte» (S. 65). Kafkas Neigung zur Grenze des Gesichtskreises hat auch in dieser Hinsicht ihre tiefe Bedeutung. Im Satz:

«... eine Straße, die zwischen zwei Reihen förmlich abgehackter Häuser gerade, und darum wie fliehend, in die Ferne sich verlief, wo aus vielem Dunst die Formen einer Kathedrale ungeheuer sich erhoben» – (49)

vereinigen sich Kafkas Raumvorstellungen in beiden Dimensionen zu einem Schattenriß von markantester Ausdruckskraft.

Wenn wir jetzt die Figur des endlosen Kreislaufes, des «Tretens an Ort» im Bild antreffen, wissen wir sie zu deuten:

«Eine Bewegung ohne Ende» auf dem Meer (25); «eine ununterbrochene Reihe von Automobilen» (230).

Ähnliche Formeln gelten für allen Verkehr. Jedoch nicht nur für den Verkehr:

«... der Hof, den eine fast ununterbrochene Reihe von Geschäftsdienern durchquerte» (236); (im Wahlfeldzug:) «Da alles im Gange war, lockerte sich diese Mauer von Plakaten immerfort und ordnete sich auch immerfort von neuem» (278).

Karl selber findet sich in diesen Kreislauf gebannt, und für diese typische Situation findet Kafka die unvergleichlichen Worte (beim Umherirren im Landhaus, S. 86):

«Da der Gang kein Ende nehmen wollte, nirgends ein Fenster einen Ausblick gab, weder in der Höhe noch in der Tiefe sich etwas rührte, dachte Karl schon, er gehe immerfort im gleichen Kreisgang in der Runde, und hoffte schon, die offene Tür seines Zimmers vielleicht wiederzufinden, aber weder sie noch das Geländer kehrte wieder.»

Die Figur des Auf und Ab tritt hin und wieder ohne sichtbaren Anlaß in Nebenmotiven auf, wie eine hilflose Handbewegung in unverstandener, allgemeiner Not:

«Der Kandidat, der sich auf den Schultern seines Trägers mehrmals aufzustellen suchte und mehrmals in den Sitz zurückfiel, hielt eine kleine Rede, während welcher er seinen Zylinder in Windeseile hin- und herfahren ließ» (280).

«Die Frau lief immerfort zwischen zwei Tischen, einem Waschbottich und dem Herd hin und her ... Wie oft die Frau sie auch mit Schöpflöffeln untersuchte und aus der Höhe herabfließen ließ, die Suppe wollte nicht gelingen» (344). Wie haben wir den Heizer zuerst angetroffen? Er «hörte nicht auf, an dem Schloß eines kleinen Koffers zu hantieren, den er mit beiden Händen immer wieder zudrückte, um das Einschnappen des Riegels zu behorchen» (10).

Im größeren Rahmen gehören hierher natürlich die wiederholten Versuche Karls, eine Stellung zu finden – welche im Liftdienst gipfeln: einem endlosen, mechanischen Auf und Ab! Am Lift findet sich Karl in jener Situation, die unübertrefflich seine Stellung im Leben überhaupt ausdrückt: Karl muß gleichzeitig seinen eigenen Lift bedienen und den Jungen vom Nebenlift vertreten – und

«So gab es für Karl ein sehr ermüdendes Hin- und Herlaufen, ohne daß er aber dabei das Bewußtsein gehabt hätte, seine Pflicht genau zu erfüllen» (180).

Hin und Her, Auf und Ab, Hast, Ermüdung, Pflicht- und Schuldbewußtsein sind hier auf unübertreffliche Weise auf engstem Raum konzentriert.

In solcher Zwangslage erkennen wir wieder, was wir generell die Spannung des unüberbrückbaren Abstands nannten. Wendungen und Situationen für das Auseinanderklaffen von Pflicht und Fähigkeit, Ziel und Möglichkeit drängen sich Kafka immer wieder auf:

«Karl drängte sich zwar noch weiter durch, aber eine eigentliche Hoffnung, etwas zu erreichen, hatte er nicht mehr» (am Buffet im Hotel, 134). «Da Karl und Robinson einerseits den Befehl hatten, das Frühstück zu holen, andererseits aber keine Möglichkeit, es zu erzwingen, antworteten sie auf solche Bemerkungen nicht, sondern blieben still sitzen wie zuvor» (344).

Wir empfinden es als sehr sinnvoll, wenn wir Karl immer wieder in unbehaglicher Enge antreffen. Schon der Heizer quetscht Karl in der kleinen Kajüte zuerst an den Bettpfosten und dann an die Wand. Das Gedränge im Restaurant des Hotels «Occidental» hat alptraumhafte Züge (132/33), und sogar von der zarten Therese fühlt sich Karl bedrängt: «Da setzte sie sich so eng zum Kanapee, daß Karl an die Mauer rücken mußte, um zu ihr aufschauen zu können» (156), und natürlich wieder von Brunelda, die ihn ans Balkongeländer wie an die Gitterstäbe eines Gefängnisses drückt (S. 278–287). In dieser Reihe darf selbstverständlich auch Green nicht fehlen: Bei der Übergabe des Briefs drückt er Karl an die Wand (106); und beim Oberportier vollends gerät Karl in die Hände eines brutalen Sadisten. Die Vergewaltigung durch das Dienstmädchen und der Ringkampf mit Klara streifen die Grenze des Zumutbaren. Dieselbe Grundfigur wird beim Jäckchen der Liftjungenuniform, das Karl zu knapp ist, auf humoristische Art abgewandelt. All diesen Vorstellungen liegt das instinktive Gefühl zugrunde, daß Kafkas Vertreter in der Romanwelt nie in den vorgegebenen Rahmen hineinpaßt. Nicht umsonst bezeichnen wir die Wirkung von Kafkas Schriften mit Vorliebe als «beklemmend». Zum Schluß weisen wir darauf hin, daß die Enge das genaue räumliche Analogon zur Hast darstellt, die Kafkas typische Vorstellung zeitlichen Beengtseins ist.

Wir lenken die Aufmerksamkeit noch auf einen anderen Symbolbereich, die Verteilung von Licht und Dunkel. Ihr symbolischer Gehalt ist zu allen Zeiten sehr konstant. Das Licht erlaubt die Dinge zu übersehen, zu bewältigen, an sie heranzukommen, man hat sich da keiner Überraschung zu versehen. Aus dem Dunkel hingegen kommt alles Unheimliche, Ahndungsvolle, Übermächtige. Die verschiedenen Zeiten und Dichter unterscheiden sich durch ihre Einstellung zu diesen beiden Bereichen. Es ist eine Binsenwahrheit, daß die «Aufklärung» überall Licht hineinzubringen suchte, während sich ein Novalis, ein Rilke gerade erst im Dunkel wohlfühlten. – Kafkas Atmosphäre nennen die Leser übereinstimmend «fahl» oder «zwielichtig». Das ist nicht schwer zu deuten. Kafkas naturalistischem Bemühen entspricht es, möglichst viel und möglichst klar zu sehen. Trotzdem zerfließen ihm die Dinge; wir erinnern uns an den Rauch, der sich vor die Zeiger der Uhr legt, an den Dunst über dem fernen New York und vor allem daran, wie oft sich Karl im Dunkel findet, wo seine Sinne trotz größten Anstrengungen keines Gegenstandes mächtig sind. Man möchte Kafka einen «Aufklärer in finsterer Zeit» nennen: Trotz stärkster Gegenwehr dringt überall mächtig das Dunkel herein, und der Kampf dieser ungleichen Kräfte erzeugt das Zwielicht, das über Kafkas frühen Schriften flackernd, über den späteren bleiern liegt. Nur im engsten Kreis entsteht aus Kafkas schwacher Abwehr ein Schimmer von Helle, um den man ständig zittert. Eins der unvergeßlichsten Bilder des Romans zeigt Karl Roßmann, wie er in den dunklen Gängen des Landhauses umherirrt, eine Kerze in der einen Hand, deren Flamme er mit der andern krampfhaft vor dem drohenden Auslöschen durch die wehende Luft zu schützen sucht.

In diesem Dunkel aber regen sich unerkannt die Kräfte, welche bestimmend in Karls Leben eingreifen. Die Schicksalsschläge, denen er sich ausgeliefert fühlt, kommen alle aus dem Dunkeln. Schon während der Vergewaltigung durch das Dienstmädchen, dem verhängnisvollen Ursprung des ganzen Romangeschehens, sah Karl, wie Kafka betont, «nicht das Geringste». Die Ausstoßung durch den Onkel erfährt Karl im labyrinthischen Landhaus Pollunders aus einem Brief, doch nicht, wie es möglich und natürlich wäre, im hellerleuchteten Speisezimmer, sondern in den dunklen Gängen. Delamarche und Robinson lernt er in einer finsteren Dachkammer kennen, und Robinsons zweites, unglückbringendes Erscheinen fällt in Karls Nachtdienst. Der Oberportier aber zieht während seiner sadistischen Exzesse über seiner Loge schwarze Vorhänge zusammen. Der aussichtslose Kampf mit Delamarche endet im Dunkel der Bewußtlosigkeit, und «als er zur Besinnung kam, war es um ihn ganz finster»; seine vorübergehende Überlegenheit hat Karl bezeichnenderweise dadurch gewonnen, daß er Delamarche durch den Schlafrockkragen die Sicht nahm. An den Nahtstellen seines Schicksals scheint Karl buchstäblich unheimlichen Mächten ausgeliefert zu sein, die aus dem Dunkeln nach ihm greifen. So lautet ein Aphorismus:

«Mit stärkstem Licht kann man die Welt auflösen. Vor schwachen Augen wird sie fest, vor noch schwächeren bekommt sie Fäuste, vor noch schwächeren wird sie schamhaft und zerschmettert den, der sie anzuschauen wagt» («Hochzeitsvorbereitungen», S. 45).

Der Charakter Karl Roßmanns

Nun endlich stoßen wir zum innersten Kern des «Verschollenen» vor. Nachdem uns das Schulden, das wir ja nur aus drei an der Oberfläche liegenden Zügen des Romans ableiteten, auch in der empfindlichen Zone der Symbole ein zuverlässiger Leitfaden war, fühlen wir uns zum Angriff auf das geheimnisvolle Zentrum, von dem aus die Fäden in diesem anziehend-unnahbaren Werk gesponnen werden, gerüstet. Entschlossen fassen wir den Komplex jener innersten Fragen ins Auge, den wir bis jetzt vorsichtig umgingen: den verborgenen Punkt, von dem aus Karls Schicksal gesteuert wird; die merkwürdigen, unter undurchsichtigen Gesetzen stehenden Bahnen seines Lebens inmitten einer real gezeichneten Welt; das unheimliche Treiben der Gestalten um Karl herum; sein eigenes schwerverständliches Denken und Handeln.

Beginnen wir mit dem Charakter der Hauptfigur. Karl Roßmann ist der Angelpunkt aller Interessen; sein Schicksal ist der Stoff, in seinem Blickfeld erscheint die ganze Welt, und mit spürbarem Anteil entfaltet der Dichter auch ein reiches Innenleben Karls. Karls Bewußtsein dient ihm nicht bloß dazu, die

Ereignisse zu spiegeln; wie sie Karl aufnimmt und verarbeitet, was er dabei überlegt, wozu und nach welchen Grundsätzen er sich entschließt, diese inneren Vorgänge nehmen im Werk einen zentralen Platz ein.

Karls äußere Statur ist rasch festgehalten: Ein sechzehnjähriger Junge, infolge eines Mißgeschicks nach Amerika abgeschoben, sieht sich im verwirrenden Leben dieses fremden Landes einem wechselvollen Geschick ausgesetzt. An seinem Charakter sticht zunächst die Weltzugewandtheit hervor. Zwar nimmt ihn die äußere Welt sowieso ganz in Anspruch, ohne daß er gefragt würde; zweifellos entspricht das aber seiner Neigung. Mehr als die wohlverdiente Ruhe will Karl nicht für sich haben; aus eigenem Antrieb und mit Hingabe widmet er sich den Geschäften, zu denen er sich gerufen fühlt. Die Anstöße der Außenwelt gelassen in sich ausschwingen lassen oder gar sich fern dem Getriebe der Welt in ein eigenes Gedankennetz einspinnen – das wäre seine Sache nicht.

Karl ist nun nach allgemeiner Ansicht nicht nur weltoffen, sondern in bewegendem Maße idealistisch. Dieser Zug ist nicht zu bestreiten. Unentwegt glaubt Karl an das Gute, läßt sich durch die schlimmsten Enttäuschungen den Glauben an Freundschaft und gegenseitige Achtung nicht erschüttern, unermüdlich setzt er sich fürs Gerechte ein, unbeugsam ist trotz allen Rückschlägen sein Wille, im Leben auf rechtschaffene Weise seinen Mann zu stellen. Sein höchstes Ziel ist, ein nützliches Glied der menschlichen Gesellschaft zu werden. Wir dürfen es uns ersparen, die Belege ausführlich aufzuzählen, ein summarischer Überblick zeigt genug: Karls Kampf um Gerechtigkeit für den Heizer, seine Lernbegier während des Aufenthalts beim Onkel, sein Diensteifer im Hotel sprechen für sich; daß er hier hinausfliegt, ist nicht seine Schuld; unter die Obhut des Delamarche begibt er sich anschließend nur, um Schlimmeres zu verhüten und mit dem Vorsatz, ihn so bald als möglich wieder zu verlassen; und wie das Delamarche mit brutaler Gewalt verhindert, tut er sogar den aufgezwungenen Dienst bei Brunelda mit der ihm angeborenen Gewissenhaftigkeit. Bis zum bitteren Ende kämpft ein tapferer Junge ausdauernd um das Gute in sich und in der Welt – das muß der Kern von Kafkas sympathischer Jungengestalt sein. Sein Idealismus gewinnt im ersten Kapitel leuchtende Kraft; und später schimmert er unter den widrigsten Umständen unzerstörbar durch.

So scheint es wenigstens, und zwar überaus suggestiv. In Wahrheit ist Karl Roßmann eine Gestalt von schmerzlichster Zwiespältigkeit.

Zeitweise wandelt uns der Gedanke an, es fehle seinem Idealismus an Lebenswärme und Selbstverständlichkeit. Seine Prinzipientreue scheint nicht aus natürlicher Sicherheit zu fließen, sondern muß fortwährend errungen und behauptet werden, ist das Produkt äußeren Festhaltens an starren Leitgedanken. Beobachten wir ihn auf der Fußreise nach Ramses! Karl, scheint es, hält zu den beiden Maschinenschlossern nicht aus spontaner Zuneigung, sondern weil er sich einmal zum Verhältnis der Kameradschaft entschlossen hat und verpflichtet glaubt. «Es sind meine Kameraden und ich muß bei ihnen bleiben», antwortet er mechanisch auf die freundliche Einladung der Oberköchin ins Hotel. Wir finden es nicht unangebracht, wenn sie ihn daraufhin «starrköpfig» nennt (138). Dabei hat Karl längst gemerkt, daß auf der Gegenseite die aufrichtige Zuneigung fehlt; beim unverschämten Verkauf seines Anzuges, beim Bezahlen des Mittagessens hat er den unverfrorenen Egoismus der Gefährten mit entschiedener Mißbilligung bei sich vermerkt. Seine Salami essen sie mit der größten Selbstverständlichkeit auf, ohne ihm ein Stückchen zu geben; «es schien ihm zu kleinlich, um ein Stückchen zu betteln, aber die Galle regte sich in ihm» (124). Mit dem gleichen stummen Zorn reagiert er auf jeden Affront. Warum denn hält er doch so starr an der Gemeinschaft fest?

Man kann das natürlich weiterhin als unbeirrbaren Glauben ans Gute im Menschen deuten und schätzen; uns kommt es vielmehr eigensinnig und lebensfremd vor. Karl selbst ist nämlich keineswegs so uneigennützig, wie er es von den Gefährten verlangt; vielmehr ist er ein mißtrauischer, berechnender Partner! Sozusagen bei jedem Akt auf der Reise rechnet er peinlich genau aus, bis zu welchem Grad ihn die Zusammengehörigkeit jetzt verpflichte und was er dafür verlangen dürfe. Ein Beispiel, beim Bezahlen des Essens:

«Verbittert wurde das Essen für Karl außerdem dadurch, daß es sehr fraglich war, wie das Essen gezahlt werden sollte. Das Natürliche wäre gewesen, daß jeder seinen Teil gezahlt hätte, aber Delamarche wie auch Robinson hatten gelegentlich bemerkt, daß für das letzte Nachtlager ihr letztes Geld aufgegangen war. Uhr, Ring oder sonst etwas Veräußerbares war an keinem zu sehen. Und Karl konnte ihnen doch nicht vorhalten, daß sie an dem Verkauf seiner Kleider etwas verdient hätten, das wäre doch Beleidigung und Abschied für immer gewesen ... Karl sah nichts Schlimmes darin, daß die Kameraden, von denen er ja auch Vorteile erwartete, einige Kleinigkeiten von ihm bezahlen ließen, wenn es auch anständiger gewesen wäre, diese Sache vor dem entscheidenden Augenblick ausdrücklich zu besprechen. Peinlich war bloß, daß er das Geld erst aus der Geheimtasche heraufbefördern mußte. Seine ursprüngliche Absicht war es gewesen, das Geld für die letzte Not aufzuheben und sich also vorläufig mit seinen Kameraden gewissermaßen in eine Reihe zu stellen. Der Vorteil, den er durch dieses Geld und vor allem durch das Verschweigen des Besitzes gegenüber den Kameraden erlangte, wurde für diese mehr als reichlich dadurch aufgewogen, daß sie schon seit ihrer Kindheit in Amerika waren, daß sie genügende Kenntnisse und Erfahrungen für Gelderwerb hatten und daß sie schließlich an bessere Lebensverhältnisse als ihre gegenwärtigen nicht gewöhnt waren ...» (128/29).

Seltsames Erlebnis! Beginnt nicht in diesen Sätzen ein Mißtrauen gegen die Welt zu kreisen, das tief aus Karls Seele aufsteigt und weder auf einen triftigen Anlaß angewiesen noch bereit ist, sich durch triftige Gründe beschwichtigen zu lassen? Wir beginnen um Karls innere Festigkeit zu bangen. Tatsächlich schaut für Karl am Ende des kuriosen Intermezzos ein schlechtes Gewissen heraus. Nachdem er schließlich unter unsäglichen Skrupeln aus dem Geheimfach eine Handvoll Münzen zutage gefördert hat, heißt es weiter:

«Zu Karls Ärger und zu allgemeinem Erstaunen zeigte sich, daß fast ein ganzer Dollar dalag. Keiner fragte zwar, warum Karl von dem Gelde, das für eine bequeme Eisenbahnfahrt nach Butterford gereicht hätte, früher nichts gesagt hatte, aber Karl war doch in großer Verlegenheit ... Karl war ihnen dankbar, daß sie auf dem Weitermarsch keine Bemerkungen über das Geld machten, und er dachte sogar eine Zeitlang daran, ihnen sein ganzes Vermögen einzugestehen, unterließ das aber doch, da sich keine rechte Gelegenheit fand» (130/31).

Eigenartige Bahnen in Karls Gemüt! Ein schlechtes Gewissen ist offensichtlich fehl am Platz; in Karls Innerem müssen besondere Maßstäbe gelten. Anscheinend vollziehen sich seine Urteile und Entscheidungen in einem Raum, in den keine äußeren Einflüsse dringen, ihre Bahnen scheinen durch feste innere Gesetze von vornherein festgelegt zu sein. Einerseits schießt er mit seinen Skrupeln weit über das Ziel hinaus, in der merkwürdigsten Weise scheinen sie sich, gelöst vom Anlaß, aus sich selber zu nähren; gleichzeitig mißt er sein Verhalten an einem starren Maßstab von Kameradschaftlichkeit, der sich nicht im geringsten nach äußeren Umständen richtet. Aus dieser Diskrepanz resultiert das schlechte Gewissen; Karl möchte aus Vorsicht seinen großen Besitz nicht entdecken und fühlt sich doch dazu verpflichtet. Diese Kluft sucht er durch genauestes Berechnen seines Verhaltens zu überbrücken, doch ohne Erfolg, das schlechte Gewissen bleibt. Solche Spannungen füllen in Karls Seele den Spielraum innerer Tätigkeit aus.

Diese Beschreibung weist augenscheinlich jene Merkmale auf, die uns für das Kraftfeld des Schuldens charakteristisch scheinen. Als Grundstruktur wäre demnach in Karls Charakter das Schuldbewußtsein angelegt. Die Rolle der hemmenden Schranke spielt darin Karls tiefer Argwohn gegen die Welt, diejenige des unerreichbaren Ziels aber – das Ideal, das uns anfangs so unproblematisch schien. Darum mußten wir in Karls Idealismus die Lebenswärme vermissen! Sein unbeugsamer Blick ist in Wahrheit unbeweglich, von der wandelbaren, unsystematischen Wirklichkeit isoliert. So starr behandelt, so krampfhaft durchgehalten, verwandelt sich ein Ideal in einen rigorosen Maßstab, vor dem auch die bestgemeinten Bemühungen keine Gnade finden.

Indessen kennen wir erst diesen einen Fall genau. Wie bewähren sich Karls Ideale unter anderen Verhältnissen? Wie steht es zum Beispiel mit seinem Eifer im Beruf?

«Immer wieder schien es ihm, daß alle anderen in ihrem Leben einen Vorsprung vor ihm hatten, den er durch fleißigere Arbeit und ein wenig Verzichtleistung ausgleichen müsse» (168).

Eine klassische Formulierung des Schuldbewußtseins! Der Einwand, es sei die Umwelt, welche Karl ihre Ansprüche aufzwinge, ist unhaltbar; Karls weist auch die Entspannungen zurück, welche ihm eine geneigte Umwelt anbietet:

«Am nächsten Tag bestand Karl darauf, gleich seinen Dienst anzutreten, obwohl ihm die Oberköchin diesen Tag für die Besichtigung von Ramses freigeben wollte. Aber Karl erklärte offen, dafür werde sich noch Gelegenheit finden, jetzt sei es für ihn das Wichtigste, mit der Arbeit anzufangen ...» (160).

Der überhitzte Lebensrhythmus, den man an der «modernen Gesellschaft» mit Emphase herauszustreichen liebt, wird von Karl ebensosehr und zwar aus freien Stücken gepflegt. Er trägt alle Merkmale eines Musterknaben!

«Schon nach der ersten Woche sah Karl ein, daß er dem Dienst vollständig gewachsen war. Das Messing seines Aufzuges war am besten geputzt, keiner der dreißig anderen Aufzüge konnte sich damit vergleichen, und es wäre vielleicht noch leuchtender gewesen, wenn der Junge, der bei dem gleichen Aufzug diente, auch nur annähernd so fleißig gewesen wäre und sich nicht in seiner Lässigkeit durch Karls Fleiß unterstützt gefühlt hätte» (163).

Im Vorwurf gegen seine Kollegen spüren wir schon einen Unterton von Selbstgerechtigkeit, der ihn von der Umwelt zu isolieren droht. Deutlich tritt das an folgender Stelle hervor:

«Oft staunte er, wie die anderen mit ihrer gegenwärtigen Lage ganz ausgesöhnt waren, ihren provisorischen Charakter – ältere als zwanzigjährige Liftjungen wurden nicht geduldet – gar nicht fühlten, die Notwendigkeit einer Entscheidung über ihren künftigen Beruf nicht einsahen und trotz Karls Beispiel nichts anderes lasen als höchstens Detektivgeschichten, die in schmutzigen Fetzen von Bett zu Bett gereicht wurden» (177).

Am schmerzlichsten berührt uns Karls Lebensfremde, wenn er die Maxime der Selbstlosigkeit anwendet und dabei mit dem besten Willen die Schranke gerade aufrichtet, die er übersteigen will. Mit folgender Begründung lehnt er das eigene Zimmer ab, welches ihm die Oberköchin anbietet: er wolle «von den anderen Jungen wegen eines nicht eigentlich selbsterarbeiteten Vorzuges nicht beneidet werden» (166). Eine höchst zweideutige Ausdrucksweise! Das tönt sehr selbstlos. Sehen wir näher zu, so liegt darin ebensosehr eine vertrackte Selbstgerechtigkeit. Karl ist ja unter den Liftjungen der einzige, der sich um die berufliche Fortbildung kümmert, alle andern scheinen an der Unordnung im Schlafsaal ihren Spaß zu haben. Karl unterschiebt ihnen seine eigenen, für einen Jungen von sechzehn Jahren nicht sehr natürlichen Motive. Seine Selbstlosigkeit gleicht verzweifelt dem Eigensinn, der niemandem etwas voraushaben will, sie wird von niemandem gefordert noch gebraucht, tut nur noch einer inneren Nötigung genüge.

Der Idealismus übt also in Karls Leben keine so unproblematische Herrschaft aus, wie es zunächst scheint; vielmehr haben die Ideale in seinem seelischen Haushalt eine recht prekäre Stellung. Sie erinnern, innerhalb des Erlebnisstroms betrachtet, an jene Leitmotive, an die sich Kafka bei der Darstellung von Personen klammert. Karls Idealismus leuchtet nicht in ruhigem Glanze, sondern beginnt, fast wie jene Kerze in seiner Hand, gefährlich zu flackern. Was anfangs ein kräftiges Strahlungszentrum zu sein schien, das die ganze Gestalt und ihre Umwelt durchwärmt, vermag kaum einen engen Raum spärlich zu erhellen und ist in Karls Seele bloß ein Faktor in einem komplizierten Kräftespiel.

Um einen Überblick über dieses Kräftespiel zu gewinnen, analysieren wir Karls Gespräch mit dem Heizer in dessen Kajüte, ganz am Anfang des Romans (S. 10–17). Es entspinnt sich zunächst eine belanglose Konversation: Kommen Sie doch herein, Störe ich nicht? Sind Sie ein Deutscher? Karl erzählt von Koffer, Regenschirm und Butterbaum, der Heizer von der Arbeit, die ihm nicht behagt. In Karls Innerem geht währenddessen folgendes vor: Zuerst scheint ihm der Heizer gefährlich, weil er ein Irländer sein könnte, vor denen in irgendeinem Buche gewarnt wurde; dann hofft er auf seinen Schutz, mangels besserer Freunde; bald ist er wieder mißtrauisch und glaubt in den Ratschlägen des Mannes einen verborgenen Haken zu spüren; die Mitteilung, daß er Heizer sei, zerstreut auf einen Schlag alle Befürchtungen, Karl nimmt erregtesten Anteil an den Klagen über Schubal und fühlt sich wie zu Hause; gleich des Heizers nächster Satz wirft ihn wieder um, «und er fand überhaupt, daß er lieber seinen Koffer hätte holen sollen, statt hier Ratschläge zu geben, die doch nur für dumm gehalten wurden».

Welch reiches Innenleben! Ein wechselvoller Fluß von Aufnehmen, Beurteilen, Abwägen, Entschließen und die ständige Bereitschaft zum Revidieren aller einmal gemachten Annahmen.

Halten wir rasch fest, daß darin der Idealismus tatsächlich nur ein Faktor unter vielen ist. Einzig Karls Anteilnahme an den Klagen gegen Schubal ist auf verletztes Gerechtigkeitsgefühl zurückzuführen, daneben finden sich ganz andersartige Motive, seine Hilfsbedürftigkeit im fremden Land, ein angelesenes nationales Vorurteil, ein starkes Interesse für technische Berufe, aber auch – beim «verborgenen Haken» in den Reden des Heizers – ein irrationales, durch nichts begründetes Mißtrauen. – In dieses verwirrende Arsenal von Motiven suchen wir jetzt einige Ordnung zu bringen. Da fällt einmal Karls Wankelmut auf, der den größten Gegensatz zur Starrheit bildet, mit der er an seinen Grundsätzen festhält. Es ist kein Wankelmut aus Unentschlossenheit, vielmehr ein sprunghaftes Hüpfen von einem Entschluß zum andern. Zweimal will Karl weggehen, und eintreten wollte er eigentlich gar nicht; das einemal überrumpelte ihn seine eigene Begeisterung darüber, daß er dem Schiffsheizer gegenübersteht, das anderemal entgleitet ihm der Vorsatz unter den Händen, man weiß nicht wie. Zweimal greift der Heizer durch brüske Bewegungen seinen Entschlüssen vor, er zieht den Unentschlossenen mit der Tür zu sich herein und drückt ihn nachher, wie er plötzlich seinem Koffer nachstürzen will, aufs Bett zurück; doch erscheinen diese äußeren Eingriffe nicht als stabiles Element im Duktus der Handlung, sie kommen ganz zufällig. Karl gibt ihnen auch gar nicht nach, sondern behält sich die Handlungsfreiheit vor: Nur gedeiht dieser Vorsatz einfach nie bis zum festen Entschluß, geschweige denn zur Ausführung. Einen unregelmäßigen Zickzackweg der Handlung, der sich an der Scheide von äußeren und inneren Impulsen ergibt, begleitet auf Karls Seite ein breites Band innerer Schwingungen, lauter unfertige Impulse und Reaktionen, die von neuen Ereignissen innen und außen ständig überholt werden.

Diese Labilität ist ein allgemeiner Charakterzug Karls. Sein berechtigter Zorn auf Klara nach ihrem unverschämten Benehmen verschwindet widerstandslos und ohne Rückstand. Auf der Reise nach Ramses ist er abwechselnd verärgert, störrisch und plötzlich wieder eifrig (124/25), beim Bezahlen verbittert und gleich darauf wieder schuldbewußt und dankbar. Am frappantesten ist ein Intermezzo im Landhaus. Da faßt Karl im unverständlichsten Moment, nach Überreichung des Briefes, allen

Ernstes Vertrauen zu Green, den er vorher aus den vagsten Empfindungen heraus aufs schwerste verdächtigt hatte. Und Green braucht bloß einen großen Schritt zu tun, so sieht Karl in ihm gleich wieder den gemeinsten Feind (109/10). Eine tiefe Haltlosigkeit kommt zum Vorschein. Karl weiß im wahren Sinne des Wortes nicht mehr, woran er sich zu halten hat, und ist doch eines Halts so sehr bedürftig. Darum fällt er auf Green herein, darum faßt er so rasch Zuneigung zum Heizer. «'Ich sollte mich vielleicht an diesen Mann halten', ging es Karl durch den Kopf, 'wo finde ich gleich einen besseren Freund'» (S. 11). Aus Not, nicht aus spontaner Zuneigung stützt er sich auf den Heizer. Karl kann sich nicht auf sein Gefühl verlassen, weil ihm das Gefühl überhaupt zu fehlen scheint; er verläßt sich ausschließlich aufs Berechnen, das die spontane Empfindung nicht ersetzen kann. Kein Wunder, daß ihn die geringste nicht einkalkulierte Äußerung, eine unwillkürliche Bewegung des Gegenübers stutzig macht und alles wieder in Frage stellt; und so schwankt Karl im extremsten Maß zwischen Reserve und Bewunderung, Mißtrauen und Dankbarkeit hin und her.

Neben die Haltlosigkeit tritt ein unglaublicher Mangel an Urteilsvermögen. Immer wieder stoßen wir in Karls Urteilen auf eine erschreckende Diskrepanz zwischen dem Anlaß und der Folgerung. Karl weiß zuerst nichts über die Nationalität des Heizers und rechnet sofort mit der Möglichkeit, daß er ein Irländer wäre; vor denen hat man in einem Buch über Amerika gewarnt – also ist beim Umgang mit diesem Mann Vorsicht am Platze. In unverminderter Stärke meldet sich dieses angelesene Vorurteil, wie Karl wirklich einem Irländer begegnet (Robinson in der Dachkammer, S. 116/17), er bereut es jetzt schwer, daß er beim Onkel versäumt hatte, der Gefährlichkeit der Irländer auf den Grund zu gehen, leuchtet Robinson mit einer Kerze ab und entschließt sich wachzubleiben, obwohl Robinson erträglich aussieht. Unzweideutig triumphiert das starre Vorurteil über das spontane Gefühl! Auch die übrigen Reaktionen Karls beim Heizer sind der Situation ganz unangemessen. Der Mangel an Freunden, tatsächlich ein großes Handikap Karls, sollte ihn doch vielmehr hindern als ermuntern, sich dem ersten besten in die Arme zu werfen! («Wo finde ich gleich einen besseren Freund!») Das Minimum an kausalem Gehalt enthält Karls dumpfes Mißtrauen beim Vorschlag des Heizers, die Entleerung des Schiffes abzuwarten, um dem Koffer nachzuforschen.

Karls Gedanke, die amerikanischen Verhältnisse durch sein Klavierspiel zu beeinflussen (S. 53), ist ihm als Idealismus in einer materialistischen Welt immer hoch angerechnet worden; wir sehen darin einen erschütternden Verlust aller Maßstäbe für das Mögliche. Ins Groteske führen Karls Bemühungen, den Koffer auf dem Schiff vor der vermeintlichen Nachstellung des Slowaken mit der langen Stange zu schützen. Umgekehrt überläßt er ihn im gefährlichsten Moment einem flüchtigen Bekannten – um des vergessenen Regenschirmes willen. Karl konzentriert sich so sehr auf das, was ihn gerade beschäftigt, daß er die Gedanken für alles andere abschaltet. Im Kapitänsbüro ist er für alles, was nicht des Heizers Sache ist, blind. Sogar wie sich der Onkel zu erkennen gibt, bleibt Karl «höflich, aber gänzlich ungerührt, und strengte sich an, die Folgen abzusehen, welche dieses neue Ereignis für den Heizer haben dürfte» (33). Karl scheint völlig unfähig, die Tragweite eines Ereignisses, einer Handlung, einer Beobachtung in die richtigen Proportionen zu stellen.

Wesentlich anders präsentiert sich uns jetzt Karls Charakter. Nicht nur sind seine Beweggründe bloß zu einem kleinen Teil idealistisch; überhaupt scheint das, was Karl will, gar nicht wesentlich zu sein, keine Stoßkraft, keine Folgen, keine Substanz zu haben, weil dahinter kein fester, fragloser Persönlichkeitskern steht, der allem die Konstanz gewährleistet. Wo etwas Festes erscheint, wie die Ideale, ist es in Wirklichkeit ein künstliches Geländer, inmitten der Zerfahrenheit aus dem unstillbaren Bedürfnis nach Halt errichtet und ohne Beziehung zu den Erfordernissen der Lage. Wankelmut, Haltlosigkeit und Haltbedürftigkeit, Maßstabverlust, äußeres Festhalten an starren Grundsätzen – das sind Karls wirkliche Charakterzüge: nicht die Zeichen eines echten Idealisten, sondern eines Menschen, der in ständiger Furcht lebt, vom Weltlauf überschwemmt zu werden. Hinter dem idealistischen Streben Karls zeigt sich dieselbe scheiternde Existenz wie im Bereich des Stils hinter dem Naturalismus. Es ist diese innere Not, diese Bedrängnis, die alle Energien Karls in Anspruch nimmt und lenkt. Er entfaltet von da her eine gewaltige, unheimliche Aktivität, die man nur übersehen kann, wenn man gebannt auf seine Ideale blickt. Karls guter Wille ist und bleibt unbestritten – aber die entscheidenden Charakterereignisse spielen sich gar nicht im äußeren Wirken ab, wo er sich bewähren müßte; Karls Energien werden vielmehr ganz durch die Bedürfnisse der inneren Not absorbiert und wie durch eine unsichtbare Hand von der Außenwelt abgeschnitten. Anstatt selber auszustrahlen, bleiben sie interne Reaktionen auf die Spannungen, die aus dem Urgefühl innerer Bedrängnis entstehen.

Eine von Karls Antworten auf diese Spannungen ist das Berechnen. Auf der Reise nach Ramses äußert es sich in grotesker Form; meistens tritt es weniger offen auf, ist aber dann nur noch unheimlicher. Dann bildet es nämlich jene rätselhafte Spannung, welche hinter allen Lebensäußerungen Karls lauert, diese agile Bereitschaft, auf jede wirkliche oder eingebildete Änderung im Gravitationsfeld der Umgebung zu reagieren. Karl glaubt infolge der inneren Unsicherheit, die ihn nirgends etwas Festes sehen läßt, überall seine Position gefährdet und sucht die Ursache in der äußeren Welt. Der Slowake lauert nur darauf, mit einer langen Stange Karls Koffer zu sich hinüberzuangeln, wenn dieser einen Moment einnickt. Schubal und Green haben die böswilligsten Absichten. Kaum hat Karl in der Dachkammer des Wirtshauses zwei schlafende Männer erblickt, rechnet er schon damit, daß sie Diebe sein könnten (115). Für solche Verdächtigungen ist nicht der geringste Beweis beizubringen. Von Butterbaum zum Beispiel, dem Kofferwächter, behält der Leser den schlechtesten Eindruck, da Karl von ihm das Schlimmste erwartet (S. 17, 27) und als fertige Tatsache ausspricht. Dazu hat er nicht das geringste Recht – im Gegenteil: Karl hat ihn mit dem Koffer glattweg stehen lassen! Es gibt nicht den geringsten Grund, an Butterbaums Rechtschaffenheit zu zweifeln. In dem Moment, wo Karl denkt: «Wenn man in Amerika Koffer stehlen kann, kann man auch hie und da lügen» (27), sitzt er, ohne Butterbaum Nachricht gegeben zu haben, im Kapitänsbüro, wo ihn dieser bestimmt nicht vermutet! Nur weil der Roman nicht aus Karls Perspektive heraus geht, Karl aber den Mann voreilig beschuldigt und diesen Irrtum nie korrigiert, bleibt das schiefe Bild von Butterbaum stehen. Denn daß der Vorwurf unberechtigt ist, erfahren wir ja noch, nur müssen wir es aus der weit entfernten

Stelle erschließen, wo Karl den Koffer zurückerhält; «nicht das Geringste fehlte», läßt er ganz flüchtig fallen (114). Auf ebenso unsoliden Grundlagen stehen Karls Anwürfe gegen Schubal, Green und Delamarche, wie wir in den nächsten Kapiteln zeigen; wir sind genötigt, sie samt und sonders Karls Einbildung zuzuschreiben.

Bedenken wir wohl, welche Revolution das für unser Bild von Kafkas Roman bedeutet! Der ganze, im Roman so gewichtige Gehalt an bösen Absichten um Karl herum ist nicht wirklich, sondern eingebildet! Warum denn läßt Kafka Karl die falschen Anschuldigungen nicht, wie es sich gehörte, zurücknehmen? Warum läßt er ihn überhaupt sich so weit verrennen? Die Ursache liegt in den verhängnisvollen Grundbedingungen von Karls Charakter, in seiner seelischen Bedrängnis, die ihm den unbefangenen Blick auf die Umgebung nimmt. Wenn wir das nicht als irreversible Grundtatsache anerkennen, geraten wir in unlösbare Widersprüche. Hier scheiden sich zwei grundsätzlich verschiedene Arten, an Kafka heranzugehen, je nachdem, ob man den Grund aller Schwierigkeiten und Probleme letztlich in ihm selber oder außerhalb sucht. Wir sind entschieden der ersten Meinung, und es liegt uns viel daran, gerade hier verstanden zu werden. Karl ist natürlich kein Verleumder, von bösem Willen kann keine Rede sein. Aber er kommt nicht dazu, den äußeren Vorgängen Gerechtigkeit widerfahren zu lassen, er bleibt auch in diesem Punkt weit hinter der Wirklichkeit zurück, weil es ihn von innen her vor allem andern dazu drängt, dem nachzuspüren, was gefährlich sein könnte. Von diesem Interesse ganz in Beschlag genommen, gelangt er nicht mehr an die wirklichen Tatbestände heran – nicht aus Zeitmangel, sondern aus tieferen, unwiderruflicheren Gründen: Ihm fehlt der Maßstab, Mögliches und Unwahrscheinliches, Sinnvolles und Groteskes zu unterscheiden, ihm fehlt jene innere Stimme, die ohne langes Berechnen das Richtige trifft. Darum wird der Bereich der Vermutungen und Eventualitäten in diesem Werk so mächtig; darum können unbegründete Verdächtigungen ohne Korrektur stehen bleiben; darum bleibt an Butterbaum der Eindruck der Schlechtigkeit lastend hängen und verdrängt den objektiven Tatbestand, den kaltsinniges Nachrechnen des Interpreten ans Licht zerren muß. Denn diese Kontrolle, die mit einer Zurechtweisung Karls endet, erfüllt uns keineswegs mit Genugtuung, weckt vielmehr eine schmerzliche Erschütterung über das Ausmaß von Karls Wirklichkeitsferne und über die tiefe Angst, die sich zwischen ihn und das Leben stellt. Diese Kluft, dämmert es uns jetzt auf, dieser Abgrund, der sich um Karls Seelenleben legt und es vom warmen Puls der Mitwelt isoliert, ist wohl das eigentliche, kaum bewußt erstrebte, sondern aus geheimem Wissen um dieselbe Not geborene Bild von Kafkas Hauptgestalt. Wie im Raum die Enge, in der Zeit die Hast, so liegt als Grundton im Charakter Karls diese Isolation und innere Bedrängnis, die wir füglich Angst nennen können. Am ergreifendsten erfahren wir das an der Selbstverständlichkeit, mit der Karl in einigen unwillkürlichen Reaktionen der Umwelt böse Absichten unterstellt. Warum erscheint ihm Green plötzlich als ungefährlicher, vertrauenswürdiger Mann? Es überrascht ihn, daß Green einen Ratschlag gegeben hat, hinter dem er keine Bosheit entdeckt (109). Das verrät nur, wie selbstverständlich er sie bisher allen Handlungen Greens unterschoben hat. Das gleiche passiert ihm, als er sich zu erklären sucht, warum ihn wohl Delamarche und Robinson beim Aufstehen nicht geweckt haben: «Sie mußten durchaus nicht aus böser Absicht besonders leise aufgetreten sein» (119). Die explizite Lossprechung enthüllt erschütternd die Gewohnheit, mit bösen Absichten prinzipiell überall zu rechnen.

Langsam wachsen so, nachdem wir das idealistische Bild von Karl Roßmann erschüttern mußten, die Züge zu einem weniger einfachen und hellen, aber wahrhaftigeren zusammen. Karls ideales Streben hat auch im neuen Gefüge seinen Platz, nur steht es hier in einem mächtigen Spannungsfeld; die Impulse, die in Karls seelischem Haushalt aufwärts ziehen, sind schwache Regulative neben den schweren, allem Willen sich entziehenden Gewichten der Haltlosigkeit, der Wirklichkeitsfremde, der Angst. All das spielt sich hinter einer Barriere ab, die sich isolierend vor die Welt legt. Es zielt zwar alles in Karl auf Kontakt zur Welt: das Berechnen, das Absichern der Position, die innere Sprungbereitschaft, die Ideale; aber er erreicht sie nie. Jeder Impuls ist in sich schon zwiespältig und läßt sich nur durch ein Zwar-Aber erfassen: Karl *möchte* seine Ideale verwirklichen, trifft aber mit ihnen unter einem unerklärlichen Zwang am Leben vorbei. Karl möchte die Schranke überwinden, kann aber nicht, weil er sie in sich mitträgt. Wie es schon in den «Hochzeitsvorbereitungen» (zweites Manuskript, S. 33) von einer Dame heißt: «sie erschien zu allen Vorübergehenden ohne Absicht fremd, wie durch ein Gesetz.»

Kein Wunder, daß sich in Karl unter dem Eindruck dieser ewig fruchtlosen Versuche ein Weltbild bloßen Kampfes entwickelt. Sein Erfahrungs- und Erlebnisbereich geht nicht weiter als bis zu einer unüberwindlichen Schranke, nie erlebt er die Erfüllung einer Intention, immer nur den Rückschlag an der unsichtbaren Mauer, und das wird schließlich seine ganze Welt. Wie eine Gewitterwolke, die sich nicht entladen kann, staut sich darum in ihm das Bedürfnis an, aus der verzweifelten inneren Engnis auszubrechen; so macht er schließlich seinerseits die gewaltsamsten Vorstöße und hält die Schranke, an der er den Kopf anstößt, für eine Waffe der feindlichen Außenwelt. (Auf einem Zettel, Band «Hochzeitsvorbereitungen», 393: «Der Kampf mit der Zellenwand. – Unentschieden.») Tatsächlich sieht Karl das Zusammenleben der Menschen als reinen Kampf um Einfluß, Position und Macht, dem man selbst mit allen Mitteln begegnen muß. Auch das spüren wir schon im belanglosen Heizergespräch, in Karls Tendenz, sich ständig abzusichern, im verräterischen Wortschatz – «Gefahren drohen den Neuankömmlingen» – Karl will sich «an diesen Mann halten» – (über den Heizer:) «man wußte nicht recht, ob er damit die Erzählung dieses Grundes fordern oder abwehren wollte» – der «verborgene Haken» – «man ist hier gegen Fremde so eingenommen, glaube ich» – und in einem Gedanken über seine Salami:

«Jetzt hätte er die Wurst gern bei der Hand gehabt, um sie dem Heizer zu verehren. Denn solche Leute sind leicht gewonnen, wenn man ihnen irgendeine Kleinigkeit zusteckt, das wußte Karl von seinem Vater her, welcher durch Zigarrenverteilung alle die niedrigeren Angestellten gewann, mit denen er geschäftlich zu tun hatte» (16).

«Kapitalismus der Welt und der Seele»: Dieses Wort trifft erschreckend genau auf Karls eigene Vorstellungen vom Umgang mit Menschen zu. Er betrachtet sie wie Figuren auf einem Schachbrett, deren Position man berechnen und manipulieren muß. Es kommen Karl, wie er mit dem Onkel das Schiff verläßt, «Zweifel, ob dieser Mann ihm jemals den Heizer werde ersetzen können» (47). Eine tief zweideutige Ausdrucksweise! Sie zeugt einerseits für Karls Anhänglichkeit an den Heizer, das entspringt seinem bewußten idealen Streben. Höchst bedenklich aber, aus tieferen, unwiderruflichen Schichten stammend, ist die Fragestellung selbst. Als ob ein Mensch den andern je ersetzen könnte – und müßte! Emrich kritisiert am Kapitän und am Onkel, daß «Stellung» und «glänzende Laufbahn», die sie Karl versprechen, jede echt menschliche Regung ausschlössen (S. 235). Er übersieht, daß es Karl ist, der die «neue Stellung» sofort als Posten in seine Kalkulationen einsetzt:

«'Was wird jetzt dem Heizer geschehen?' fragte Karl vorbei an der letzten Erzählung des Onkels. Er glaubte in seiner neuen Stellung alles, was er dachte, auch aussprechen zu können.»

Und gleich darauf geht Karl mit seinem Stellungsdenken bis ins Lächerliche:

«'Darauf kommt es doch nicht an, bei einer Sache der Gerechtigkeit', sagte Karl. Er stand zwischen dem Onkel und dem Kapitän und glaubte, vielleicht durch diese Stellung beeinflußt, die Entscheidung in der Hand zu haben» (41).

Nicht einmal unter Freunden kann Karl das Rechnen mit Stellung und Einfluß lassen. Über den Einfluß der Oberköchin führt er genau Buch. Beim ersten Zusammentreffen taxiert er sie sofort als «einflußreich» (136) und modifiziert dieses Urteil sorgsam bei nächster Gelegenheit: «Die Oberköchin, deren Einfluß vielleicht doch nicht so groß war, wie er am ersten Abend geglaubt hatte» (165). Sogar von Therese muß er sich den Einfluß notieren (S. 179): «Karl merkte, daß er sich eigentlich durch Therese hatte beeinflussen lassen» (wenn er nämlich Delamarche für gefährlich hielt). Im Extremfall steigert sich dieses Positions- und Einflußspiel in Karls Augen bis zum Kampf. Die Auseinandersetzung um den Heizer betrachtet er mit Hilfe einer eigentlichen Kampfterminologie:

«Die Stimme des Heizers regierte bald nicht mehr unumschränkt in dem Raume» (24). «Schließlich war der Kapitän kein Instrument, das man in Grund und Boden spielen konnte» (26). «Karl, sein einziger Anhänger»(27). «das Schiff mit allen seinen von feindlichen Menschen gefüllten Gängen» (28). «da war also der Feind» (Schubal beim Eintritt, 29). «Karl kannte doch schon beiläufig den Scharfsinn, die Schwächen, die Launen der einzelnen Herren, und unter diesem Gesichtspunkt war die bisher hier verbrachte Zeit nicht verloren. Wenn nur der Heizer besser auf dem Platz gewesen wäre, aber der schien vollständig kampfunfähig ... Warum hatte er auf dem Herweg mit dem Heizer nicht einen genauen Kriegsplan besprochen?» (30). «In diesem Zimmer der Feinde» (42).

Ein Satz fällt besonders ins Auge, der von den feindlichen Menschen auf den Schiffsgängen. Ohne sie zu sehen, stempelt sie Karl pauschal als Feinde ab. Er sieht in der Welt nichts mehr als Feinde.

Wir beschließen diesen Abschnitt mit einem Zitat, in dem dieser imaginäre Kampf extremste Formen annimmt. Für die Anwesenheit Greens im Landhaus verwendet Kafka Ausdrücke, die in einem Vernichtungskampf angebracht wären. Die folgenden ungeheurlichen Anschuldigungen stützen sich – auf das Unterlassen eines Blicks, den Green Karl nach seiner Auffassung hätte nachsenden müssen.

«Während Herr Pollunder mit freundlichem Blick Karl zur Türe folgte, sah sich Green, obwohl man doch schon unwillkürlich sich den Blicken seines Gegenübers anzuschließen pflegt, auch nicht im geringsten nach Karl um, welchem in diesem Benehmen der Ausdruck einer Art Überzeugung Greens zu liegen schien, jeder, Karl für sich und Green für sich, solle hier mit seinen Fähigkeiten auszukommen versuchen, die notwendige gesellschaftliche Verbindung zwischen ihnen werde sich schon mit der Zeit durch den Sieg oder die Vernichtung eines von beiden herstellen» (77).

Versuchen wir zu einem Schluß zu kommen! Voraussetzung für jedes Verständnis ist es, die tiefe Ambivalenz in Karls Erscheinung zu fassen. Es gibt in ihr eine oberste Schicht, die den Leser zuerst packt – die Schicht bewußten Strebens. Da entscheidet sich Karl mit Festigkeit für das Gute. Das genügt aber nicht: Denn in den vorgegebenen Fragestellungen, auf die sein Wille mit positivem Entscheid antwortet, kommt Karl nicht aus einer schmerzlich unfruchtbaren inneren Problematik heraus, die der Einwirkung seines Willens entzogen ist. Wir schätzen an Karl die Anhänglichkeit an den Heizer, die Rücksicht auf die Kollegen am Lift. Aber wie merkwürdig sind doch die Dispositionen, auf

Grund deren er sich so entscheidet! Seine Anhänglichkeit an den Heizer drückt er aus, indem er ihn gegen den Onkel ausspielt, der sich die größte Mühe gegeben hat, ihn zu finden. Aber schon die Sympathie zum Heizer ist nicht spontan: Kam er ihm nicht in der Kajüte sehr wenig vertrauenswürdig vor? Welch befremdliche Überlegung hat Karl dazu bewogen, die Zuneigung des Heizers zu suchen: «Wo finde ich gleich einen besseren Freund»! Auch die angestrengte Genügsamkeit, mit der Karl auf einen Vorteil gegenüber den Kollegen am Lift verzichtet, macht uns keine Freude. Bloß die bewußte Antwort unterliegt Karls idealem Streben; was Karl wirklich ist, entscheidet sich schon in einer Sphäre, die diesem Streben entzogen ist – in jenem tiefen, unbewußten Dispositionszentrum des Menschen, das die Art und Weise steuert, wie wir, ohne es zu wissen, an die Welt herangehen.

In dieser Zone aber mußten wir an Karl eine tiefe Gefährdung feststellen: Haltlosigkeit, Verlust aller Maßstäbe, Isolation vom Leben, unheilbare Angst – und die Folgen: endloses, unzuverlässiges Berechnen, grundlose Verdächtigungen, imaginäre Abwehrkämpfe. Wir drücken uns nicht zu hart aus mit den Worten, Karl suche das vielschichtige, unergründliche Leben auf ein schemenhaftes Substrat berechenbarer Beziehungen zu reduzieren, in welchem nur Kategorien wie Einfluß, Macht, Stellung, Sympathie und Antipathie eine Rolle spielen. Dieser wesenlose Raster ist für ihn das Gitter der relevanten Werte, das Feld der entscheidenden Faktoren und die Grundlage für seine Pläne. Denken wir an Karls ehrliche Faszination durch den Wahlkampf am Ende des «Verschollenen», denken wir auch im weiteren Rahmen an die «Beschreibung eines Kampfes» – der Titel stammt von Kafka (nach Brods Nachwort, S. 346), und der Inhalt ist nichts anderes als geistige Kriegführung auf einem Spaziergang –, schließlich an den «Prozeß» und das «Schloß», wo dieser Schattenkrieg zum Hauptgeschehen wird, so erkennen wir, wie tief die Vision dieses Kampfes Kafkas Weltsicht prägt.

Der Kampfeifer und das Berechnen kompensieren Karls Mangel an innerer Festigkeit. Ihm ist nichts mehr selbstverständlich, er muß alles berechnen, konstruieren, ausdrücklich hinstellen – aber auch diese Stützen brechen. Allein, ein Geschöpf Kafkas hat keine andere Wahl. Alle Bestrebungen Karls erscheinen als unvollkommene Versuche, ein Gerüst aufrechtzuerhalten, das den notdürftigsten Verpflichtungen im Verkehr mit den Menschen genügen sollte. In diesem Licht erscheint die Auswahl seiner Ideale höchst bezeichnend. Tugenden wie Weisheit, Besonnenheit, Gleichmut, welche ein inneres Gleichgewicht, eine unangreifbare seelische Bastion voraussetzen, fehlen in seinem Blickfeld; angestrengt verfolgt und hochgehalten werden dagegen Gerechtigkeit, Tüchtigkeit, Aufrichtigkeit, Kameradschaft – jene Tugenden, welche ausgesprochen im Dienst menschlichen Zusammenlebens oder des Selbstbehauptens stehen. Karls höchstes Ziel ist es, den Pflichten zu genügen, welche die so gesehene Welt an ihn stellt. Er kennt keine anderen Impulse, als sich mustergültig zu verhalten; er ist im umfassendsten und tiefsten Wortsinn ein Musterknabe.

In diesem Zusammenhang müssen wir auf die nahezu krankhafte Einbildung hinweisen, sich ständig Blicken ausgesetzt zu fühlen, die etwas von ihm verlangen: die lauernden Augen des Slowaken; des Onkels ärgerliches Gesichtverziehen, wenn er Karl auf dem Balkon antrifft (50); die Zimmerfrau und der Wirt, an denen er sich nicht vorübertraut, obwohl er das Wirtshaus eigentlich wieder verlassen möchte (113); die Angst, Robinson oder Delamarche könnten die sorgfältig verschwiegene Geheimtasche erspähen. Manchmal grenzt das an Zwangsvorstellungen, wie im Hotel:

«Hier, im Winkel neben dem Aufzug, war ja Robinson ein wenig versteckt, aber wie, wenn ihn doch jemand bemerkte, einer dieser nervösen, reichen Gäste, die nur darauf warten, dem herbeilaufenden Hotelbeamten eine Beschwerde mitzuteilen, für welche dieser dann wütend am ganzen Hause Rache nimmt, oder wenn einer dieser immerfort wechselnden Hoteldetektivs vorüberkäme, die niemand kennt außer der Direktion und die man in jedem Menschen vermutet, der prüfende Blicke, vielleicht bloß aus Kurzsichtigkeit, macht» (185).

Der Sog der fremden Blicke ist der unwillkürliche Ausdruck von Karls Ausrichtung auf Muster und Formen, die es zu erfüllen gilt. Durch den Ausschluß aller spontanen Regungen gerät der seelische Organismus aus dem Gleichgewicht und in jenen schemenhaften Rigorismus hinein, der alles Denken und Verhalten nur noch am Maßstab starrer Maximen mißt. Das ist die Hauptursache für den lähmenden Eindruck des Romans. Man achte nur darauf: Die kleinsten Regungen und Bewegungen sind von Karl kontrolliert und zweckbewußt eingesetzt! Zwei Beispiele:

«Karl reichte das Blatt dem Oberkellner, der es ihm mit einer Handbewegung abnahm, als sei es von selbst vom Boden aufgeflogen. Die ganze kleine Dienstleistung hatte nichts genützt, denn der Portier hörte auch weiterhin mit seinen bösen Blicken nicht auf» (193).

«Einmal wurde sogar» (in des Heizers Anklagerede) «die Tüchtigkeit des Herrn Schubal angezweifelt, die eher scheinbar als wirklich vorhanden sein sollte. Bei dieser Stelle starrte Karl mit aller Kraft den Kapitän an, zutunlich, als sei er sein Kollege, nur damit er sich durch die etwas ungeschickte Ausdrucksweise des Heizers nicht zu dessen Ungunsten beeinflussen lasse» (24).

Der Blick wird zum Kampfmittel – wie jener unterlassene Blick Greens zur Herausforderung. Wie oft wiederholen sich stumme Gesten Karls, die er bloß, innerlich unbeteiligt oder gar widerwillig, dem äußeren Eindruck zuliebe tut!

«Karl konnte keinen Schluck der goldfarbigen Suppe hinunterbringen. Dann wollte er sich aber wieder nichts anmerken lassen, wie gestört er sich fühlte, und begann die Suppe stumm in sich hineinzuschütten» (71).

«Karl hatte keine Lust zu trinken, wollte aber die anderen nicht kränken und stand also, wenn er an der Reihe war, untätig da, die Kanne an den Lippen» (121).

Diese Grundeinstellung Karls zum Leben möchten wir *Förmlichkeit* nennen. Karl tut recht eigentlich alles um der Form willen. Als Förmlichkeit erscheint in Karls Charakter das Schulden. Es ist, als wenn sich unter der Anziehungskraft eines Rahmens, den er sich überall vorgegeben sieht, eine Hülle von ihm abhöbe – die Hülle seiner unaufhörlichen Anstrengungen, den Pflichten der Welt nachzukommen. Gleichzeitig umpanzert er damit sein schwaches Ich, das sich der unmittelbaren Begegnung nicht gewachsen fühlt («Meine Gefängniszelle – meine Festung»: Aus Kafkas losen Blättern, Band «Hochzeitsvorbereitungen», 421). Karls Leben steht nicht unter der Gesetzmäßigkeit der lebendigen Individualität, die sich im Widerspiel von Eigenem und Allgemeinem entfaltet, sondern unter der Pflicht, der starren Form Genüge zu leisten, als die sich ihm das Leben in unüberwindlichem, von innen geschaffenem Abstand präsentiert. Karl zerbricht daran, daß alles Eigene, Autonome, Spontane sich in ihm verflüchtigt und er sich an einen reduzierten Raster abstrakter Maximen und Kriterien halten muß. Diese Förmlichkeit, die jede Äußerung in ihren strengen, leblosen Dienst nimmt, sieht auch in jedem Ausdruck des Gegenübers eine abgelöste, bloß vorgehaltene Hülle, die es zu interpretieren gilt – in evidenter Analogie zum naturalistischen Blick in die Welt der Dinge, der nur noch «förmlich» abgehackte Häuser sieht.

In der Förmlichkeit liegt endlich auch die Erklärung für Kafkas unüberwindliche Scheu vor der Ich-Erzählung. Der Dichter hat zum eigenen Werk die gleiche Stellung wie Karl zu seinen Lebensäußerungen. Obwohl Karl und die andern K.-Gestalten unverkennbar Kafkas eigene Perspektive vertreten, hebt er sie von sich ab und stellt sie als selbständige vor die Welt hin. Karl Roßmann aber ist diejenige unter Kafkas Gestalten, die im Bestreben, der Welt Genüge zu tun, noch ganz aufgeht, ohne daß Kafka seine Schwäche zugeben will. Von Josef K. schon hat sich Kafka deutlich distanziert. Bei Karls idealistischem Angriff auf die Welt ist er noch selbst mit allen Fasern engagiert; der Roman ist ein echtes Experiment, dessen Ergebnis nicht von vornherein feststand, sondern vom Dichter schmerzlich erfahren werden mußte. Zu Janouch sagte er im Rückblick: «'Der Heizer' ist die Erinnerung an einen Traum, an etwas, was vielleicht nie Wirklichkeit war» (J. 24). In diesem Beginnen aber fand sich Kafka gegen seine energischsten Anstrengungen unnachsichtig von seinen inneren Existenzbedingungen eingeholt. Diese Hoffnung auf seinen Helden macht uns auch den äußeren Umriß von Karls Gestalt vollkommen deutlich: ein hoffnungsfroher, idealistischer Junge an der Schwelle des Lebens, im Land der unbeschränkten Möglichkeiten! Und den prägnanten Einsatz des Romans: Im Hafen von New York, unter dem Licht der Freiheitsgöttin! Freilich: Der Versuch mißlang, die Schwäche der inneren Fundamente hinter dem der Welt abwehrend vorgehaltenen Schirm von Idealismus trat im Werk schonungslos an den Tag. Daß die innere Haltlosigkeit als unbeirrbare, tiefste Konstante Kafkas von vornherein in Karls Charakter angelegt und unüberholbar ist, das hat sich, wie wir meinen, klar gezeigt. Auch Karl Roßmann ist seinen letzten Beweggründen nach nicht, wie Brod meint, ein Antipode, sondern ein Verwandter und Vorläufer Josef K.s und K.s.

Die Personenwelt rings um Karl

Jetzt wenden wir die Blicke von Karls Innerem in die Welt hinaus. Die Welt der Dinge haben wir in den Naturalismuskapiteln untersucht, auch in den Symbolen kennen wir uns schon aus; es bleibt uns der Personenkreis, der mit Karls Schicksal eng verflochten scheint. Es sind plastisch gezeichnete Gestalten, die an der Seite von Karls Lebensweg ein schwer zu durchschauendes, doch allem Anschein nach höchst einflußreiches Spiel treiben. Auch über die Rolle dieser Gestalten herrscht bei den namhaften Interpreten in den Grundzügen Einigkeit. Bei Herbert Tauber zum Beispiel finden wir folgende Sätze:

«Das Dienstmädchen wie der Onkel reißen Karl aus der Bahn des selbstverständlichen Rechttuns hinaus ... Beide wollen Karl gewaltsam zum Mann machen, indem sie ihn vergewaltigen» (S. 39).

Da hat es Karl mit festumrissenen Persönlichkeiten zu tun, die wissen, was sie wollen, und ihn in seiner Entwicklung zum Guten stören. In der gleichen Rolle sieht sie Emrich, nur repräsentieren sie ihm darüber hinaus den grausamen, seelenlosen Mechanismus der modernen Gesellschaft. Er schreibt im Abschnitt «Der Sadismus im 'Verschollenen' und im 'Prozeß' und die Verkehrung der sozialen Herrschaftsverhältnisse» (S. 238):

«Zugleich sind diese Vermittlungsinstanzen korrupt und sadistisch. Jede Berührung des Mitmenschen wird zum Akt der Gewalt. Herr Green zerlegt Tauben 'mit scharfen Schnitten' (A 72) und greift unbedenklich 'mit der Kraft des Gesättigten' (A 74) nach Pollunders Tochter Klara, deren 'unbändig bewegte Augen' darauf einen erhöhten 'Glanz' annehmen (A 75). Denn für Klara selbst ist Liebe nur denkbar in der Form der Besitznahme und des sportlichen 'Ringkampfes' (A 83). Der Schmerz, den man sich zufügt, wird zum Genuß. In der Welt des bloßen Besitzens, des 'Habens', ist auch Liebe nur rohe Besitznahme.»

Uns selbst kam dieses einfache Romanmodell, Karl Roßmann zwischen guten und bösen Mächten in der Welt, am Anfang (vergleiche Einleitung, S. 14/15) ganz einleuchtend vor. Sobald sich indessen Umrisse der Einzelnenperspektive abzeichneten, mußten wir daran zweifeln, daß Kafka mit ungeteilter Überzeugung hinter diesem Modell stehe. Und dennoch: Betrachten wir jetzt die Personen des Romans und ihr Verhalten, so drängt sich doch wieder mit elementarer Gewalt der Eindruck vom unschuldigen Kind in der verderbten Erwachsenenwelt auf. Von den Menschen, die Karl umgeben, geht eine suggestive moralische Wirkung aus; am auffälligsten bei den Bösewichtern, einem Schubal, Green, Delamarche, die im Leser helle Entrüstung wecken. Aber auch die unbequeme Frage werden wir nicht los: Von welchem Standpunkt aus spricht der Dichter? Aus welcher Erfahrung und mit welcher Absicht? – Man darf diese Fragen nicht übergehen. Man kann der gesellschaftskritischen Auslegung von der Art Emrichs den Vorwurf nicht ersparen, daß sie dem Dichter ihre vorgefaßten Motive unbesehen unterschiebt, als ob es da gar nichts zu diskutieren gäbe. Dabei wissen wir von Kafka bis jetzt vor allem eines: daß ihm alle festen Überzeugungen und Standpunkte tief zweifelhaft werden[1]. Es gibt, das muß mit allem Nachdruck festgehalten werden, keine Äußerung Kafkas, weder im Roman noch außerhalb, die diesen zum Ausdruck irgendeiner These stempelt. Der einzige Weg zu seinen Intentionen führt über die rätselhafte Dichtung selbst, und wir sind verpflichtet, ihren differenzierten Regungen sorgsam nachzugehen, ohne uns von vornherein festzulegen.

Was nun die Romanpersonen angeht, so sehen wir freilich alle die Attribute auch, die ihnen die Anhänger einer sozialkritischen Auslegung zuschreiben. Hinter dem Heizer steht irgendwo das

[1] Aus diesem Grund ist der apodiktische Ton von Emrichs Sätzen so aufreizend: Green ist der Herrscher der Zeit, der Onkel kennt keine Unmittelbarkeit mehr, Sadismus ist die verzweifelte Ersatzform für den fehlenden Liebeskontakt ... (Kafka-Buch S. 236, 237, 239). Höchst bezeichnend, daß ihm ein «wahrscheinlich» in Kafkas Sätzen so sehr widerstrebt, daß er es beim Zitieren kurzerhand streicht! Weil mit dieser kategorischen Sprache Kafkas proteischer Natur schwer beizukommen ist, die auch Emrich an sich nicht verkennt, muß er so oft zu dialektischen Wendungen greifen: «Monotonie der Arbeit, deren fortschreitende Differenzierung gerade in Undifferenziertheit umschlägt» (Kafka-Buch, S. 233) – «geheime Irrationalisierung moderner Rationalisierungsprozesse» («Akzente» 2/1960).

Bild vom «prägnanten Untergebenen, der den Kampf um Gerechtigkeit mangels konventioneller Glätte verliert» (W. G. Klee); der Onkel verkörpert mehr oder weniger das, was wir heute einen Businеßman nennen; das kommerzielle Denken, bei ihm noch gemildert durch die Sorge um Karl, erscheint in seiner ganzen Brutalität im Charakter Greens, dieselbe Rücksichtslosigkeit auf primitiverer Stufe bei Delamarche und als unverhohlener Sadismus beim Oberportier. Gegen diese Phalanx schlechten Willens stellen sich vergeblich die freundlichen Gestalten, der Onkel mit seinen positiven Seiten, der gutmütige, tolpatschige Robinson, Therese und die Oberköchin.

Indessen muß auffallen, daß hinter diesen Bildern keineswegs eine einhellige, zielbewußte Konzeption steht. Die Vorstellungen sind in einem hohen Grade schwankend. In der Figur des Heizers überlagern sich offensichtlich zwei unvereinbare Konzeptionen: der machtlose, gehetzte, in ohnmächtigem Zorn sich aufbäumende Schwache auf dieser Welt und der vor dem Jungen großspurig auftrumpfende Kraftprotz, der kläglich versagt, wie er seinen Kampf mannhaft durchstehen soll. Brunelda erscheint im siebenten Kapitel widerlich, selbstsüchtig, faul und rücksichtslos, wodurch sich Emrich zu folgenden Feststellungen verführen ließ:

«Diese Verkehrung der Liebe in Gewalt oder Unterwerfung, die alle Klassen umfaßt, wird aber am schonungslosesten enthüllt in der ausgedehnten Brunelda-Episode. Hier hat Kafka vielleicht den Gipfel seiner gesellschaftskritischen Forschungen erreicht. Denn hier wird der Kreislauf zwischen Herrschern und Beherrschten, Reichtum und Armut, die Angleichung, ja monotone, differenzlose Identität zwischen allen scheinbar verschiedenen Sphären, am krassesten, aber auch wahrhaftigsten sichtbar» (243).

Wie paßt dazu der Ton, in dem Kafka von Brunelda im Fragment «Ausreise» spricht?

«Brunelda hielt sich sehr tapfer, seufzte kaum und suchte ihren Trägern die Arbeit auf alle Weise zu erleichtern» (S. 349).

«Dann aber sagte Karl, jetzt dürften sie sich keinen Aufenthalt mehr gönnen, der Weg sei lang, und sie seien viel später ausgefahren, als es beabsichtigt war ... Karl hatte mit seiner Bemerkung nichts weiter sagen wollen, als was er wirklich gesagt hatte, Brunelda aber faßte es in ihrem Zartgefühl anders auf und bedeckte sich ganz und gar mit ihrem grauen Tuch» (S. 351).

Brunelda in ihrem Zartgefühl! Das sagt Kafka nicht im mindesten ironisch, und Karl tut ihr während des Transports zuliebe, was er nur kann. Uns was sollen wir sagen, wenn wir über den bösen Green auf Seite 109 den Satz finden:

«Karl konnte keine Bosheit aus diesen Worten heraushören, die schlimme Nachricht, welche den ganzen Abend in Green gesteckt hatte, war überbracht, und von nun an schien Green ein ungefährlicher Mann, mit dem man vielleicht offener reden konnte als mit jedem anderen. Der beste Mensch, der ohne eigene Schuld zum Boten einer so geheimen und quälenden Entschließung auserwählt wird, muß, solange er sie bei sich behält, verdächtig scheinen.»

Auch das ist völlig ohne Ironie gesagt, doch kaum eine Seite später wird uns schon im gleichen Ton der gegensätzliche Sachverhalt präsentiert: Green habe Karls Versöhnung mit dem Onkel vorsätzlich hintertrieben. So gehen verschiedene Bilder von den einzelnen Gestalten schwankend durcheinander. Wir müssen also wohl den Entscheid über die sozialkritische Komponente in diesen Figuren zurückstellen, bis wir von diesem Gewoge fließender Konturen ein klares Bild gewonnen haben.

Wir konzentrieren uns auf einen Fall, an dem wir die komplizierten Verhältnisse im Detail studieren wollen, und wählen dazu Green und seine undurchsichtige Rolle bei der Entzweiung Karls mit dem Onkel. Green hat bei den Interpreten immer als besonders exemplarischer Bösewicht gegolten. Nun fällt jedoch auf, daß er Karl zwar von Anfang an tief unsympathisch ist, daß sich diese Abneigung aber auf nichtssagende Beobachtungen stützt und Karls gewichtige Schlüsse die längste Zeit völlig in der Luft hängen: Green schließt die Türe zum Garten, die Karl gern offen gehabt hätte – er lobt ostentativ die Liebe des Onkels zu Karl – er ist der einzige Lebhafte am Tisch – er zerlegt eine Taube mit scharfen Schnitten – seine Zunge ergreift die Speise mit Schwung, was Karl Übelkeit verursacht – er dehnt das Essen in die Länge, und er schäkert mit Klara; er rückt sein Gesicht Pollunder nahe – Karl schließt daraus: «wenn man Herrn Pollunder nicht gekannt hätte, hätte man ganz gut annehmen können, es werde hier etwas Verbrecherisches besprochen und kein Geschäft»; er raucht eine Zigarre – «ihr Rauch trug Greens Einfluß auch in Winkel und Nischen, die er persönlich niemals betreten haben würde». Erst nachdem sich herausgestellt hat, daß Green einen Auftrag des Onkels erledigen mußte, werden die Meinungen konkreter; zuerst scheint Green ganz ungefährlich, ein unschuldiger Bote, und erst auf den letzten zwei Seiten der ganzen Green-Geschichte (110/11) finden sich die Sätze, auf welche sich alle Anschuldigungen gegen ihn stützen müssen.

«Beim Anblick des großen Schrittes, den Green gleich gemacht hatte, stockte Karl, das war doch eine verdächtige Eile, und er faßte Green unten beim Rock und sagte in einem plötzlichen Erkennen des wahren Sachverhaltes: ‘Eines müssen Sie mir noch erklären: auf dem Umschlag des Briefes, den Sie mir zu übergeben hatten, steht bloß, daß ich ihn um Mitternacht erhalten soll, wo immer ich angetroffen werde. Warum haben Sie mich also mit Berufung auf diesen Brief hier zurückgehalten, als ich um viertel zwölf von hier fort wollte? Sie gingen dabei über ihren Auftrag hinaus.‘

Green leitete seine Antwort mit einer Handbewegung ein, welche das Unnütze von Karls Bemerkung übertrieben darstellte, und sagte dann: ‘Steht vielleicht auf dem Umschlag, daß ich mich Ihretwegen zu Tode hetzen soll, und läßt vielleicht der Inhalt des Briefes darauf schließen, daß die Aufschrift so aufzufassen ist? Hätte ich Sie nicht zurückgehalten, hätte ich Ihnen den Brief eben um Mitternacht auf der Landstraße übergeben müssen.’

‘Nein’, sagte Karl unbeirrt, ‘es ist nicht ganz so. Auf dem Umschlag steht: “Zu übergeben nach Mitternacht.” Wenn Sie zu müde waren, hätten Sie mir vielleicht gar nicht folgen können, oder ich wäre, was allerdings selbst Herr Pollunder geleugnet hat, schon um Mitternacht bei meinem Onkel angekommen, oder es wäre schließlich Ihre Pflicht gewesen, mich in Ihrem Automobil, von dem plötzlich nicht mehr die Rede war, zu meinem Onkel zurückzubringen, da ich so danach verlangte, zurückzukehren. Besagt nicht die Überschrift ganz deutlich, daß die Mitternacht für mich noch der letzte Termin sein soll? Und Sie sind es, der die Schuld trägt, daß ich ihn versäumt habe.’

Karl sah Green mit scharfen Augen an und erkannte wohl, wie in Green die Beschämung über diese Entlarvung mit der Freude über das Gelingen seiner Absicht kämpfte. Endlich nahm er sich zusammen und sagte in einem Tone, als wäre er Karl, der doch schon lange schwieg, mitten in die Rede gefallen: 'Kein Wort weiter!' und schob ihn, der Koffer und Schirm wieder aufgenommen hatte, durch eine kleine Tür, die er vor ihm aufstieß, hinaus.»

Damit werden an der Erscheinung «Green» deutlichere Umrisse sichtbar. Neben Karls direkten Aussagen finden wir zwei eigene Feststellungen des Erzählers über Green: «Karl sagte in einem plötzlichen Erkennen des wahren Sachverhalts», und «Karl sah Green mit scharfen Augen an und erkannte wohl, wie in Green die Beschämung über diese Entlarvung mit der Freude über das Gelingen seiner Absicht kämpfte». Diese beiden Sätze – die verpflichtendsten über Green im ganzen Roman – sind nach Form und Inhalt Ausdruck einer komplizierten, aber festen Konzeption. Einmal halten sie sich strikt an die Einschränkungen, denen wir den Roman bisher unterworfen fanden. In naturalistischer Kühle beschreibt der Erzähler eine Tatsache, ohne sie zu kommentieren; diese Tatsache ist ein Eindruck Karl Roßmanns, und was an Auffassung der sichtbaren Vorgänge mitgeteilt wird, ist ganz in diesen subjektiven Eindruck eingelegt. Für die ganze Stelle mit Green gilt der Vorbehalt, daß es Karl zwar so vorkommt, als sei Green mit böser Absicht vorgegangen, daß aber dessen Bosheit nicht gewiß ist und niemals mit Gewißheit zu erfahren sein wird. Das gilt für alle Gestalten und ihre Motive. Die Einteilung der Menschen in gute und böse, ihr Machtkampf und ihr frivoles Spiel mit Karl Roßmann, das präsentiert uns Kafka nicht als schlanke Aussage über die Welt, sondern als Vorstellung Karls, deren Richtigkeit ganz im ungewissen bleibt.

Das erschöpft indessen bloß den einen Aspekt der Gestalten; die Einzelnenperspektive hat aber ein Doppelgesicht, das wir bis jetzt vernachlässigt haben: Sie schließt zwar einerseits jede objektive Gewißheit strikt aus, öffnet aber dafür allen subjektiven Eindrücken Tür und Tor, und wie durch eine enge Pforte zieht uns der starke Sog von Karls Eindrücken, Schlüssen, Gefühlen, Überzeugungen in diesen offenen Raum hinein. Es würde dem Gefälle des Romans wiedersprechen, wenn wir uns dagegen sperren wollten; wir sollen uns dem Sog überlassen und uns nur bewußt bleiben, daß er uns in einen Raum mitnimmt, wo nicht mehr die strengen Gesetze der Gewißheit, sondern die schwankenden der Vermutung herrschen.

Green ist ein prachtvolles Beispiel dieses Sogs. Wie eine starke Strömung zieht es unsere Empfindungen im Landhauskapitel in der Richtung von Karls tiefem Ressentiment, bis wir am Schluß überzeugt sind, Green habe Karl vorsätzlich und böswillig von der Rückkehr zum Onkel abgehalten. Jetzt aber treten wir für einen Augenblick vom Geschehen zurück und überlegen unparteiisch, worauf sich der Verdacht gegen Green stützen läßt. Auf dem Umschlag des Briefes steht (S. 106): «An Karl Roßmann, um Mitternacht persönlich abzugeben, wo immer er angetroffen wird.» Karl faßt diese Anweisung als Ultimatum auf, als Frist, die ihm der Onkel noch bis Mitternacht gewährt; und Green als Bote, meint er, habe seine Pflicht verletzt, da er ihn unter Berufung auf diesen Brief bis Mitternacht im Landhaus zurückgehalten habe. Diese Episode finden wir auf den Seiten 91 bis 99 verteilt: Um Viertel nach elf – der Zeitpunkt wird noch wichtig werden – bittet Karl Herrn Pollunder, zum Onkel zurückkehren zu dürfen, doch die Entscheidung wird durch ein undurchsichtiges Zusammenspiel heterogener Faktoren verzögert. Green übt dabei einen maßgeblichen Einfluß aus, hat sich aber nicht ganz so verhalten, wie es Karl darstellt: Er berief sich nicht eigentlich auf den Brief, sondern schlug Karl ganz unverbindlich vor, bis zwölf im Landhaus zu warten, das ergebe sich fast von selber, da Karl noch von Klara Abschied nehmen müsse – eine Forderung, von der Karl selber sogleich feststellt, daß sie « von ihm wirklich nur das Geringste an Höflichkeit und Dankbarkeit verlangte ». In diesem Moment scheint die Verantwortung für den endgültigen Entscheid doch ganz bei Karl zu liegen. Er kann sich nur dann auf Green ausreden, wenn er selbst ein lenkbares Kind und Green ein raffinierter Intrigant wäre, der Karls feinste Regungen abzuschätzen und ihn mit scheinbar harmlosen Vorschlägen nach seinem Willen zu lenken weiß. Gerade so zeichnet ihn aber Kafka nicht. Green ist kein scharfsinniger Menschenkenner, sondern roh und unempfindsam, ein jovialer, von sich selbst eingenommener Geschäftsmann ohne Empfindung für sein Gegenüber. Er überläßt sich impulsiv seinen Launen, ganz ohne Berechnung; er ist ja auch, was sein Geheimnis angeht, ganz unvorsichtig, ja fahrlässig, macht die unverhohlensten Anspielungen darauf und setzt Karl sogar seine alte Reisemütze auf, die er dem Koffer entnahm. Daß ihn dieses frivole Spiel nicht verrät, ist einzig Karls

Geistesabwesenheit zuzuschreiben. Was wir also gefühlsmäßig, im Rahmen von Vermutungen über Green aus den spärlichen Angaben des Romans annehmen möchten, verwehrt uns eher, Karl die Verantwortung für seinen Entscheid abzunehmen.

Nachdem Kafka die Entscheidung mit großer Kunst, ähnlich wie Kleist so oft im «Michael Kohlhaas», auf einen kritischen Punkt hin zugespitzt hat, wo die verschiedensten Möglichkeiten verwirrend zusammenlaufen, löst er den Knoten auch ganz kleistisch durch eine nichtssagende Bagatellhandlung. Karl wird nämlich des eigenen Entschlusses und damit der letzten Verantwortung doch enthoben, denn wie er schon überzeugt ist, daß er der Anstandspflicht eigentlich nachzuleben hätte, aber wieder zweifelnd überlegt, ob ihn denn Klara überhaupt sehen wolle, nimmt ihm Green den Entscheid ab: Er gibt von sich aus einem Diener den Auftrag, Karl zu Klara zu führen – ein Akt, hinter dem alles oder auch nichts stecken kann, kühlste Berechnung oder gönnerische Bemutterung, bei der sich Green nichts weiter denkt.

Kafka bringt aber an diesem verzwickten Punctum saliens noch weitere Faktoren ins Spiel. Es ist schon eine Interpretationsfrage, wie präzis die Aufschrift des Briefs aufzufassen ist. Karl meint, aus dem Text gehe hervor, daß ihm Green den Brief bis um Mitternacht hätte nachtragen müssen, anstatt ihn bis dahin im Landhaus zurückzuhalten. Es ist aber auffällig, daß Karl selbst gerade an dieser Stelle ungenau zitiert, «nach Mitternacht» (110) statt «um Mitternacht» (106). Durch diese Nuance verlängert sich Karl die Frist zur Heimkehr, soll also zweifellos in der Beurteilung des Textes nicht ganz unbefangen erscheinen. Green seinerseits in seiner rohen Bequemlichkeit achtet gar nicht auf solche Subtilitäten. «Steht vielleicht auf dem Umschlag, daß ich mich Ihretwegen zu Tode hetzen soll, und läßt vielleicht der Inhalt des Briefes darauf schließen, daß die Aufschrift so aufzufassen ist?» Das allerdings ist nun eigenmächtig, denn in diesem Punkt ist die Formulierung exakt: «... um Mitternacht persönlich abzugeben, wo immer er angetroffen wird.» Andererseits hat Green zweifellos wieder recht damit, daß sich praktisch nichts geändert hätte, denn in den dreiviertel Stunden wäre Karl sowieso nicht weit gekommen. Gerade das gibt ja Karl durch seine kleine Verfälschung der Frist indirekt zu. Wie aber der Onkel in dem ausgeklügelten Fall reagiert hätte, wenn es Karl gelungen wäre, Green bis Mitternacht abzuschütteln und nach dem gesetzten Termin, aber ohne Kenntnis des Ultimatums heimzukommen – darüber ist wieder gar nichts auszumachen. Wie wir es auch drehen und wenden – wir können Green in keinem Fall zwingend eine Verantwortung nachweisen. Er hat den Auftrag des Onkels so ausgeführt, wie es seinem Charakter entspricht – gedankenlos und möglichst bequem. Ob dahinter böse Absicht steckt, ist ungewiß und eher unwahrscheinlich. Karl selbst steckt mit seiner ersten Reaktion das milde Extrem der möglichen Beurteilung Greens ab: «Der beste Mensch, der ohne eigene Schuld zum Boten einer so geheimen und quälenden Entschließung auserwählt wird, muß, solange er sie bei sich behält, verdächtig scheinen.» Von Greens Unschuld bis zu seiner Schuld bleiben alle Interpretationen möglich.

Wir müssen auch den andern Hauptbeteiligten an der Affäre zur Rechenschaft ziehen, den Onkel. Seine Motive sind eher noch mangelhafter belegt als diejenigen Greens. Warum verstößt er Karl aus seinem Hause? Warum so plötzlich und unter so merkwürdigen Umständen? Wir haben als Anhaltspunkt fast nichts als seinen Brief, und der steckt voller Rätsel. Der entscheidende Satz, der noch faßbarste im ganzen Brief, lautet:

«Du hast Dich gegen meinen Willen dafür entschieden, heute abend von mir fortzugehen, dann bleibe aber auch bei diesem Entschluß Dein Leben lang; nur dann war es ein männlicher Entschluß» (107).

Das tönt klar und entschieden, ist es aber keineswegs. Von einem Entschluß Karls kann ja keine Rede sein. Daß dic Annahme von Pollunders Einladung eine Entscheidung für oder gegen den Onkel sein soll, gibt der Onkel zum erstenmal eben mit diesem Satz im Brief zu erkennen, mit welchem er Karl die falsche Entscheidung schon vorwirft! Nun war der Onkel zwar, wie man sich jetzt erinnert, merkwürdig einsilbig, als er die Erlaubnis zum Besuch im Landhaus erteilen sollte, Pollunder mußte ihm Karl richtig abbetteln (S. 61–64), und der Onkel erhob verschiedene Einwände. Pollunder konnte sie aber alle widerlegen; zudem hatte der Onkel seine prinzipielle Zustimmung zum Besuch am Vortag ausdrücklich gegeben, die Bedingungen, die er Pollunder stellt, nimmt dieser vorbehaltlos an, und der Onkel selbst gibt schließlich Karl den Befehl, sich umzukleiden. Der Onkel mutet Karl einen absurden Argwohn zu, wenn er verlangt, aus diesem Verhalten seine Mißbilligung herauszulesen. Daraus aber rückwirkend einen plebiszitären Entscheid fürs Leben zu machen – das trauen wir dem erfahrenen Mann eigentlich gar nicht zu.

Vergebens suchen wir auch nach glaubwürdigen Motiven für seine Abneigung gegen den Besuch. Impulsive Verärgerung ist bei seinem gesetzten Temperament praktisch ausgeschlossen. Er wird auch kaum im Ernst an die Entscheidung glauben, die er Karl im Brief unterschiebt. Die einzige positive Andeutung Kafkas betrifft seine Prinzipienreiterei. «Ich bin ein Mann von Prinzipien», sagt er einleitend im Brief. Soll das heißen, er schicke Karl fort, weil dieser mit dem Besuch bei Pollunder gegen die Ordnung verstößt, die der Onkel zu Karls Bestem für notwendig hält? Zu verlangen, daß man solches aus dem lakonischen Satz herausliest, wäre wieder eine Zumutung. Tatsächlich steht aber diese Andeutung nicht allein. Vor allem entspringen seine Einwände und Vorbehalte gegen die Einladung alle derselben Sorge. Dann hätte Emrich recht, wenn er vom Onkel sagt:

«Diese 'Prinzipien' zwingen ihn, seine persönliche Liebe zu Karl zu verleugnen und ihn zu verstoßen, nach dessen Kontakt und Liebe er in einer kontaktlosen Welt schmerzlich verlangt» (241).

Es ist aber auch nicht auszuschließen, daß das alles nur vorgeschobene Gründe sind, hinter denen sich ganz andere Absichten verbergen. Der zweite Satz des Briefes läßt uns in düstere Zusammenhänge blicken:

«Ich verdanke meinen Prinzipien alles, was ich bin, und niemand darf verlangen, daß ich mich vom Erdboden wegleugne, niemand, auch Du nicht, mein geliebter Neffe, wenn auch Du gerade der erste in der Reihe wärest, wenn es mir einmal einfallen sollte, jenen allgemeinen Angriff gegen mich zuzulassen.»

Dunkel kombiniert man aus diesen sibyllinischen Sätzen, daß der Onkel einen «allgemeinen Angriff» fürchtet, sobald er Karl zuliebe seine Prinzipien aufgäbe, und annimmt, dieser Angriff würde ihn vom Erdboden wegfegen. Wir wissen vom Onkel sonst nur noch, daß er sich in hartem Kampf vom mittellosen Einwanderer bis zu seiner einflußreichen Stellung heraufgearbeitet hat (S. 59), später hören wir aus Delamarches Mund, die Firma Jakob sei im ganzen Land berüchtigt (123), und erfahren, daß die Bauarbeiter seines Geschäftsfreundes Mack streiken (128). Diese paar Angaben lassen in Umrissen einen schlechten Charakter ahnen: Ist der Onkel nicht der ehrgeizige Geschäftsmann, der keine menschlichen Rücksichten, nur noch das Streben nach Macht und Einfluß kennt? In seine Pläne würde der idealistische Neffe nicht passen, darum läßt er ihn bei der erstbesten Gelegenheit unter einem fadenscheinigen Vorwand fallen. Verschiedene andere Details ließen sich gerade in dieses Bild sehr gut einfügen: des Onkels verhaltener Unmut während Karls ganzen Aufenthalts, auch wie er kurz angebunden das Gespräch über sein Emporkommen abbricht (S. 59) und sich überhaupt in vornehmer Zurückhaltung übt, daß er einen wichtigen Auftrag in die Hand eines zwielichtigen Mittelsmannes wie Green legt; und der ganze Brief läßt sich auch unter solchem Vorzeichen lesen: Ist er nicht offensichtlich ein Dokument der Verlegenheit, in dem sich der Onkel nur lässig bemüht, sein egoistisches Motiv hinter einer halbwegs glaubwürdigen Fassade zu verbergen?

Es spricht nichts direkt gegen diese Annahme, aber viel zu wenig dafür. Die Indizien für diese gravierende Anklage sind höchst verzettelt und undeutlich – viel zu blaß, als daß wir darauf eine stichfeste These stützen dürften. Es gibt aber keine weiteren Hinweise mehr, wir haben alles Material über den Onkel berücksichtigt und können nur feststellen, daß sich damit vom «guten», bloß von Green irregeleiteten (was immerhin sogar Emrich annimmt) bis zum «bösen» Onkel die verschiedensten Spielarten seines Charakters begründen lassen – jedesmal mit einer Mischung von Wahrscheinlichkeit und Unwahrscheinlichkeit, die im Effekt gleich unbefriedigend ist.

Damit stehen wir in unserem Gedankengang wieder an einem Wendepunkt, wo sich die Voraussetzungen unseres Vorgehens entscheidend ändern. Wir sind nämlich auf unserem Gang ins Reich der Vermutungen an der Stelle angelangt, wo wir mit Sicherheit absehen, daß das Indizienmaterial auch im besten Falle nicht hinreicht, uns ein zutreffendes Bild der wirklichen Vorgänge zu geben, und müssen uns wohl überlegen, was das für Folgen hat. – Zunächst wird ein folgenreicher Tatbestand zur Gewißheit:

daß Karl Roßmanns Ansichten wirklich auf brüchigen Grundlagen beruhen und wir uns in keiner Weise auf sie stützen können. In einem entscheidenden Abschnitt von Karls Geschick haben wir zur Beurteilung der Lage alle Details herangezogen, die der Roman hergibt, Karl selber kann nicht mehr wissen; sie erlauben uns keinerlei begründete Schlüsse auf die wirklichen Motive der Mitwirkenden. Die Zeugnisse sind dunkel, verstreut, fragmentarisch und lassen bei Green wie beim Onkel ein breitgestreutes Spektrum äquivalenter Deutungen zu. Beim Intermezzo um Viertel nach elf können wir geradezu verfolgen, wie der Dichter selbst die relevanten Faktoren so dosiert und mischt, daß wir unwiderstehlich an allem Sicheren vorbei ins unentschiedene Schwanken zwischen den divergentesten Möglichkeiten gezogen werden.

Wie sollen wir uns in diesem Spannungsfeld unlösbarer Fragen verhalten, in das uns der Dichter führt, ohne uns ein Schlupfloch zu lassen? Auch die sichere Einsicht in unsere Beschränktheit muß noch nicht bedeuten, daß das Streben nach Gewißheit seinen Sinn verliere. Jenseits dieses Punktes beginnt nur eine neue Zone mit neuen Gesetzen. Es ist nicht sinnlos, über diesen Punkt hinaus vorzustoßen, aber man muß sich dabei den eigentümlichen Lebensbedingungen dieser Zone unterwerfen. Diese Bedingungen und der eigenartige Lebensraum selbst sind bekannt: Es ist das Herrschaftsfeld der Exegese in der prägnanten Art, die sie bei Kafka annimmt. Bedenken wir es recht, so kommt das, was wir uns über das Verhalten des Onkels zurechtgelegt haben, recht nahe an das Geschäft heran, welches der Geistliche im «Prozeß» mit der Türhüterlegende treibt. Wir dürfen uns nur darüber nicht täuschen, daß in diesen ätherischen Regionen überhaupt jede feste Richtlinie fehlt und jede Aussicht auf eine gültige Aussage; daß wir es ewig nur mit Hypothesen, Fragmenten, Bilderfetzen, mit einem schalen Gewebe fadenscheiniger Wirklichkeit zu tun haben, das wir bis ins Unendliche verfolgen könnten.

Hier gibt es einfach eine praktische Grenze, wo man unbefriedigt, aber resignierend abläßt. Wir glauben, daß wir diesen Gang am vorgerückten Punkt, den wir erreicht haben, abbrechen und uns damit begnügen dürfen, den verpflichtenden Ausblick in die unendliche Ferne grundsätzlich festgelegt zu haben. Wir glauben das um so eher, als sich am gleichen Punkt noch andere Möglichkeiten und Aufgaben eröffnen. Wenn wir nämlich den Blickwinkel wechseln und, anstatt im Dilemma weiterzurätseln, uns fragen, wie der Dichter überhaupt hineingerät, stellt sich plötzlich heraus, daß diese Tatsache selbst für ihn ebenso bezeichnend ist wie die Antwort darauf, die wir vergeblich gesucht haben. Er will und kann uns gar nicht ausreichende Grundlagen für ein Urteil verschaffen. Das Mißverhältnis zwischen dem Bedürfnis nach Gewißheit und den vorhandenen Indizien wirkt durchaus notwendig: Der Dichter hat es nicht ohne tiefe Nötigung stehen lassen. Dieses Mißverhältnis kehrt ja bei Kafka mit bedrückender Regelmäßigkeit wieder und ist zum Kern einer eigenen Gattung geworden, der Parabeln wie «Eine kaiserliche Botschaft» und «Vor dem Gesetz». Wir erinnern uns auch, schon einmal davon gesprochen zu haben, daß Kafka von der Welt nur Wirklichkeitsfetzen zu sehen bekommt: Wir meinten das damals stilistisch, als Erfahrung des radikalen Naturalisten. Es stellt sich jetzt heraus, daß Kafkas Vertreter in der Romanwelt dieselbe Erfahrung ganz real mit seiner Umgebung macht: Was Karl von den Gestalten und Vorgängen um sich herum zu sehen bekommt, sind disparate Trümmer. Was sind die paar Andeutungen über den Onkel gegen eine wirkliche Gestalt des Lebens! Einzelnenperspektive, naturalistischer Wirklichkeitsdrang und gesellschaftskritische Zielsetzung wachsen zu einem erregenden inneren Geschehen zusammen: Je weiter wir Karl Roßmann mit wacher Anteilnahme ins Leben hinein folgen, desto eindringlicher erfahren wir die tiefe Kluft, die sich zwischen seiner gutgemeinten Überzeugung und der Wirklichkeit auftut. Unschwer erkennen wir darin das Schuldigsein auch in Karls Verhältnis zur Umwelt. Es gibt wohl kaum einen sensiblen «Amerika»-Leser, den nicht von Zeit zu Zeit das unheimliche Gefühl anwandelt, einer ungeheuerlichen Travestie ausgeliefert zu sein. Man fühlt sich dann versucht, die lächerliche Verzerrung der Proportionen einfach der mitleiderregenden Unangemessenheit einer Kinderperspektive zur Last zu legen. Man glaubt etwa im folgenden Satz dieser Verzerrung fast gegenwärtig beizuwohnen:

«Vor der riesigen Gestalt Greens, die sich vor ihnen, wie sie die Stufen hinaufstiegen, langsam entwickelte, wich allerdings von Karl jede Hoffnung, diesem Mann den Herrn Pollunder heute abend irgendwie zu entlocken» (S. 70).

Es sind Verzerrungen dieser Art, die dazu verlocken, von Kafkas Humor zu sprechen, gegen welchen Ausdruck sich dann alsogleich unser ganzes Empfinden sträubt. Diesen widersprüchlichen Effekt können wir jetzt erklären: Karl Roßmann befindet sich sozusagen in einer Froschperspektive und trägt darum den Anreiz zu komischer Wirkung ständig in sich; doch erstirbt uns das Lachen im Hals, weil wir alsogleich spüren, daß der Dichter selbst in diese Perspektive gebannt ist. Ihm ist es bitter ernst zumute, und darum können wir über die wachsende Entfernung von den natürlichen Proportionen nicht lachen, sondern erleben mit Beklemmung die Ohnmacht des Menschen mit, der von ihr betroffen wird. Dem Dichter muß es vorkommen, als sei er unergründlichen Gewalten ausgeliefert, deren Auswirkungen er am eigenen Leibe erfährt, ohne hinter die Zusammenhänge ihres Wirkens zu kommen. Ebenso gibt sich sein dichterischer Sprößling Karl Roßmann mit lächerlich geringem Erfolg die größte Mühe, die Motive der Personen zu ergründen, die mit ihm spielen. Karl ist trotz allen Bemühungen der Zugang zum Raum, wo die Entscheide fallen, strikt verbaut: Unter diesem ehernen Gesetz steht sein Verhältnis zu den Menschen.

Dieses Gesetz erklärt hinreichend und einfach das Schwanken der Gestaltskonturen, um welches unsere Überlegungen kreisen. Weil Karl überhaupt keinen festen Anhaltspunkt hat, kann er in der Beurteilung Greens innert kürzester Frist und auf den belanglosesten Anlaß hin – einen großen Schritt! – von einem Extrem ins andere fallen. Das stellten wir von innen her schon bei Karls Charakter fest. Es geht aber tiefer: Dem Dichter selbst passiert bei der Schilderung der Romangestalten dasselbe, und an ihn viel mehr als an sein Geschöpf denken wir, wenn wir von der Figur des Onkels nur noch fragmentarische Züge im Roman erscheinen sehen, hinter denen sich die Phantasie verzerrte, lauernde Kolossalgestalten einbildet. Es ist derselbe Blick wie in der Welt der Dinge:

«... eine Straße, die zwischen zwei Reihen förmlich abgehackter Häuser gerade, und darum wie fliehend, in die Ferne sich verlief, wo aus vielem Dunst die Formen einer Kathedrale ungeheuer sich erhoben» (49).

Bei den Personen liegen zudem mehrere solche Hintergrundvorstellungen miteinander in unentscheidbarem Kampf; wie fahrende Kulissen hinter verstreuten Vordergrundeindrücken schieben sie sich übereinander. Das einemal sieht man hinter dem Onkel mehr den kalten Machtmenschen, das anderemal mit Emrich den eigentlich gutwilligen Helfer, der selber den anonymen Vermittlermächten nicht gewachsen ist, und wohl meistens überhaupt keine klar umrissene Gestalt, sondern ein unscharfes, schwankendes Bild im unbestimmten Raum zwischen diesen beiden Polen.

Im vorletzten Kapitel stellten wir fest, die Karl bedrohenden Gestalten agierten alle im Dunkeln: Die tiefe Richtigkeit dieses Sachverhalts leuchtet jetzt sofort ein. Auch sonst treffen wir mitten unter den schwankenden Konturen plötzlich auf merkwürdige Konstanten, zum Beispiel die kolossale Körpergröße von Karls Gegenspielern. Diese Eigenschaft deutet damit auf ein konstantes, keinem Wechsel der Beurteilung unterworfenes Verhältnis in Kafkas Vorstellungswelt hin. Groß und massig sind Green, der Oberportier, Brunelda, aber auch der Heizer, Pollunder und die Oberköchin (S. 136, 154); Delamarche ist größer als Robinson (116), der selbst schon dick und schwer ist; groß sind sogar unbedeutende Nebenfiguren, wie der lange Mann in der Reitschule, der «auf den höchsten Pferderücken mit kaum erhobenem Arm hinaufreichte» (56). Green besonders ist ein Koloß und scheint, wie wir eben gesehen haben, noch fortwährend zu wachsen. Dieses einhellige Größenverhältnis schafft der räumlichen Vorstellung nach einen festen Abstand Karls zu diesen Gestalten. Nach diesem Indiz gehören sie für Kafka in den Bereich des Übermächtigen, Fernen, Unerreichbaren, so wie auch die Entscheidungskraft im Leben ganz auf ihrer Seite liegt. Wie ihre Motive schwanken und sich verbergen mögen – klar ist auf jeden Fall, daß sie den Gang von Karls Leben bestimmen. Es ist besonders beachtenswert, daß Karl nicht minder auch von denen abhängig ist, die ihm wohl wollen: Der Onkel und die Oberköchin treten auf wie ein Deus ex machina, und sogar, als Unheilsbringer, der kindische Robinson im Hotel. Überall legt Kafka auch eigentümliches Gewicht darauf, Karl bloß die letzten Auswirkungen des Weltgeschehens spüren zu lassen, auffällig oft erfährt er sie buchstäblich am eigenen Leib: Im Ringkampf mit Klara, unter den Händen des Oberportiers, bei der Bestrafung durch Delamarche und bei der Vergewaltigung durch das Dienstmädchen. Nicht einmal da versteht Karl, was mit seinem Leib getrieben wird! So betont Kafka auch beim Ringkampf, daß Klara eine Karl unbekannte Kampftechnik anwendet.

Wir wollen dieses Thema nicht ohne den Hinweis verlassen, daß in den beschriebenen Merkmalen der Personenwelt des «Verschollenen» ein tieferes, umfassenderes Gefüge zum Vorschein kommt. Mit seiner prägnanten Personenkonstellation, mit der charakteristischen Stellung der Hauptfigur in der unheimlich-mächtigen Welt, mit dieser eigentümlich blassen, aber festen Struktur inmitten alles Schwankenden enthüllt sich der Amerikaroman als klare Vorstufe zum «Prozeß» und zum «Schloß». Das Gesetz, welches Karls Beziehungen zu den Menschen beherrscht, regelt in den reifen Romanen die Beziehungen K.s zu den Behörden. Im Rahmen des realistischen Stils von «Amerika» verlieren sich einfach an der Stelle, wo später die imaginäre Behörde mit ihren undurchsichtigen Dispositionen stehen wird, die Motive der realen Personen im Unergründlichen. Hochinteressant sind die Blicke, die uns das frühe Werk noch hie und da ein Stück weit in die Beweggründe hinein tun läßt, zum Beispiel, wenn wir im variablen Spielraum wenigstens einige unverbindliche Möglichkeiten abstecken können wie bei Green und dem Onkel. Wie Versuchsstollen, die später nicht mehr benützt werden, sind in «Amerika» sogar noch einige ausgeführte Motivierungen stehen geblieben: Das mirakulöse Auftauchen des Onkels im Schiff und dasjenige Robinsons im Hotel finden ihre vollständige Aufklärung. Keine der beiden Motivationen wirkt aber überzeugend. Wie der Brief des Dienstmädchens abgefaßt wird und den Weg zum Onkel findet, gerade noch rechtzeitig, damit dieser zum Kapitän eilen und Karl in Empfang nehmen kann, der dort nur wegen des verlorenen Regenschirms und des Heizers Klagen auftaucht – das ist eine mehr als unwahrscheinliche, eines Naturalisten eigentlich unwürdige Geschichte. Und wie ihm Robinson von Delamarche auf den Hals geschickt wurde, weil ihn Karl als Diener bei Brunelda ersetzen sollte – das plaudert Robinson nachträglich aus wie ein plätschernder Brunnen, der jederzeit versiegen könnte. Der erste Kausalzusammenhang wirkt mühsam konstruiert, der zweite gleichgültig hingeworfen – typische Schlacken eines Stadiums, in welchem Kafkas Kräfte, eben freigesetzt, noch nicht gefestigt sind, sondern erst abgetastet und versuchsweise hingesetzt werden.

Wie steht es jetzt mit der sozialkritischen Komponente in den Gestalten des Amerikaromans? Wir wollten eigentlich der moralischen Wirkung der Bösewichter auf die Spur kommen; nun sind wir bloß wieder auf Trümmer gestoßen. Die fragmentarischen Züge ergeben nicht einmal faßbare Gestalten, noch weniger reichen sie aus, einen moralischen Vorwurf zu begründen.

Doch seltsam: Die aufreizende Wirkung der Personen läßt sich durch diese Einsicht nicht im geringsten anfechten. Mag die Bosheit der Green und Schubal noch so unbegründbar sein – unsere Abneigung ist nicht erschüttert. Das ist der Grundantrieb für jene Deutungen, die hartnäckig am sozialkritischen Gehalt des Werkes festhalten. Jetzt sehen wir klar, warum uns diese Auffassung von Anfang an widerstrebte: Der Dichter selbst sträubt sich gegen alles, was diese Behauptung stützen kann, und vermeidet es peinlich genau, etwas Derartiges in den Roman zu bringen, häuft vielmehr die Indizien dafür, daß Karls Meinungen falsch sind – unwiderlegbares Beispiel der Fall Butterbaum. Wenn Kafka an den Vorurteilen gegen Green und seine Konsorten hängt, kann es nicht sein, weil er von ihrer Richtigkeit überzeugt ist – sondern *trotz* ihrer Unzulänglichkeit, die er genau kennt und quälend selbst empfindet. Diese Umstellung ist entscheidend. Die Deuter, welche im Roman sozialkritische oder verwandte Absichten nachweisen wollen, empfinden richtig, übersehen aber die einengenden Existenzbedingungen dieser Tendenzen. Erst in einer exponierten, eigentlich unhaltbaren Stellung, gleichsam in dünner Höhenluft kommt der geheimnisvolle Komplex, dem wir vorläufig den unbefriedigenden Namen «sozialkritische Tendenzen» lassen wollen, zum Leben.

Es scheint sich bei diesem Komplex um eine Neigung des Dichters zu handeln, die sich weniger in eigenen Ausdrucksformen Luft macht, als sich an Vorhandenes hängt. Zweifellos speisen sich Kafkas Schilderungen amerikanischen Lebens mehr oder weniger direkt aus dem Inventar sozialkritischer Motive, das sich im Zeitalter der Industrialisierung herausgebildet hat. Bilder wie der «immer drängende Verkehr, der, von oben gesehen, sich als eine aus immer neuen Anfängen ineinandergestreute Mischung von verzerrten menschlichen Figuren und von Dächern der Fuhrwerke aller Art darstellte» (49), die hektischen Betriebsszenen mahnen an satirische Schilderungen der Moderne, wie sie der heutigen Generation am besten aus Chaplins Film «Modern Times» bekannt sind. Auch die Auswahl der Milieus ist charakteristisch: die Fahrt im Zwischendeck, das schäbige Wirtshaus, Vorstadtstraßen und -häuser (im Asylkapitel). Reiche Milieus, wie die beim Onkel und Pollunder, widerlegen das keineswegs, sie sind ja in sozialen Anklagen als Kontrast sehr beliebt. Karl selbst spricht im Landhaus diese Empfindung aus: «... Dann kam wieder Tür an Tür, er versuchte, mehrere zu öffnen, sie waren versperrt und die Räume offenbar unbewohnt. Es war eine Raumverschwendung sondergleichen, und Karl dachte an die östlichen New Yorker Quartiere, die ihm der Onkel zu zeigen versprochen hatte, wo angeblich in einem kleinen Zimmer mehrere Familien wohnten und das Heim einer Familie in einem Zimmerwinkel bestand, in dem sich die Kinder um ihre Eltern scharten. Und hier standen so viele Zimmer leer und waren nur dazu da, um hohl zu klingen, wenn man an die Tür schlug» (85).

Es bleiben die sozialkritischen Leitbilder hinter den Personen, überhaupt die Grundscheidung des Personenkreises nach Gut und Böse; und nehmen wir noch Karls Idealismus dazu, so haben wir die wichtigsten sozialkritischen Elemente des Amerikaromans beisammen.

Zwei davon haben wir schon studiert. Je genauer wir Karls Idealismus betrachteten, desto mehr verlor er seine Stoßkraft; und an den Personen wurde das Versiegen der echt sozialkritischen Impulse überdeutlich. Denken wir an den Onkel: Zweifellos mahnt jenes unsympathischste Bild von ihm, das des rücksichtslosen, machthungrigen Emporkömmlings, an Figuren, die in sozialen Anklagen gang und gäbe sind. Aber dieses Leitbild zieht nur noch geisterhaft durch Kafkas Bericht vom Verschollenen, in flüchtigen Strichen taucht es zwei-, dreimal auf, um gleich wieder zu verschwinden. Wir haben es nur noch mit den Trümmern einer zusammenhängenden gesellschaftskritischen Konzeption zu tun. Gerade für «Amerika» weist Kafka auf seine Bindung an Dickens hin, bei dem die soziale Anklage ein beherrschender Faktor ist; er nennt als Muster ausdrücklich «David Copperfield», und die Personenkonstellation in den beiden Kinderromanen stimmt so auffallend überein, daß jeder Zweifel am direkten Einfluß ausgeschlossen ist: Ein gutmütiger Junge wird von den Erwachsenen zwischen guten und bösen Interessenkreisen hin- und hergezerrt. Bei Dickens sind aber Licht und Schatten eindeutig, für heutige Begriffe geradezu grell verteilt. Kafka selbst kritisierte in jener Tagebuchnotiz (T. 535/36) an Dickens die «Klötze roher Charakterisierung, die künstlich bei jedem Menschen eingetrieben werden». Von diesen klaren Gestalten sind im «Verschollenen» nur noch verlorene Bruchstücke, von der satirischen Anklage ist bloß ein verhaltenes Mitleid übriggeblieben, das den Roman als dumpfer Unterton begleitet. Die übernommene Konzeption ist in der Seele des modernen Dichters einem Auflösungsprozeß anheimgefallen. Diffus und blaß wie rauchige Schleier ziehen die sozialkritischen Tendenzen durch Kafkas frühen Roman – ein absterbender, gerade noch greifbarer Impuls.

Das ist derselbe Zerfall, dem wir beim Naturalismus, in Karls Idealismus, in Kafkas Gestaltenschilderung begegneten. Überall begegnen wir der Auflösung fester Gefüge, dem Erlahmen zielbewußter Kräfte – dem allgemeinen Zug zum Zerfall, den wir im Grundrhythmus festgestellt haben. «Was ich berühre, zerfällt» (fünftes Oktavheft, Band «Hochzeitsvorbereitungen», S. 134). Während die reiferen Werke den Eindruck hinterlassen, der Zerfall sei praktisch abgeschlossen, müssen wir im Amerikaroman zuschauen, wie er sich ausbreitet. So sind auch die sozialen Impulse unrettbar vom Zerfall angegriffen, doch weisen sie Inseln fester Rückstände auf, die Widerstände, welche der Akt des Abstoßens gerade noch voraussetzt. So sind die Menschengestalten noch nicht schemenhaft wie im «Prozeß» und im «Schloß», Green, Pollunder, Robinson, Therese, Brunelda haben noch eigenes Profil. Aber Kafka ist schon nicht mehr am Originalen einer lebendigen Menschennatur interessiert. Das Individuelle in diesen Gestalten ist irgendwo entliehen. Bezeichnenderweise finden wir gerade hier viele Klischees: den reichen Erbonkel und Selfmademan, den Millionärssohn mit dem Keep smiling, das sportliche Mädchen mit Jiu-Jitsu-Ausbildung. Das übrige stammt vorwiegend aus der naturalistischen Erbmasse: die heruntergekommenen Schlosser, die arme Waise Therese, der subalterne Angestellte, der seine Herrschgelüste an den Untergebenen ausläßt (Schubal und der Oberportier). Diese individuellen Konturen wirken wie ein flüchtig angezogener Mantel, der bei jeder Gelegenheit abgeworfen werden kann – was dann unter der schemenhaften Schar der Prozeß- und Schloßbeamten wie auch der konformen Dorfbewohner geschehen ist. Im «Prozeß» setzt sich langsam und unbeirrbar an die Stelle der farbigen Gesellschaft die indifferente Gerichtsbehörde; im «Schloß» aber ist Kafka mit unvergleichlicher Kunst einen dichterischen Weg zwischen Mythos und Wirklichkeit gegangen, der beide genau und ganz vermeidet.

Ziehen wir die Hülle von Individuellem ab: Was bleibt als unverlierbarer Kern? Ein Gemisch eigentümlicher Züge: Greens Gefräßigkeit und Lüsternheit, der Rauch, der seinen Einfluß im Zimmer umherträgt, Robinsons ekelerregende Eßmanieren, Bruneldas widerlich-faszinierende Gestalt; Eigenschaften wie Dicke, Trägheit oder auch unsympathische Agilität, Roheit, Sadismus: unverkennbar Züge, die irgendwie zu dem schwer faßbaren sozialen Komplex gehören. In ihnen kulminiert ja unsere Zu- und Abneigung. Haben wir das letzte Refugium von Kafkas sozialkritischen Energien gefunden?

Es scheint so. Wir wissen: Das gesellschaftskritische Anliegen verflüchtigt sich bei Kafka zur diffusen Wolke untergründigen Mitleids, welche dem Leser aus dem Roman entgegenwallt. Vor seinem unbestechlichen Gefühl für die eigene Beschränktheit verlieren sich allerdings alle sicheren Anhaltspunkte über soziale Ordnungen im Unergründlichen. Indessen arbeitet aber davon unberührt die Sehnsucht nach der verlorenen Ordnung weiter und ballt sich zu einem Komplex dunklen Gefühls zusammen. In diesem dunklen Raum stauen sich Kafkas soziale Energien an, welche von seiner fragmentarischen Wirklichkeit ungenügend gestützt werden. Darum sind die Vorwürfe gegen Green, Schubal und Delamarche so bedrückend substanzlos! Sobald wir sie begründen wollen, verflüchtigen sie sich zu einem krausen Konglomerat von Vorstellungen, die an den verschwimmenden Rändern der Gestalten ihr sonderbares Wesen treiben: eine allgemeine Schwere, Dicke, Massigkeit, oft gepaart mit unglaublicher Agilität (bei Green und der Oberköchin) oder dann mit extremer Trägheit (Brunelda), ekelerregende Manieren beim Essen, überhaupt eine widerliche Körperlichkeit, die oft ins Geschlechtliche hinüberspielt, Karls Vergewaltigung durch das Dienstmädchen, seine Demütigung durch Klara, Greens Lüsternheit, als fast zu symmetrisches Symbol der Oberportier, welcher mit der einen Hand Karl quält und mit der anderen Therese umfaßt; Pollunders schwammige, ungesunde Dicke und seine Art zu reden: «Die Rede rollte schon wütend über die wulstige Unterlippe, die als loses, schweres Fleisch leicht in große Bewegung kam» (68); die sozusagen ausgehöhlte Gestalt des Heizers nach dem Kampf: «Er stand da, die Beine auseinandergestellt, die Knie unsicher, den Kopf etwas gehoben, und die Luft verkehrte durch den offenen Mund, als gäbe es innen keine Lungen mehr, die sie verarbeiteten» (30): Das sind einige Muster dieser eigenartigen Phantasie, die jeder Leser leicht zu vermehren weiß. Unappetitlich und faszinierend, sagen sie nichts, wenn man sie einzeln auf eine artikulierbare Bedeutung prüft, und vereinigen sich im ganzen doch zu dem quirlenden, unterirdischen Strom, der den Leser mit heimlicher Gewalt anzieht und sich ihm doch nicht zu fassen gibt.

Jetzt aber haben wir seine Quellen gefunden. Ihn nährt das unstillbare Bedürfnis, an den Gestalten etwas festzulegen, was ihnen Wert und Unwert gibt, und da Kafka nichts Festes greifen kann, sucht sich das Bedürfnis Nahrung unter den vagsten, unkontrollierbaren, uncharakteristischen Merkmalen. Typisch ist, daß sich die in Frage stehenden Eigenschaften nicht individuellen Gestalten zuordnen, sondern wie die Schwaden einer Sumpfvegetation über die ganze Romanlandschaft ziehen und sich an den verschiedensten Gestalten niederschlagen. Green teilt alle ihn charakterisierenden Merkmale mit anderen und nicht nur unsympathischen Figuren: die Dicke und Beweglichkeit mit der Oberköchin, die Größe sowieso mit allen, die Eßlust mit Robinson, die Lüsternheit unter anderem auch mit dem Heizer (wie dieser auf dem Weg rasch nach Line greift; S. 18). Den Heizer kennzeichnet rohes Benehmen so gut wie Delamarche. Es sind auch nichtssagende, leere Allgemeinvorstellungen wie Größe, Schwere, Dicke, Massigkeit, Trägheit, Beweglichkeit, unter denen Kafka seine Charakteristika zusammensucht. Schließlich müssen wir auf die unüberbietbare Subjektivität all dieser Eindrücke hinweisen. Was bedeuten schon Greens scharfe Schnitte beim Traubenzerlegen! Oder Karls subtile Differenzierung verschiedener Sorten von Dicke:

« Übrigens hatte man, wenn er so neben Herrn Green stand, den deutlichen Eindruck, daß es bei Herrn Pollunder keine gesunde Dicke war; der Rücken war in seiner ganzen Masse etwas gekrümmt, der Bauch sah weich und unhaltbar aus, eine wahre Last, und das Gesicht erschien bleich und geplagt. Dagegen stand hier Herr Green, vielleicht noch etwas dicker als Herr Pollunder, aber es war eine zusammenhängende, sich gegenseitig tragende Dicke, die Füße waren soldatisch zusammengeklappt, den Kopf trug er aufrecht und schaukelnd; er schien ein großer Turner, ein Vorturner, zu sein » (98).

Solche Spezifikationen sind zudem ganz von Karls Stimmung abhängig. Während ihm der Heizer am Anfang mit seiner Gestalt Eindruck machte, entleert sie sich aller Kraft, je pessimistischer Karl seine Aussichten beurteilt. So hat Karl zuerst zwischen Green und Pollunder keinen Unterschied gesehen – « zwei große, dicke Herren »; Green beginnt erst in dem Augenblick zu wachsen, wie er störend bei Pollunder erscheint; in obiger Notiz kulminiert die Differenz kurz vor der Katastrophe.

An einem Beispiel wollen wir im Detail zusehen, aus welchen Quellen sich unsere sozialkritische Erregung speist. Nehmen wir unseren alten Bekannten Green wieder vor! Wie schürt Kafka unseren tiefen Groll gegen ihn? Am Anfang macht er eine unmerklich leise Andeutung: Karl bemerkt beim Essen, daß Pollunder an ihm ein besonderes Gefallen findet, während sich Green in Geschäften dem Onkel zuwendet. Dann hören wir längere Zeit nichts mehr von Green. Eine erste große Welle von Abneigung steigt in uns hoch, wie Klara (S. 68–70) bei der Ankunft im Landhaus Greens Anwesenheit ankündigt. Pollunder ärgert sich gewaltig, und Karl fühlt sich mit dem Wunsch, Green möge bald wieder verschwinden, in einem überraschenden Einverständnis mit seinem Gastgeber – auf Grund der bloßen Anwesenheit Greens, über deren Gründe noch nichts bekannt ist; für Karl jedoch ist die «Anwesenheit des störenden Herrn Green» schon zur festen Tatsache geworden (wie im ersten Kapitel die Feindschaft Schubals). Dann kommt der überwältigende Auftritt Greens im Landhaus. Zuerst hört man ihn rufen: «Wo bleibt ihr denn?», und wir neigen schon dazu, einen befehlenden Ton hören, was Kafka symbolisch subtil unterstützt: eine bloße Stimme, ein Anruf, etwa wie «Adam, wo bist du?», aus dem

Dunkel und von oben, wie der eines unsichtbaren Herrschers! Dann erscheint Green selbst über der Treppe, eine riesige Gestalt, zu der sie hinaufsteigen, jetzt scheint er in Karls Augen noch zu wachsen, und davor «wich allerdings von Karl jede Hoffnung, diesem Mann den Herrn Pollunder heute abend irgendwie zu entlocken». An Objektivem hat das alles allein Greens Größe zustande gebracht, die schließlich kein Verbrechen ist. Nehmen wir auch die heimtückische Insinuation zur Kenntnis, die im beiläufigen Ausdruck liegt, man müsse ihm den Herrn Pollunder entlocken: Jeder Leser wird schon an diesem Punkt mit dem heimtückischen Mittel der Kampfterminologie in eine Abwehrstellung gegen Green hineinmanövriert. Wenn nun Green die Tür zum Garten schließt, die Karl gern offen gehabt hätte, ist der nüchternste Leser der festen Überzeugung, Green habe das aus Bosheit und Feindschaft getan. Dabei steht kein Wort davon im Text, der betreffende Satz gibt einen lächerlich gewöhnlichen Vorgang wieder:

«Gerade freute sich noch Karl, der beim Tische wartete bis die anderen sich setzten, daß die große Glastüre zum Garten hin offen bleiben würde, denn ein starker Duft wehte herein wie in eine Gartenlaube, da ging gerade Herr Green unter Schnaufen daran, diese Glastüre zuzumachen, bückte sich nach den untersten Riegeln, streckte sich nach den obersten und alles so jugendlich rasch, daß der herbeieilende Diener nichts mehr zu tun fand.»

Ohne zu zögern unterlegen wir jetzt Greens Beweglichkeit schon irgendeine bösartige Kraft, sie umgibt seine Gestalt mit einer unsympathischen Aura, welche alle unbequemen Fragen nach begründeten Anklagen abfängt. Diesen Nimbus braucht Kafka im folgenden nur noch mit wenigen geschickt eingestreuten Imponderabilien zu nähren, wir erliegen ihnen ohne Widerstand: dem Zigarrenrauch, der Greens Einfluß verbreitet, dem Vergleich seiner straffen Dicke mit der schlaffen Pollunders; die Angaben können so substanzlos sein, wie sie wollen, wir unterlegen ihnen mit größter Selbstverständlichkeit schlechte Motive – und wenn endlich Green den Auftrag des Onkels ausführt, entlädt sich auf ihn die Springflut von Abneigung, die sich auf so irrationale Art angestaut hat.

Nun gibt es auch Einwände gegen Green, die eine Spur Substanz haben. Im Tischgespräch und auch später, vor allem im gewagten Spiel mit Karls Reisemütze, macht Green aufdringliche Anspielungen auf den Auftrag des Onkels; er hat den Brief eingesehen, darf vor Mitternacht nichts verraten und gibt sich nun einer recht knabenhaften Lust hin, mit bedeutungsvoller Miene den Eingeweihten zu spielen und Karl zappeln zu lassen. Das ist nicht edel, aber gravierend ist es nicht. Wir wollen Green nicht idealisieren, aber es läßt sich ihm nichts Schlimmeres nachsagen, als daß er ein unsympathischer, abstoßender Kerl ist. Der Groll gegen ihn speist sich offensichtlich aus anderen Quellen, die mit Greens individueller Gestalt nichts zu tun haben. Die Dinge, Vorgänge, Handlungen, die Karl zu Gesicht bekommt, sind ein unzusammenhängender Ablauf, ein Abschaum der wirklichen Zusammenhänge. Natürlich versucht er diese zu rekonstruieren. Da ihn Kafka weiterhin ohne Anhaltspunkt läßt, fehlt seinen Vermutungen jede vernünftige Relation mit der Wirklichkeit. Karl sucht sie aber doch zu stützen: Entweder mit den vorhandenen unergiebigen Indizien, dann erleben wir das Schauspiel einer Travestie, des schmerzlichen Zwiespalts, der sich zwischen seinen Überzeugungen und der Wirklichkeit auftut; oder dann aktiviert er allgemeine, überindividuelle, unspezifische Gefühle – und daraus bildet sich die explosive, lauernde Wolke von Abneigung hinter der Erzählung.

Was aber ist deren Ursprung, was drängt Kafka so unwiderstehlich zu dieser Abneigung?

Beachten wir, was für eine Art Vorstellungen im Zentrum des geheimnisvollen Komplexes stehen! Einen großen Teil machen Größe, Schwere, Dicke, Trägheit aus – unartikulierbare Vorhandenheit, die massig und einflußreich den Raum ausfüllt. In diesen allgemeinsten Gefühlen spielt sich nichts anderes ab als in allen anderen Bereichen: Die fremden, übermächtigen Gestalten machen sich breit und engen Karls Lebensraum ein. Kafka macht ja Green in Wirklichkeit schon groß; aber in Karls Vorstellung wächst er ins Unermeßliche, seine Masse geht für Karl in den Rauch über, der ihn fast wie einen Märchengeist umgibt, und seine Agilität, allen fremden Bemühungen zuvorkommend, vollendet den Eindruck von Allmacht und Allgegenwart. Karl fühlt sich sogar dann noch in seiner Existenz bedroht, wenn Green *nicht* nach ihm schaut. Dieser feine Zug, ein Extrem an Gefühlsmächtigkeit fremder Gestalten, erwächst zu eigenem Leben in der Gestalt Bruneldas, die sich in unbeweglich lastender Präsenz zu erschöpfen scheint und gleichzeitig doch mit ihren unerträglichen Launen den ganzen Raum tyrannisiert. Brunelda ist das genaueste Gegenbild zu Karl Roßmann, der mit der angestrengtesten Geschäftigkeit zu gar nichts kommt.

Den anderen Hauptanteil im Gemisch unsympathischer Eigenschaften haben die elementaren Triebe inne, Essen, Trinken, Erotik. Es scheint, daß Kafka auch gegen diesen Bereich eine tiefe Aversion hat und dieser darum einen Teil der Energien zu binden vermag, welche in Kafkas unergiebiger Wirklichkeit ins Leere stoßen. Vermutlich nimmt Kafka instinktiv Nahrung und Geschlecht für Zeichen von Lebenskraft und Fruchtbarkeit; dann ist natürlich klar, warum Karls Widersacher so viel davon abbekommen und er selber so wenig. Wie sprechend jene Geste auf der Reise nach Ramses, wo Karl, wenn der Kaffee im Kreis herumgereicht wird, ohne zu trinken die Kanne an die Lippen hält! Und wenn ihm Green den Appetit verdirbt! Ähnlich ist es ja auch mit dem erquickenden Schlaf bestellt und ähnlich mit der lebensnotwendigen Luft, erinnern wir uns nur an die Lungen des Heizers. Der Bezirk solcher Empfindungen ist wohl das Geheimnisvollste, was wir von Kafka in unserem Werk zu spüren bekommen. In diesen mit unendlicher Behutsamkeit aufgetragenen Andeutungen regen sich für Augenblicke inmitten realistischer Kulissen die Keime der symbolischen Themen, die Kafka später zum Leben erweckt: das Nahrungsproblem in den «Forschungen eines Hundes», mit den geisterhaften Lufthunden; der Seiltänzer im «Ersten Leid», der Hungerkünstler, der Kübelreiter, der, wie er keine wärmende Kohle bekommt, in die Eisregionen entschwindet. Motive verwandter Art treten im frühesten Roman momentweise aus dem diffusen Gesamtgemisch hervor, das sie zu dieser Zeit noch wie leise wallender Nebel hinter realistischem Vordergrund zu bilden scheinen.

Was hat nun mit diesen Vorgängen das soziale Moment zu tun? Die Verbindung ist leicht herzustellen. Bestimmend in diesen allgemeinsten Gefühlsbezirken ist eine extreme Anfälligkeit Kafkas für Störungen im Gleichgewicht zwischen eigenen und fremden Einflußsphären. In seinem Vorstellungshaushalt liegt eine unheilbare Neigung, sich in jedem Lebensbereich gegen fremde Übergewichte abzusichern – Übergewichte, die er mit seiner Überempfindlichkeit geradezu anzieht. Kafkas latente Abwehrgefühle strömen sofort ein, wo Machtlose Mächtigen gegenüberstehen – und diese Konstellation gibt es ganz ausgesprochen im Spannungsfeld sozialer Schichtungen. Daher das sozialkritische Gefälle in Kafkas realistischem Roman und seine Vermischung mit dem im Hintergrund der Gestalten lauernden Gefühlsagglomerat! Es handelt sich also bei Kafkas «sozialkritischen Tendenzen» um eine latente Bereitschaft, nicht um ein aktives Programm; ihn interessieren soziale Schichtungen nicht an sich – er hat sie ja auch aus den folgenden Romanen eliminiert –, sondern als geeignetes Modell für den Ausdruck persönlichster Erfahrungen von der Übermacht der Welt; er fühlt sich verwandt mit dem Unterlegenen, nicht berufen zur Kritik an den Verhältnissen. Ist es bloß Zufall, daß sich in den Szenen der Hast gerade dann die Klischees häufen, wenn Karl nicht persönlich betroffen ist? Da wirft sich doch der Schriftsteller Kafka ein bißchen in Pose, bei der Portierloge, dem Liftjungenschlafsaal, dem Telegraphensaal beim Onkel, das sind richtige Kabinettstücke, locker, leicht, der Ironie, aber auch dem Klischee nahe. Sobald aber Karl selbst in Bedrängnis gerät, sind die Klischees wie weggeblasen, da wird die Stimmung gepreßt, denken wir an Karls aufreibende Vertretungen im Liftdienst oder an den Auszug aus dem Hotel, für den ihm der Oberportier eine Viertelminute einräumt! Hier finden wir Kafkas echten Hast-Ton – wenn *Karl* in Zeitnot ist: klares Zeichen dafür, daß es ihm um persönliche Betroffenheit, nicht um soziale Angriffe geht. Wie der Onkel die Erinnerung an das Dienstmädchen heraufbeschwört, steigt in Karls Seele aus tiefsten Gründen die Vergewaltigungsszene wieder herauf und wird mit ihrer qualvollen Verlorenheit erschütternd lebendig. Wie leichtfertig wirkt dagegen das Dankgefühl Karls für die Vorsorge des Mädchens, wie klappern die Sätze, in denen er es nachträgt!

«Und die Köchin hatte also auch an ihn gedacht und den Onkel von seiner Ankunft verständigt. Das war schön von ihr gehandelt, und er würde es ihr wohl noch einmal vergelten» (38).

Den bildmächtigsten Ausdruck hat Kafkas soziale Empfindsamkeit in der Geschichte und Gestalt des Heizers gefunden, dem unübertrefflichen Bild geduckter Energie, die ins Leere stößt. Was spielt sich in diesem Kapitel ab? Daß der Heizer so viel Gewicht bekam, lag ursprünglich kaum in Kafkas Plan, denn er hat jetzt so viel Eigenleben, daß seine Figur nicht ganz fugenlos im Thema «Karl Roßmann in Amerika» aufgeht. Vorgesehen war zweifellos das wunderbare Treffen mit dem Onkel, das verrät die Aufmerksamkeit, die der Dichter von Anfang an dem Herrn mit dem Bambusstöckchen schenkt; und die Kette kleiner Störungen, der Verlust des Regenschirms und die Bekanntschaft mit dem beleidigten Heizer, sollte wohl den Helden ursprünglich nur ins Kapitänsbüro lotsen. Darum flößt der Heizer am Anfang gar kein Vertrauen ein: Da ist er für Karl noch Autoritätsperson! Dann aber im Büro bekommt etwas an ihm plötzlich eine unheimliche Faszination, Kafka konzentriert alle Energien auf seinen Kampf, bis er ihn vorzeitig abbricht und den Onkel das Geschehen um die verdrängte Hauptfigur wieder aufnehmen läßt. Was zieht Kafka am Heizer so in den Bann? Jetzt sehen wir es genau: die Lage des Heizers im Büro, der aussichtslose Kampf gegen unbekannte, überlegene Mächte – das dumpfe Mitgefühl für die perspektivische Machtlosigkeit, für das «In-die-Enge-getrieben-Werden». Dieses Mitgefühl flackert schon kurz und wild auf, wie Karl im Gespräch von des Heizers Demütigungen erfährt: «'Das dürfen Sie sich nicht gefallen lassen', sagte Karl aufgeregt» ... (14), und es explodiert in dem Moment, wo der Heizer das Büro betritt. Noch auf dem Weg dahin muß Karl Beobachtungen machen, die das Konto eines Green schwer belastet hätten: ein gemeines Kokettieren mit dem Küchenmädchen, ein roher Fußtritt nach einer Ratte. Zur Illustration dieses Vorgangs weisen wir noch einmal hin auf das Zitat aus dem Tagebuch über die «Jungfern vom Bischofsberg», das Lustspiel Gerhart Hauptmanns, diesmal als Zeugnis für Kafkas latentes Mitgefühl mit Nebenfiguren, das beim Heizer zum Ausbruch kam:

«Dieses Verfolgen nebensächlicher Personen, von denen ich in Romanen, Theaterstücken usw. lese. Dieses Zusammengehörigkeitsgefühl, das ich da habe!» ... (Tagebuch, S. 29, zitiert im Kapitel «Dilemma des Naturalismus», S. 82).

Die Gerichtswelt im Amerikaroman

Interessiert sich Kafka darum für soziale Spannungen, weil sie ein Modell seiner inneren Perspektive darstellen, so müssen ihn auch andere Modelle anziehen, in denen diese Perspektive angelegt ist. Da denken wir sofort an die magische Kraft der Sohnsperspektive, der Kafka verfallen ist. Nachdem er das Vater-Sohn-Thema 1911 im Tagebuchversuch «Die städtische Welt» noch ohne Mut angeschnitten hatte, explodierte diese Spannung im «Urteil». Schließlich ist auch Karl Roßmann ein verstoßener Sohn! Und Gregor Samsa desgleichen. Welch zentrale Stellung die Sohnsperspektive in Kafkas Gefüge der Welt einnimmt, beweist sein Plan, drei Novellen vom Herbst 1912 zu einer Reihe «Die Söhne» zu vereinigen:

(An Kurt Wolff): «... Nur eine Bitte habe ich. 'Der Heizer', 'die Verwandlung' und das 'Urteil' gehören äußerlich und innerlich zusammen, es besteht zwischen ihnen eine offenbare und noch mehr eine geheime Verbindung, auf deren Darstellung durch Zusammenfassung in einem etwa 'Die Söhne' betitelten Buch ich nicht verzichten möchte» (11. April 1913, «Briefe», S. 116).

Nachdem 1914 die «Strafkolonie» entstanden war, änderte Kafka den Plan: Sie sollte an die Stelle des «Heizers» treten und die Serie den Titel «Strafen» erhalten (Briefe an Kurt Wolff, vor allem der vom 15. Oktober 1915, «Briefe» S. 134). Damit tritt das Modell in den Vordergrund, welches Kafka am tiefsten ergriff: die Welt des Gerichts. Während die soziale Thematik nur im «Verschollenen» auftaucht, beherrschen Gerichtsstoffe das ganze Werk. Kafkas Welt läuft darin weniger Gefahr, tendenziös verbogen zu werden. Die Gerichtswelt ist neutraler, allgemeinmenschlicher; zudem steht ja da explizit die Schuld zur Diskussion – Kafkas allgemeines Weltgefühl.

Das birgt nun allerdings auch Gefahren. In wesentlich stärkerem Maß macht sich die Versuchung geltend, eine allgemeine «Schuld» im Menschen zu suchen und als Grundlage der Deutung zu fixieren. Allzu viele Leser lassen sich durch das Gewicht dieser Thematik zur Annahme verleiten, Kafkas Grundanliegen sei eine Anklage, etwa gegen die «Menschheit», die «Gesellschaft» oder die «modernen Verhältnisse». Dem widerspricht die klare Tatsache, daß sich Kafka dezidiert in die Perspektive des Angeklagten stellt. Nie fühlt er sich Richter oder Ankläger, immer nur Angeklagter. Zu Janouch sagte er, als es um literarisches Urteilen ging: «Ich bin kein Kritiker. Ich bin nur Gerichteter und Zuschauer» (J. 14). Die Angeklagtensituation fällt auch fast immer mit der Einzelnenperspektive zusammen («Urteil», «Verwandlung», «Prozeß», «Der Schlag ans Hoftor». Die einzige Ausnahme macht die «Strafkolonie»). Nicht zum Richten fühlt sich Kafka unwiderstehlich hingezogen, sondern zum Angeklagtsein. In den Novellen hat er auch die Frage, wo die Schuld liege, ganz zurückgedrängt und alle Energie darangesetzt, die ausweglose Situation auszumalen. Man denke nur an die «Strafkolonie»! Im «Prozeß» allerdings macht sich die Frage nach der Schuld quälend breit – doch auf die Antwort warten wir vergebens: sie wird systematisch verschlüsselt, versteckt, immer weiter hinausgeschoben und so zerfasert, daß man an der Möglichkeit, irgendwo eine Schuld festzulegen, gänzlich irre wird und sich der fahle Schein tiefer Unzulänglichkeit alles Bestehenden über die Welt ausbreitet.

In Kafkas erstem Roman erscheint die Gerichtswelt, dem tastenden Charakter des Werkes gemäß, noch nicht in so unerbittlicher Strenge. Daß sie aber auch hier im Hintergrund lauert, spüren wir schon in der Sprache. Ihr Präzisionsstreben hat etwas Inquisitorisches. «Überdies war dieser Grundsatz vielleicht das einzige, was Karl an seinem Onkel nicht gefiel, und selbst dieses Nichtgefallen war nicht unbedingt.» «Es war ja fast keine Berührung, aber schließlich war es eben doch eine Berührung.» Belangloses Gespräch nimmt unversehens einen Verhörston an. «'Es wird schon einen Grund haben', sagte der Heizer, und man wußte nicht recht, ob er damit die Erzählung dieses Grundes fordern oder abwehren wollte.» Auf seiner wechselvollen Lebensbahn unterliegt sodann Karl einer reichen Skala von Strafen, Verhören und Verfolgungen. Die ganze Amerikareise ist ja die Vergeltung für ein unfreiwilliges Vergehen. Die Verhandlung über den Heizer und der Fall Robinson füllen zwei Kapitel des Romans mit dichter Gerichtsatmosphäre. Auch die Ausstoßung durch den Onkel ist eine Bestrafung. Kleinere Zwischenfälle folgen sich auf Schritt und Tritt: Klaras Rache für Karls Benehmen in seinem Schlafzimmer, die Untersuchung gegen Delamarche und Robinson wegen der verlorenen Photographie, Karls Verhör durch den Polizisten, die darauffolgende Flucht und schließlich die brutale Bestrafung durch Delamarche nach dem erfolglosen Ausbruchsversuch.

Die Heizeraffäre ist unter Kafkas Werken darin einzigartig, daß ihr Held nicht von vornherein als Angeklagter auftritt. Angeregt und assistiert durch Karl Roßmann, geht sich der Heizer im Vollgefühl seines Rechts beschweren. Aber von Anfang an stimmt etwas nicht. Der Heizer ist nicht ruhig und seiner Sache im Grunde keineswegs sicher, sein Ton ist aggressiv, seine Klagen sind ressentimentgeladen. Im Kapitänsbüro wirkt er gar nicht überzeugend. Wenn wir uns schon auf Eindrücke verlassen wollen, kommt Schubal viel besser weg. Sogar in Karls Augen! «So sprach Schubal. Das war allerdings die klare Rede eines Mannes.» Wenn wir aber die Gestalt des Heizers nüchtern aller gefühlsmäßigen Elemente entkleiden, welche Karl auf ihn überträgt, kommt ein erstaunlich schlechter Kern zum Vorschein. «Immerhin erfuhr man aus den vielen Reden nichts Eigentliches.» Des Heizers Klagen sind «ein trauriges Durcheinanderstrudeln». Karl muß ihn selber zurechtweisen und nimmt aus taktischen Gründen bewußt zu einer Verfälschung Zuflucht: «Mir haben Sie es doch immer so klar dargestellt!» Am Schluß ist der Heizer nur noch ein wildes Tier, «außer Rand und Band», «wenn man ihm den Schubal hingehalten hätte, hätte er wohl dessen gehaßten Schädel mit den Fäusten aufklopfen können»: Wir erleben, man kann es kaum milder ausdrücken, den Ausbruch eines Hysterikers.

Womit rechtfertigt denn Karl seinen Glauben an den Heizer und die Gerechtigkeit seiner Anklagen? Überprüfbare Gründe finden wir keine, Karls tiefe Sympathie ist einfach da, von vornherein, unbegründbar und unumstößlich, alle Schwächezeichen werden unbesehen entschuldigt, alles Belastende wird nur beim Gegner gesucht. Das überrascht uns jetzt nicht mehr. Wir kennen Karls Anfälligkeit für Situationen der Bedrängnis, die an keinen objektiven Tatbestand gebunden ist, und seine Unfähigkeit, die Verhältnisse im richtigen Maß zu sehen. Diese Störungen spielen auch entscheidend in die Heizergeschichte hinein. Neben der Geschichte her läuft das erschütternde Schauspiel der Entfremdung von der Welt, der Karl hilflos ausgeliefert ist. Wir erleben, wie er sich mit einer Sache, die nicht auf gesunden Füßen steht, so sehr identifiziert, daß er ihren natürlichen Ausgang als Katastrophe empfindet. Meisterhaft hat Kafka diese Entwicklung mit den anderen Strängen im «Heizer» zu einem kunstvollen Gesamtgebilde verflochten. Eigentlich brauchte er die Figur des Heizers im Romangefüge nur als Zwischenglied in der Stationenkette, die Karl mit dem Onkel zusammenführen soll. Was hat er aber daraus für sein erstes Kapitel herausgeholt! Der Heizer wird zu einem Parallelfall zu Karls In-der-Welt-Sein: Die Perspektiven des sozial Unterlegenen und die des Angeklagten fallen bei ihm zusammen; Karls Identifikation mit ihm gibt Gelegenheit, Karls zunehmende Entfremdung von der Wirklichkeit zu gestalten. Schritt für Schritt gräbt im Bewußtsein des Lesers die Beschränkung von Karls Perspektive seinem vorschnellen Urteil den Boden ab, immer mehr teilen sich im Leser zwei divergente Strömungen, eine unerträgliche Spannung hervorrufend: die tiefe Sympathie für den hilflosen Karl und die klare Erkenntnis, daß seine Urteile unhaltbar sind. Gleichzeitig verlagern sich die Kräfte im Schuldbereich. Längst steht der Heizer nicht mehr als Kläger da, immer mehr wird er in die Enge getrieben und ist zum Schluß der Angeklagte, über den abgeurteilt wird.

Es ist nicht leicht, sich in diese ambivalente Beurteilung Karls hineinzufinden, immer wieder sträubt sich etwas in uns dagegen, die Schuld bei ihm selbst zu suchen. Der Blick auf den unwiderleglichen Fall Butterbaum mag uns die Umstellung erleichtern. Es gibt noch eine weitere Nebenhandlung, die uns dabei helfen kann: die Episode mit der verlorenen Photographie (S. 144–147). Hier läßt Kafka die Zweigleisigkeit von Karls Weltleben in vollendetem Kontrapunkt ablaufen. Er bringt das unwahrscheinliche Kunststück fertig, den Leser in der vollsten Überzeugung von Karls Recht durch die Handlung zu führen und gleichzeitig die klaren Beweise für das Gegenteil darin zu verstecken. Man erinnert sich an die leidige Geschichte: Wie Karl am Abend des Reisetages mit dem Essen aus dem Hotel zurückkommt, haben Delamarche und Robinson seinen Koffer aufgebrochen, um etwas Eßbares zu suchen. Nach dem Zusammenräumen stellt sich heraus, daß die Photographie der Eltern fehlt, und Karl vermutet, die beiden hätten sie aus Bosheit oder zum Spaß weggenommen. Aber trotz genauem Suchen und einer Leibesvisitation der beiden findet sich von ihr nicht die geringste Spur, und Karl denkt schließlich, sie hätten sie mutwillig zerrissen:

«Sie haben wahrscheinlich die Photographie zerrissen und die Stücke weggeworfen», sagt Karl zum Kellner, der ihm suchen hilft. «Ich dachte, sie wären Freunde, aber im geheimen wollten sie mir nur schaden.»

Auch der aufmerksamste Leser wird wohl diesen Schuldspruch als gültiges Urteil mit auf die weitere Lektüre nehmen. Forschen wir jedoch pedantisch den Tatsachen nach! Zunächst müssen wir zugestehen, daß das Corpus delicti fehlt. Das Urteil ruht also ganz auf Schlüssen. Gerade hier, und nur hier, sind aber die Aussagen Delamarches und Robinsons von einer auffälligen Bestimmtheit. Könnte die Photographie nicht ohne ihre Schuld verlorengegangen sein? Wir dürfen das um so weniger ausschließen, als es Karl selbst in Erwägung zieht: «... es kam ihm zu Bewußtsein, daß er an seinen Kameraden vielleicht ein großes Unrecht begehe.» Nun blättern wir zur Sicherheit zurück bis zur Stelle, wo die Photographie zum letztenmal erwähnt wird – und finden, daß sie Karl vor dem Einschlafen in der Dachkammer den Händen entfallen ist, nachdem er bei ihrem Anschauen schläfrig geworden war! Am andern Morgen ist von der Photographie nicht mehr die Rede. Kafka läßt Karl kaum mehr zu Atem kommen, betont, daß er schlaftrunken gewesen sei, und verhindert am Schluß durch ein ziemlich auffälliges Eingreifen der Zimmerfrau, daß er seine Sachen selber besorgen kann. Wie hätte er noch für die Photographie sorgen sollen? Kafka trifft alle Maßregeln, die notwendig sind, um zu zeigen, daß Karl der entfallenen Photographie nicht weiter geachtet und sie verloren habe. Direkt kann er das ja nicht mitteilen, ohne aus der Einzelnenperspektive herauszutreten. Dann aber ist hier, deutlicher noch als im Fall des Heizers, entgegen allem Anschein der Kläger selbst der Schuldige!

Auf den «Fall Robinson», der eigentlich «Fall Roßmann» heißen müßte, trifft das nicht zu. Da ist an Karls Unschuld nicht zu rütteln. Hüten wir uns aber vor dem automatischen Schluß, dann müsse die Schuld auf die Gegenseite fallen! Auf seiten der Richter sind die Verhältnisse lange nicht so eindeutig wie beim angeklagten Karl. Allerdings, der Oberportier ist ein ausgemachter Sadist. Er ist aber eine untergeordnete Figur, unzweideutig macht Kafka den Oberkellner zur verantwortlichen Instanz. Ihn aber können wir keineswegs einfach als ungerecht abstempeln. Die Oberköchin hält viel von ihm; er seinerseits verrät viel

Zartgefühl ihr gegenüber, sonst würde er sie nicht von Karls Ausschluß benachrichtigen, bevor er ihn ausführt. Zweifellos sind seine Urteile in Karls Angelegenheit objektiv ungerecht. Das entstammt indes nicht böser Absicht; er scheint es eher an Einfühlung und Geduld fehlen zu lassen, welche die gründliche Prüfung einer solchen Angelegenheit erheischt, und urteilt darum vorschnell nach dem äußeren Schein.

Wie aber sieht dieser äußere Schein aus? Kafka richtet die Dinge so ein, daß das Fehlurteil des Oberkellners sehr verständlich, ja fast unvermeidlich scheint; noch mehr: er macht sogar zu einem nicht geringen Teil Karl selber für diesen ungünstigen Schein verantwortlich. Man versetze sich in die Lage des Oberkellners! Würden wir nicht auch einen ernsten Verstoß gegen die Disziplin darin sehen, einen Betrunkenen heimlich in den Angestelltenschlafsaal zu schaffen? Auch daß Karl seinen Lift verläßt, ist nicht in Ordnung. Dazu kommen einige unglückliche Umstände, die, wenn der Argwohn einmal wach ist, zu belastenden Verdachtsmomenten werden müssen: daß Karl Robinson Geld versprochen hat und daß er das in seiner Rechtfertigung zu erwähnen vergißt; Robinsons Betrunkenheit und seine dummdreiste Aufführung im Schlafsaal; nebst dem aufreizenden Zufall, daß gerade während Karls Abwesenheit ein prominenter Gast bedient werden will. Die Häufung solcher Umstände, bei der Kafka ein großes Maß an Unwahrscheinlichkeit in Kauf nimmt, zeigt klar, wie viel ihm daran lag, den Oberkellner zu entlasten. Zu alledem kommt nun Karls unverständliches Verhalten bei der Verhandlung. Er schweigt zu allen Vorwürfen, auch da, wo ihm die Oberköchin Gelegenheit verschafft hat, sich zu verteidigen. Können wir es dem Oberkellner ankreiden, daß er aus alledem den Schluß zieht, Karl fühle sich schuldig? Nach Kafkas ganzer Darstellung ist er nicht ungerecht; er ist wegen Karls Versäumnis gereizt und entschlossen, ein Exempel zu statuieren; dazu ist er berechtigt angesichts der Schwere, die der Fall in seinen Augen annimmt. Daß er ihn falsch einschätzt, findet man verständlich; man kann es ihm als Schwäche, keinesfalls aber als Bosheit ankreiden.

Nun zu Karls Verhalten! Bei der Diskussion des Falles wird gerne unterschlagen, daß Karl sein Verhängnis wesentlich mitbestimmt – nicht willentlich, nicht aus äußerer Schuld, wohl aber aus dem unheilbaren inneren Schuldbewußtsein, welches ihn das natürliche Verhalten nicht finden läßt. Wenn er Robinson einem Hoteldiener zur weiteren Sorge übergäbe, würde ihm kein Mensch einen Vorwurf machen. Statt dessen fühlt er sich, aus der bekannten starren Kollegialität heraus, nicht nur zur persönlichen Hilfe verpflichtet, sondern auch sofort für Robinson haftbar. Indem er seinen Platz verläßt und Robinson in den Schlafsaal schmuggelt, liefert er dem Oberkellner die Grundlagen für seine Anklage.

Wenn das alles wäre, wäre Karl nur das Opfer seiner Gutmütigkeit. Aber Kafka gibt Karl selbst die Entscheidung in die Hand. Überlegen setzt sich nämlich die Oberköchin für ihn ein, beruhigt ihn und verspricht ihm eine gerechte Beurteilung des Falles –

«Karl aber blickte, obwohl das nur als schlechtes Zeichen aufgefaßt werden konnte, nicht auf die Oberköchin, die gewiß nach seinem Blick verlangte, sondern vor sich auf den Fußboden ... Was die Oberköchin sagte, war natürlich sehr freundlich gemeint, aber unglücklicherweise schien es ihm, als müsse es gerade durch das Verhalten der Oberköchin zutage treten, daß er keine Freundlichkeit verdiene, daß er die Wohltaten der Oberköchin zwei Monate unverdient genossen habe, ja, daß er nichts anderes verdiene, als unter die Hände des Oberportiers zu kommen» (208).

Zwar verhindert es Kafka ähnlich wie im Landhaus durch eine äußere Störung, daß Karl an dieser Stelle noch das Wort ergreifen kann: Der Liftjunge Beß tritt dazwischen mit der Meldung, Robinson habe unter Berufung auf Karl im Schlafsaal Lärm geschlagen, und das zerstört Karls letzte Chancen, denn das begreift auch die Oberköchin nicht mehr. Aber die zitierten Gedanken, in einem noch freien Augenblick gedacht, verraten genug. Wie es sich auch äußerlich mit Schuld und Verantwortung verhalten mag, Karl selbst hat den Glauben an sich verloren, er fühlt sich von der möglichen Verurteilung wie magisch angezogen und unfähig, ihr echten Widerstand entgegenzusetzen. Die Schuld für die schlechte Wendung schiebt aber Kafka, darin jenem Intermezzo im Landhaus sehr ähnlich, ostentativ nicht auf die Gegenpartei, sondern auf ein undurchsichtiges Zusammenwirken ungünstiger Umstände.

Ein gerechtes Urteil über den Fall Robinson muß also differenzieren. Karl gerät in die Mühle eines Zwischenfalls, in dem sich auf unglücklichste Weise Umstände verquicken und in der schlechten Wirkung potenzieren, denen man einzeln keine gravierende Bedeutung zusprechen kann. Einerseits läßt es der Oberkellner an Geduld und Verständnis fehlen; das ist ein Fehler, aber keine Unmenschlichkeit. Bedenken wir, daß selbst die Oberköchin in Kenntnis der gleichen Umstände sagt:

«Nein, Karl, nein, nein! Das wollen wir uns nicht einreden. Gerechte Dinge haben auch ein besonderes Aussehen, und das hat, ich muß es gestehen, deine Sache nicht» (214).

Und andererseits kommt bei Karl eine innere Disposition in eigentümlicher Weise dem äußeren Gang der Dinge entgegen, der ihn zum unschuldigen Opfer eines Schuldspruchs macht. Eine ähnliche Regung mag Kafka an jener ergreifenden Stelle die Hand geführt haben, wo er den Heizer ein stilles Einverständnis mit der Zurechtweisung des Onkels ausdrücken läßt:

«'So ist es', murmelte der Heizer. Wer es merkte und verstand, lächelte befremdet» (42).

Dieser Weg führt schließlich zu jener Apotheose in der «Strafkolonie», dem seligen Lächeln, das im Moment der Exekution über das Gesicht des Verurteilten geht. Auch im Fall Robinson, wo der Held schuldlos ist, verwischen sich die klaren Konturen, sobald es die Verantwortung für den Fehler festzulegen gilt.

Wir wollen eine letzte Probe machen und suchen Kafkas klarste Aussage über die Verantwortlichkeit im Fall Robinson heraus. Da fallen unsere Augen sofort auf Karls Gedanken: «Es ist unmöglich, sich zu verteidigen, wenn nicht guter Wille da ist» (213). Mit diskretem Akzent hat ihn Kafka an den Schluß der Verhandlung gesetzt, und er hat auch vor allen andern das Interesse der Interpreten auf sich gezogen. Allgemein ist er als abschließendes Urteil angesehen worden, ähnlich wie der epilogische Satz «Die Lüge wird zur Weltordnung gemacht» im «Prozeß» (S. 264). Beide Sätze sind als vernichtende Anklage gegen die Welt verstanden und in diesem Sinn oft zitiert worden. Im «Prozeß» gibt aber schon der folgende Satz Kafkas «Meinung» wieder: «K. sagte das abschließend, aber sein Endurteil war es nicht.» Die Annahme, es gebe bei Kafka «abschließende Sätze», ist unhaltbar. Und im Satz aus «Amerika» sind die Gewichte merklich anders verteilt, als es jene Interpreten wahrhaben wollen. Ein unendlich zurückhaltender Vorwurf gegen die Welt ist im Nebensatz «wenn nicht guter Wille da ist» zu spüren. Als Ganzes aber ist er gar nicht Ausdruck einer Anklage, sondern dumpfe Resignation eines gequälten Gemüts!

Kafka geht es nicht darum, in der Welt eine Schuld festzustellen; in diesen Schilderungen sucht eine elementare innere Bedrängnis ihren Ausdruck. Treibende Kraft ist nicht eine erlebte äußere Wirklichkeit, sondern ein inneres Gesicht von ihr. Der «Fall Robinson» gleicht einem Angsttraum, nicht einem wirklichen Vorfall. Zu unserem Erstaunen finden wir, daß Karl schon am Anfang der Verwicklungen albtraumartige Angstvorstellungen überfallen:

«Unten brauchte nur jemand bei dem die ganze Nacht nicht aussetzenden Restaurationsbetrieb in die Vorratskammern zu gehen, staunend die Scheußlichkeit im Lichtschacht zu bemerken und Karl telephonisch anzufragen, was denn um Himmels willen da oben los sei. Konnte Karl dann Robinson verleugnen? Und wenn er es täte, würde sich nicht Robinson in seiner Dummheit und Verzweiflung statt aller Entschuldigung gerade nur auf Karl berufen? Und mußte dann nicht Karl sofort entlassen werden, da dann das Unerhörte geschehen war, daß ein Liftjunge, der niedrigste und entbehrlichste Angestellte in der ungeheueren Stufenleiter der Dienerschaft dieses Hotels, durch seinen Freund das Hotel hatte beschmutzen und die Gäste erschrecken oder ganz vertreiben lassen? ...» (185f.)

Und so weiter: bis ins Detail die Ereignisse, die nachher Wirklichkeit werden! Und bis ins Detail die Argumente des Oberkellners – von Karl selbst vorausgenommen! Und wer immer noch daran festhält, daß der «Fall Robinson» eine Anklage und nicht ein Angsttraum sei, mag durch ein letztes Indiz überzeugt werden: Gegen Ende des sechsten, also des Robinsonkapitels, fühlte sich ja Kafka, wie er an Brod schreibt (Briefe 111, 13. November 1912), durch das geradezu körperliche Eingreifen zweier Figuren daran gehindert, sie aufs Papier zu bringen:

«Ich habe gestern das sechste Kapitel mit Gewalt, und deshalb roh und schlecht beendet: zwei Figuren, die noch darin hätten vorkommen sollen, habe ich unterdrückt. Die ganze Zeit, während der ich geschrieben habe, sind sie hinter mir her gelaufen, und da sie im Roman selbst die Arme hätten heben und die Fäuste ballen sollen, haben sie das gleiche gegen mich getan. Sie waren immerfort lebendiger als das, was ich schrieb.»

Die Charakterisierung des sechsten Kapitels, «roh und schlecht beendet», paßt kaum auf den Zustand, wie es jetzt vor uns liegt, und man kann sich auch kaum vorstellen, daß nach dem Oberkellner und dem Oberportier noch zwei solche Figuren hätten auftreten sollen; es ist also höchst wahrscheinlich, daß Kafka mit seiner verfolgungswahnähnlichen Schilderung direkt diese beiden Quälgeister meint.

IV. TEIL:

DIE GRUNDZÜGE DES AMERIKAROMANS

Die Handlung – Das Problem des Romanschlusses
Grundmotive und Grundkonzeption – Die «Infrastruktur»
Kafkas Entwicklung und der Amerikaroman

Noch manche Höhlen von Kafkas Amerikawelt blieben auszuforschen. Jenen untergründigen Motiven etwa, dem Hunger, dem Ekel, wäre nachzuspüren, Kafkas Sprache zu analysieren. Allein auf Vollständigkeit kommt es uns nicht an. Wir wollten so weit kommen, daß wir uns bei Kafka endlich heimisch fühlen, daß jene entmutigende Ratlosigkeit von uns abfällt, der wir uns anfangs hilflos ausgeliefert fühlten; und diesem Ziel sind wir in den letzten Kapiteln immer näher gekommen. Auch in den tieferen Nischen von Kafkas labyrinthischem Inneren fühlen wir uns jetzt nicht mehr wie Fremde; Karls Charakter, die Personenwelt, der seltsame Gang der Handlung wie unter dem Druck eines unsichtbaren Gerichts: das sind jetzt keine Rätsel mehr, die uns wie die Sphinx anstarren.

Was uns jetzt noch fehlt, ist eine Zusammenfassung des Ganzen. Nur in Teilen haben wir den Roman bisher betrachtet – aus Not, weil die ganze Romanwelt viel zu komplex war für unser tastendes Suchen. Jetzt endlich fühlen wir uns so sicher, daß wir entschlossen auf das Ganze lossteuern. Welcher Sinn liegt in der Handlung, dieser Fahrt Karl Roßmanns durch Amerika? Was bedeutet dieses eigenartige Amerika selbst? Und wie gehört die verwirrend vielfältige Motivwelt dieses Romans zu Kafka? Auch dem Oklahoma-Fragment, das wir bisher ausgeklammert hielten, werden wir uns jetzt stellen müssen. Dem Gewinn eines Überblicks nach innen und nach außen soll der letzte Teil unserer Arbeit gewidmet sein.

Lassen wir also den Blick über die ganze Länge des Romans schweifen, Karls Weg in Amerika Seite um Seite an uns vorüberziehen! Wieder hält uns das Buch eine Überraschung bereit. Es handelt sich, scheint es zunächst, um gar nicht viel Besonderes. Über weite Strecken werden wir mit Episoden von größter Belanglosigkeit abgespeist: ein Regenschirm wird vergessen, ein Koffer geht verloren, der Held verirrt sich in den abgesperrten Gängen des Schiffs, macht eine Zufallsbekanntschaft ... In weiten Abständen überfallen Karl dazwischen Ereignisse, die mit einem Schlag seine Lebensverhältnisse umstürzen: Er wird aus dem Elternhaus verstoßen und muß nach Amerika fahren, um ein neues Leben aufzubauen – wie vom Himmel geschickt, taucht dort ein reicher Onkel auf – nach zwei Monaten verstößt ihn auch der wieder – aus dem Hotel fliegt Karl ebenso plötzlich wieder hinaus: unerklärliche Schläge aus heiterem Himmel, wie Peitschenhiebe des Schicksals. Auffällig, dieser Unterschied zwischen einer «großen» und einer «kleinen» Handlung! Es ist nicht schwer zu bemerken, daß sich Kafka in der «kleinen» wohler fühlt; mit Neigung malt er hier die Details aus, während man bei der «großen» Handlung fast den Eindruck bekommt, er fühle sich ihren Schlägen nicht weniger hilflos ausgeliefert als Karl. Eine viel tiefere, nicht selbst gelenkte, sondern erlittene Gewalt, verwandt der Übermacht des Vaters über den Sohn im «Urteil», scheint dort die Feder zu lenken.

Betrachten wir zuerst den dünnen, wenig aufregenden Faden unscheinbarer Vorkommnisse, die den normalen Lebensraum der Erzählung bilden. Was zieht Kafka an ihnen an? Sicher nicht ihr Eigenleben. Wenn er erzählt, wie der Heizer das Zuschnappen der Kofferschlösser behorcht, wie Karl dem Regenschirm nachjagt, ist nicht die Liebe am Werk, die etwa Gottfried Keller oder Stifter dem unscheinbarsten Detail zuwenden; es ist eine lauernde Beobachtung beigemengt, die irgendwie mit Kafkas gespanntem Weltgefühl zusammenhängt. Kafkas Details sind durchaus unindividuell: Koffer und Regenschirm könnten ohne weiteres durch zwei andere Gegenstände ersetzt werden. Oder die Handlungen in der Kajüte des Heizers: Der Heizer zieht die Tür zu – er drängt Karl unsanft aufs Bett zurück: Kleinigkeiten, an sich nicht der Rede wert. Indessen gewinnen sie in zweierlei Hinsicht Bedeutung: als Anlaß für Karls mißtrauische Überlegungen sowie für das Gefühl des Eingeengtwerdens – und wir erkennen mit einemmal, wie die «kleine Handlung» entsteht. Kafkas ganzes Interesse an seinen kleinen Motiven liegt auf ihrer Verwendbarkeit für ein «inneres Leben». In der Perlenkette von Imponderabilien, welche die kleine Handlung aneinanderreiht, wird uns Karls und Kafkas inneres Weltgefühl eingeträufelt; in homöopathischen Dosen saugen wir mit dem Reigen täglichen Kleinkrams, den Kafka vor uns ausbreitet, mit einem ärgerlichen Gesichtsverziehen des Onkels, einem unterlassenen Blick Greens, mit den Überlegungen, die das Bezahlen eines Mittagessens auslöst, und den tausend verwandten Kleinigkeiten die Beklemmung einer Perspektive ein, die an dem allem nur ihrer eigenen Beschränktheit inne wird. Kafka hält unsere Aufmerksamkeit immer auf den äußeren Gegebenheiten; aber er wählt und behandelt sie so, daß sich in uns unterschwellig seine ganze Beengnis, der Zwang der Einzelnenperspektive, Karls Weltfremde, die Disproportioniertheit seiner Urteile aufspeichern, bis sie sich zur fahlen Atmosphäre verdichten, die dem Buch den beklemmenden Charakter verleiht.

Die Dinge, die im «Verschollenen» auftreten, sind wie «entsubstanzialisiert». In der Substanz der Vorgänge, die Kafka zum Vorwurf seiner Schilderung nimmt, liegt nämlich die lähmende Wirkung keineswegs. Zählen wir die größeren Episoden auf: ein dummes Versehen bei der Ausschiffung mit einer Reihe ärgerlicher Komplikationen; die Beschwerde eines Angestellten über ungerechte Behandlung; das Leben beim Onkel, bestehend aus Englischlernen, Klavier- und Reitstunden, einer Betriebsbesichtigung, einigen Bekanntschaften; daran anschließend der Besuch bei Pollunder, mit einem Nachtessen, einem dummen Streit mit Klara, Umherirren in einer dunklen Villa, dem Intermezzo mit Green um Viertel nach elf und Klavierspiel bei Mack und Klara. Nach der Ausstoßung übernachtet Karl in einem ärmlichen Wirtshaus, lernt zwei heruntergekommene Gesellen kennen und reist einen Tag lang mit ihnen; er soll ihnen das Essen bezahlen und entdeckt den Verlust einer Photographie. Es folgt im Hotel der tägliche Liftdienst, der Umgang mit den Liftjungen, die Freundschaft mit Therese, der Zwischenfall mit Robinson; nach dem Hinauswurf das Verhör durch den Polizisten, Flucht und Verfolgung, die Rettung ins «Asyl», die Vorstadtwohnung Delamarches und nach erneutem, vereiteltem Fluchtversuch die brutale Bestrafung durch Delamarche. In der Reihe dieser Ereignisse fällt das letzte als gravierend aus dem Rahmen. Alle andern überschreiten in keiner Weise das Maß des gewöhnlichen Alltags. Aus demselben Material könnte ein Erzähler mit besinnlicherem Naturell ein ganz anderes Buch machen, etwa eine «Fahrt durch Amerika mit ernsten und heiteren Zwischenfällen»! Er müßte bloß an Karls Stelle einen weniger sensiblen, gewitzteren Burschen setzen. Wie elegant hätte sich etwa Thomas Manns Hochstapler Felix Krull durch die Situationen gemausert, die Karl Roßmann zum Verhängnis werden! Gewiß hätte er sie sogar zum eigenen Vorteil gewendet. (Dem Treiben des Liftjungen Renell, der höhere Aspirationen hat und von dem das Gerücht geht, eine Dame küsse ihn im Lift ab, sieht Karl verständnislos und mißtrauisch zu.) In einigen Situationen liegt gar die Anlage zu komischer Wirkung. Würde uns nicht, wenn wir von Karls Empfindungen absehen, die ganze Koffer- und Butterbaum-Geschichte, die Leibesvisitation Delamarches und Robinsons, der Ringkampf mit Klara, Robinsons jämmerliche Aufführung im Hotel unwiderstehlich zum Lachen reizen? Max Brod hat durchaus recht, wenn er zum Vergleich Chaplin-Filme heranzieht (im Nachwort zu «Amerika», S. 359). Wir ersehen aber gerade daraus, wie unwichtig für Kafka der stoffliche Gehalt seiner Handlung ist. Aller Spaß daran verfliegt mit einemmal, sobald man sie mit Karls Augen ansieht. Er betrachtet alles mit angespanntem Ernst; das geringfügigste Vorkommnis wird ihm zum Demonstrationsobjekt seiner strengen Lebensauffassung und seiner hochgespannten Ziele. In diesem Mißverhältnis liegt die Anlage zum Komischen; in einer Perspektive von Kafkas Anfälligkeit aber lösen diese Zwischenfälle beklemmende Impulse aus, die in ihrer Regelmäßigkeit im Leser langsam und unwiderruflich die fatale Grundstimmung von Ausweglosigkeit und Bewußtseinsenge hervorrufen, ohne daß er sie lokalisieren und auf triftige Anlässe zurückführen könnte. Eine Äußerung Kafkas über Döblins Roman «Der schwarze Vorhang, Roman von den Worten und Zufällen» läßt tief blicken: Kafka weiß auch persönlich den Zufall nicht ins Leben einzuordnen – meint, hinter jedem Vorkommnis stehe eine «Welt», die der Kopf eigentlich durchschauen müßte:

«'Ich verstehe das Buch nicht. Zufall nennt man das Zusammentreffen von Ereignissen, deren Ursächlichkeit man nicht kennt. Ohne Ursache gibt es aber keine Welt. Darum gibt es Zufälle eigentlich nicht in der Welt, sondern nur hier –'

Kafka berührte mit der linken Hand seine Stirn.

'Zufälle gibt es nur in unserem Kopf, in unseren beschränkten Wahrnehmungen. Sie sind die Spiegelung der Grenzen unserer Erkenntnis. Der Kampf gegen den Zufall ist immer ein Kampf gegen uns selbst, den wir nie ganz gewinnen können'» (Janouch, 51/52).

Hier formuliert Kafka die Weltanschauung, die dem Daseinsgefühl der Einzelnenperspektive entspricht. Welcher Druck muß auf dem Gemüt liegen, das den Reigen kleiner Unerklärlichkeiten um uns her nicht lächelnd dem Zufall zuschreiben kann!

Wie einsame Berggipfel aus grauem Geröll heben sich aus dem Kleinkram der «kleinen Handlung» die einschneidenden Wenden der großen heraus: Karls Ausstoßung aus dem Haus der Eltern, das Auftauchen des Onkels, die erneute Ausstoßung durch den Onkel und schließlich diejenige aus dem Hotel. Wir spüren sofort den gewaltigen Unterschied. Waren jene Vorkommnisse, wenn nicht überhaupt bloß eingebildet, allerhöchstens von vorübergehenden Folgen, so greifen diese tief und unwiderruflich in Karls Leben ein; sie treffen ihn unvorbereitet und wehrlos wie Schläge aus einer mächtigen, unzugänglichen Welt; wir meinen das rhythmische Pochen eines ehernen Geschicks zu spüren. Alles macht uns fühlen, daß wir von der kleinen zur großen Handlung eine entscheidende Nahtstelle im Romangefüge überschreiten.

Offenbar nahte sich Kafka nur mit Scheu diesen erratischen Blöcken. Wie wir wissen, brachte er den Oberportier und den Oberkellner beim ersten Anlauf nicht aufs Papier. Karls Verstoßung aus dem Elternhaus tut er in einem Nebensatz ab, diejenige aus dem Haus des Onkels zögert er so lange als möglich hinaus, und wie der vernichtende Brief übergeben ist, fährt Kafka weiter, als sei nichts geschehen, nicht die geringste Erschütterung schlägt sich im Text nieder. Jetzt fällt uns auch auf, daß Kafka im «Prozeß» und im «Schloß» das Rezept von vornherein ändert: Er schafft gleich am Anfang die eine gespannte Grundsituation, innerhalb deren sich dann alles Folgende abspielt, ohne daß er zu weiteren schweren Eingriffen genötigt ist. In «Amerika» überließ er sich der Neigung zum vertrauten Bereich, den die Einzelnenperspektive einschließt, noch so sehr, daß das Werk in Gefahr kam, eine akzentlos ablaufende innere Biographie zu werden. Dem sollte wohl mit kräftigen kompositorischen Maßregeln abgeholfen werden, und so entrang sich dem Dichter trotz fühlbarem Widerstreben die «große Handlung». Wir haben es beim Grundgerüst des Geschehens mit einem Stoff zu tun, in dem sich der Dichter eigentlich nicht heimisch fühlte. Gegen seine Neigung sollte er große Linien eines Schicksals ziehen, mit Lebensblöcken schalten und walten. Kein Wunder, daß wir nicht die Pranke eines Balzac oder Zola zu spüren bekommen. Es entsteht ein mit wenigen Strichen gezeichnetes, dünnes Handlungsgerüst, das über weite Strecken hinter den kleinen Sorgen Karls zurücktritt.

Um so erstaunlicher ist es, daß dieses Gerüst keineswegs ein schwaches Skelett, vielmehr das prägnante Gerippe eines repräsentativen Menschengeschicks darstellt. Auch im großen Schicksal bewährt sich die Dämonie von Kafkas urtümlich pessimistischer Welt. Hinter dem scheinbar mit frischer Abenteuerlust erzählten Leben Karls schlägt in Wirklichkeit ein uns wohlbekannter Rhythmus seine charakteristischen Schwingungen. In regelmäßigen Abständen erschüttern große Ereignisse Karls Existenz und stellen sie auf eine andere Ebene. In den langen Zwischenphasen spielt sich das zermürbende Leben im engen Gefühlshorizont der Einzelnenperspektive, in der Enge der kleinen Handlung ab; Karl sucht das erreichte Niveau in unermüdlichem Eifer zu konsolidieren. Der nächste Schicksalsschlag macht die Irrelevanz solchen Tuns erschütternd sichtbar. Auf die Ausstoßung aus dem Elternhaus folgt die lange Überfahrt im Zwischendeck mit Karls grotesken Anstalten, seine Habe gegen die Nachstellungen des Slowaken zusammenzuhalten; auf den plötzlichen Aufstieg zum Neffen des Senators folgt nach zwei Monaten angespannten Lernens der plötzliche Fall; dann der langsame Wiederaufstieg im Hotel und die erneute Ausstoßung, diesmal ein Ausschluß aus allen anständigen Verhältnissen. Aufstieg und Fall, Aufnahme und Verstoßung: Dies Auf und Ab ist unverkennbar der Rhythmus des Schuldens. Man ist versucht, die Komposition der Handlung als Fieberkurve darzustellen: ein entschiedener Strich nach unten zuerst – die Verstoßung durch die Eltern; dann der große Bogen der Onkelhandlung, ein steiler Aufstieg in fast unwirkliche Höhen und ein jäher Sturz; und nachdem sich Karl auf bescheidener Höhe auffangen konnte, noch einmal ein Sturz, in eine Tiefe, die nicht mehr abzumessen ist. Karls Lebensfahrt ist ein Auf und Ab in großen Bogen, das charakteristische Zittern in einer Welt, deren Gesicht im Großen wie im Kleinen durch das Spannungsfeld des Schuldens geprägt wird. Diskret kündigt sich dieses Zittern im leisen Schwanken des Schiffes auf den unruhigen Wellen an und erreicht in der Mitte des Romans, beim Liftdienst, diesem mechanischen, endlosen Auf und Ab, seinen vollkommensten symbolischen Ausdruck. Die Tendenz der ganzen Bahn geht aber eindeutig abwärts; Karl wird immer mehr «in die Enge getrieben», bis er bei Delamarche unter den widrigsten Verhältnissen in Gefangenschaft sitzt.

Erstaunlich ist, wie empfindlich Kafkas Einbildungskraft in scheinbar bedeutungslosen Details diese Lebenskurven mitzieht. Rechnet man genau nach, so findet man, daß Kafka nach dem Ausschluß durch den Onkel alles, was Karl dessen Gunst zu verdanken hat, mit minutiöser Genauigkeit wieder aus seinem Leben ausmerzt. Den schwarzen Anzug, den er beim Besuch im Landhaus trug, verkauft ihm Delamarche gegen den lächerlichen Erlös von einem halben Dollar, der während des Tages für das Mittagessen ausgegeben wird, von dem Karl wohl nicht viel gehabt hat. Die Fahrkarte nach San Franzisko, die ihm Green mitgegeben hat, wird gar nicht mehr erwähnt. Dafür bekommt Karl sein ärmliches Auswanderergepäck zurück, das Butterbaum ordentlich abgeliefert hat, bis ins Detail, den Koffer, den vergessenen Regenschirm, die Mütze, die Salami, sein Reisekleid, das unter den Deckel geklemmt ist – «nicht das Geringste fehlte». An der nächsten Station, beim Hinausfliegen aus dem Hotel, kommt es Kafka offensichtlich darauf an, Karl so tief als möglich zu drücken. Ohne Ausweispapiere, ohne Rock, den er in den Händen des Oberportiers zurücklassen mußte, buchstäblich im Hemd steht er da, des Diebstahls verdächtig, dem Polizisten auffällig, zur Lüge und zum Ausreißen gezwungen, so unmöglich in der Welt, daß er Delamarche, diesen verhaßten Menschen, schließlich als einzige Rettung empfindet.

Und was macht Kafka zum Inhalt und Ziel von Karls Leben? Den unaufhörlichen Kampf um Einordnung in die Gesellschaft, sei es im Schoß der Familie, unter der Obhut eines Verwandten oder an einem Arbeitsplatz. Unter der Form des Daseinskampfes zeigt sich Kafkas instinktives Streben, zur Welt in ein festes Verhältnis zu kommen, die Schranke zu überwinden, die von ihr trennt. Und da diese grundsätzlich unübersteigbar ist, wird das Leben zum unbeständigen Wechsel von Aufnahme und Entlassung. Im «Verschollenen» erscheint, in realistische Farben getaucht, das Leben, wie es sich Kafka darstellt. Das «Urteil» und die «Verwandlung», der «Prozeß» und das «Schloß» sind Abwandlungen derselben Grundanschauung. Die Urmaterie ist bei allen der ewige Kreislauf des Lebens; indem Kafka Perspektive, Ausschnitt und Milieu variiert, schafft er verschiedene Modelle dieser Weltsicht. Im «Urteil» und in der «Verwandlung» bildet die Familie den Rahmen eines hier zermürbend langsamen, dort explosiven Ausschlußaktes. In den drei Romanen stehen Beruf und Gesellschaft im Vordergrund. Der «Prozeß» nimmt aus dem wellenförmigen Lebensverlauf ein einziges großes Ab heraus und spannt es über die ganze Länge des Werks, das ja zeigt, wie Josef K. langsam aus seiner Stellung hinausgedrängt wird. Das «Schloß» zeichnet sich durch einen feinen Kunstgriff aus: Ob K. nun eigentlich angestellt ist oder nicht, das wird gerade zur entscheidenden, unlösbar-herausfordernden Frage, um die sich ohne Fortgang, in lähmendem Kreislauf alle Veranstaltungen drehen. In «Amerika» aber, dem frühen Roman, wo sich Kafka noch vom Gang der Dinge führen läßt, ohne zielbewußt ein Modell zu konzipieren, wird das Leben zum harten Daseinskampf, der, mit deutlicher Gesamttendenz nach unten, endlos auf und ab wogt.

Das Problem des Romanschlusses – Das Oklahomafragment

Endlos auf und ab?

Wir könnten mit dem Ergebnis des letzten Kapitels zufrieden sein, wenn es nicht mit einer schweren Hypothek belastet wäre – der Problematik des Romanschlusses, der offenen Frage, wie denn die Handlung hätte enden sollen. Ein dorniges Gestrüpp von

Fragen wuchert um das (von Brod so getaufte) «letzte Kapitel», das Oklahomafragment, eine wahre Crux für jeden Kafka- und im besondern natürlich für jeden «Amerika»-Deuter.

«Der Verschollene» ist ja unvollendet geblieben. Der Erzählstrom versiegt zusehends im siebenten Kapitel (Kafka hat es offenbar nicht wie die ersten sechs in einem Zug, sondern sporadisch während der Jahre 1913 und 1914 geschrieben; siehe S. 280). Zwei Fragmente im Bannkreis Delamarches und Bruneldas schließen sich lose an, das erste noch als direkte Fortsetzung des siebenten Kapitels geschrieben und nach der Waschung und Speisung Bruneldas abgebrochen, das zweite, die Ausreise Bruneldas, ohne direkten Anschluß neu begonnen, aber noch in der Wohnung Delamarches ansetzend und nach der Ankunft im Flur des neuen Hauses ebenfalls abbrechend. Diese zwei Fragmente unterscheiden sich inhaltlich und stilistisch nicht merklich von den sieben vollendeten Kapiteln und bieten uns darum keine besonderen Schwierigkeiten – abgesehen vielleicht vom überraschenden Wechsel in der Gestalt der Brunelda, der Karl während der Umsiedlung plötzlich alles zuliebe tut. Wir erinnern uns aber, daß so abrupte Änderungen in Karls Urteil über die Leute nichts Ungewöhnliches sind; siehe im Kapitel über die Personen (S. 155–56).

Ganz anders steht es mit dem Theaterfragment. Seine Handlung beginnt völlig neu, an einem unbekannten Ort und nach langem Unterbruch, nur gerade die Grundmauern des alten Werks scheinen noch zu stehen: der große Schauplatz Amerika und die Hauptgestalt Karl Roßmann. Die auffälligen bizarren Züge – Engel und Teufel, Trompeten usw. – scheinen einem ganz andern Geist als dem minutiösen Realismus des ersten Romanteils zu entspringen. Was soll man mit diesem Stück anfangen? Brod hat es ohne Bedenken als Krönung der Amerikahandlung betrachtet und extreme, das Gesicht des ganzen Romans prägende Folgerungen aus ihm gezogen: Karl Roßmann, meinte er, werde hier von Kafka einem Schluß entgegengeführt, der ihm eine Erlösung aus den Mühsalen des hiesigen Lebens bringe; und das Amerikawerk wurde Brod in diesem Licht zum Kronzeugnis für seine Grundthese, daß in Kafka ein zwar ständig bedrängter, aber unzerstörbarer Kern von Glauben ans Gute stecke. Die These fand, wie wir wissen, scharfen Widerspruch: Es sei undenkbar, meinten viele Interpreten, daß der Roman in ein gutes Ende hätte münden können; und sie stützten sich auf jene eindeutig pessimistische Tagebuchnotiz Kafkas über den Tod Karls.

Die ganze Diskussion über Kafkas Amerikawerk geriet so in den Sog der Frage, wie Karls Leben hätte enden sollen. Es war Uyttersprot, der 1954[1] zum erstenmal scharf ins Bewußtsein hob, daß eine Voraussetzung für diesen Streit gar nicht gesichert sei: die Kontinuität des Werks bis zum Schluß in Oklahoma. Er machte vor allem auf die große Lücke aufmerksam, die zwischen dem Ende des alten Romanteils und der Wiederaufnahme im Oklahomafragment klafft. Dies und die ins Auge springenden Unterschiede in Gehalt und Stil haben uns zu Beginn des zweiten Teils unsrer Untersuchung bewogen, uns dem gebannten Blick auf das nicht ausgeführte Ende zu entziehen und mit dem nüchternen Studium des in sich geschlossenen Romantorsos zu beginnen; nur auf diesem Wege, schien uns, sei eine solide Basis für das ganze Unternehmen zu gewinnen. Das eigenwillige Schlußfragment mußte für eine gesonderte Betrachtung zurückgestellt bleiben. Der Moment ist gekommen, diese Pflicht nachzuholen. Dabei dürfen wir natürlich nicht einfach Brods Fehler umkehren und bloß die aus dem alten Romanteil gewonnenen Kriterien dem neuen Stück überstülpen; wir müssen es vielmehr ganz neu auf uns wirken lassen und sogar bereit sein, die alten Erkenntnisse zu revidieren, sofern es sich als notwendig erweisen sollte.

Erstes Gebot ist offensichtlich, Klarheit darüber zu gewinnen, wie eng oder wie lose das Fragment mit dem alten Romanteil verbunden ist. Wie groß ist, fragen wir uns zuerst, rein äußerlich die Kluft zwischen der alten Handlung und der Wiederaufnahme im Theaterstück?

Zunächst bleibt zu beachten, daß sich Kafka, hätte er den Roman vollendet, wohl noch längere Zeit im Bannkreis Bruneldas aufgehalten hätte. Jedes der beiden Bruneldafragmente stellt augenscheinlich den Beginn eines selbständigen Kapitels dar; über das zweite hat Kafka nach Brods Bericht eigenhändig einen Titel gesetzt: «Ausreise Bruneldas». Die Aussöhnung mit Brunelda hätte wohl etliche Zeit gebraucht; ebenso der Streit des Studenten mit Brunelda, der unterdessen wieder beigelegt ist

[1] «Revue de Langues Vivantes», 20, 1954.

(S. 350). Auch der Plan zur Übersiedlung wäre wohl kaum so rasch ins Werk gesetzt worden; noch im siebenten Kapitel lehnte ihn Brunelda kategorisch ab (S. 280).

Setzen diese Angaben einen beträchtlichen Umfang des Bruneldakomplexes voraus, der zuerst noch hätte ausgeführt werden müssen, so ist doch nichts, nicht das mindeste in ihm zu finden, was schon auf das Oklahomastück deutete. Und in diesem gibt es auch nichts, was auf jenen zurückwiese. Das Textstück über die Anwerbung zum Theater in Oklahoma beginnt sehr schroff und völlig neu:

«Karl sah an einer Straßenecke ein Plakat mit folgender Aufschrift: 'Auf dem Rennplatz in Clayton wird heute von sechs Uhr früh bis Mitternacht Personal für das Theater in Oklahoma aufgenommen! ...'»

Wir finden uns in unbestimmter, unbekannter Umgebung. In auffälligem Gegensatz zu seinem Verhalten im alten Romanteil vermeidet Kafka jeden Blick in die Vergangenheit. Das zeigt sich schon im ersten Satz, mit seiner ganz ungewohnten Unbestimmtheit: «Karl sah an einer Straßenecke ...» Man halte daneben die präzisen Einsätze in allen früheren Kapiteln – so im zweiten: «Im Hause des Onkels ...», im dritten: «'Wir sind angekommen', sagte Herr Pollunder gerade in einem von Karls verlorenen Momenten ...», im vierten: «In dem kleinen Wirtshaus, in das Karl nach kurzem Marsch kam ...», und so weiter bis zum Fragment I: «'Auf! Auf!' rief Robinson, kaum daß Karl früh die Augen öffnete.» Und am Anfang des ganzen Buchs hatte sich Kafka geradezu krampfhaft um den Eindruck bemüht, man stehe schon längst in einem festen Kontinuum; «Als der sechzehnjährige Karl Roßmann, der von seinen armen Eltern nach Amerika geschickte worden war, weil ...»

Solcher Dichte des Zusammenhangs gegenüber fühlen wir uns jetzt wie in einem Vakuum. Bloß der allerallgemeinste Rahmen ist noch da – der junge Karl an irgendeinem Ort im weiten Land Amerika. Das Plakat lenkt den Blick sogleich gewaltsam in die Zukunft; und kurz entschlossen fährt Karl nach Clayton, einem unbekannten Ort, wo er mit Erfolg die Aufnahmemaschinerie der Werbetruppe für das Theater von Oklahoma durchläuft. Noch ein kleines Stück der Eisenbahnfahrt nach Oklahoma wird geschildert – dann bricht der Roman endgültig ab.

Einen einzigen dünnen Faden nimmt Kafka aus dem alten Gewebe wieder auf. Beim Aufnahmebankett erblickt Karl plötzlich Giacomo, jenen Liftjungen, dessen Stelle er im Hotel «Occidental» übernommen hatte. Seither ist aber eine lange Zeit verflossen. «Was für Erinnerungen an vergangene Zeiten! Wo war die Oberköchin? Was machte Therese?» (S. 328). Eine Mindestzeit gibt uns Kafka in die Hand: «Die Voraussage der Oberköchin, daß er (Giacomo) in einem halben Jahr ein knochiger Amerikaner werden müsse, war nicht eingetroffen ...» (Kafka zitiert sich hier übrigens falsch, wie es ihm hie und da passiert, die Oberköchin hatte nämlich von fünf Jahren gesprochen; siehe S. 152.) Auch die Episode mit Giacomo ist also keineswegs eine lineare Fortsetzung aus den ersten Kapiteln, sondern die unvermittelte Neuaufnahme eines alten Motivs; der Liftjunge taucht auf wie eine Erinnerung aus längst vergangenen Zeiten. Das Gegenstück zu ihm ist Fanny, die trompetenblasende Bekannte unter den Engeln, der Karl ebenso überrascht begegnet wie dem Kameraden aus dem Liftdienst. Auch Fanny hat er offenbar schon lange Zeit nicht mehr gesehen: «Er war froh, eine alte Freundin getroffen zu haben ...» (310). Fanny aber kennen wir nicht; wir müssen sie uns in dem Zwischenstück denken, das seit dem Aufenthalt bei Brunelda verflossen ist. Ziemlich auffällig ist, daß Karl mit Fanny keine Erinnerungen austauscht, wie es doch naheläge und wie es mit Giacomo auch wirklich geschieht, wo die beiden darauf brennen, voneinander zu hören. Dieses auffällige Ausweichen vor der Erinnerung dürfen wir wohl als Indiz dafür auffassen, daß das Zwischenstück nicht irgendwo verlorengegangen, sondern gar nicht geschrieben worden ist; ein anderer Grund, warum Kafka so genau hätte vermeiden sollen, auf die gemeinsame Vergangenheit zurückzukommen, ist nicht ersichtlich.

Als letzter Hinweis auf die Zeit, die seit den Bruneldaepisoden verflossen sein muß, bleibt zu erwähnen, daß im Theaterfragment von Karls «letzten Stellungen» die Rede ist, in denen er den Rufnamen «Negro» führte – wovon uns ebenfalls nichts bekannt ist. Vor dem Beginn des Theaterkapitels hätte sich also Karl von Brunelda und Delamarche trennen, er hätte irgendwo Fanny kennenlernen und verschiedene Male die Stelle wechseln müssen. An der letzten Stelle ist er übrigens nicht bloß kurz geblieben: «*Während seiner ganzen letzten Dienstzeit* hatte er nur den größten Wunsch gehabt, irgendein fremder Dienstgeber möge einmal eintreten und diese Frage an ihn richten» (322).

So steht es also, was den äußeren Zusammenhang betrifft. Es kann kaum ein Zweifel daran bestehen, daß das Theaterfragment als selbständiges Stück entstanden ist. Alle direkten Fäden in die Vergangenheit sind abgeschnitten; auf der ganzen Breite setzt der Erzähler neu ein; gleich ist nur der allgemeinste Rahmen des Romans geblieben und als einzelnes Relikt Giacomo. Von natürlichem Anschluß ans Bekannte kann aber auch bei ihm keine Rede sein; es wirkt recht künstlich, wie ihn Kafka plötzlich wieder ins Rampenlicht holt, die meisten Leser werden sich nicht einmal mehr an ihn erinnern, so flüchtig war er im fünften Kapitel aufgetreten. Offenbar hat sich Kafka irgendwann einmal wieder an das liegengelassene Werk herangemacht, es aber nicht an der Abbruchstelle wiederaufgenommen, sondern weit weg vom alten Torso ein völlig neues Stück Handlung entwickelt.

Das alles schließt nun noch nicht aus, daß Brod im Grunde doch recht haben könnte mit seiner Auffassung, das Theaterkapitel sei die Krone des Amerikawerks. Es könnte ja sein, daß Kafka einen Abschluß in Angriff genommen hätte, ohne sich um das fehlende Zwischenstück zu kümmern; sei es nun in der Hoffnung, dieses später nachzutragen, oder auch bloß in der Absicht, dem unvollendeten Werk wenigstens ein geschlossenes Ende aufzusetzen – wie er es im «Prozeß» praktiziert hat. Man müßte nur Brods Überschwang auf das richtige Maß zurückschrauben und betonen, was er bloß im Vorbeigehen erwähnt: daß dieser Schluß nicht organisch aus dem Torso des Romans herauswächst, sondern ihm als selbständiges Stück angefügt ist. Ein Einschluß von Willkür, von Aufgepfropftem ist schwerlich wegzuleugnen. Das würde aber bedeutungslos im Moment, wo feststünde, daß Kafka dem Roman wirklich einen optimistischen Schluß geben wollte.

Im Text selbst fehlen nun allerdings alle sicheren Anhaltspunkte für eine solche Auffassung. Vor allem ist der neue Aufschwung selbst wieder in den Anfängen steckengeblieben; mitten in der Schilderung der Eisenbahnfahrt nach Oklahoma bricht Kafka ab, und das Theater, auf welches Karl so große Hoffnungen setzt, bekommen wir gar nie zu Gesicht. Wir sind mit Karl, was die Zukunft angeht, auf reine Versprechen und Andeutungen angewiesen. Außer einigen zuversichtlichen Worten Fannys, die aber aus zweiter Hand stammen, da sie selbst nie in Oklahoma war, gibt es jedoch im ganzen Textstück nur zwei Elemente, welche Schlüsse auf die Natur des Theaters erlauben: das Werbeplakat und die Aufnahmetruppe. Flößen die Vertrauen ein? Das Plakat mit seiner marktschreierischen Sprache? Wir müssen es uns in seinem ganzen Wortlaut zu Gemüte führen (S. 305):

«Auf dem Rennplatz in Clayton wird heute von sechs Uhr früh bis Mitternacht Personal für das Theater in Oklahoma aufgenommen! Das große Theater von Oklahoma ruft euch! Es ruft nur heute, nur einmal! Wer jetzt die Gelegenheit versäumt, versäumt sie für immer! Wer an seine Zukunft denkt, gehört zu uns! Jeder ist willkommen! Wer Künstler werden will, melde sich! Wir sind das Theater, das jeden brauchen kann, jeden an seinem Ort! Wer sich für uns entschieden hat, den beglückwünschen wir gleich hier! Aber beeilt euch, damit ihr bis Mitternacht vorgelassen werdet! Um zwölf Uhr wird alles geschlossen und nicht mehr geöffnet! Verflucht sei, wer uns nicht glaubt! Auf nach Clayton!»

Sogar Karl selbst, wenn er auch der Verlockung folgt, bewahrt ein gesundes Mißtrauen. «Mochte alles Großsprecherische, das auf dem Plakate stand, eine Lüge sein, mochte das große Theater von Oklahoma ein kleiner Wanderzirkus sein, es wollte Leute aufnehmen, das war genügend» (306). Im übrigen scheint es das Theater mit seinen Versprechen nicht allzu genau zu nehmen, denn die Aufnahmepforten werden offenbar lange vor Mitternacht geschlossen.

Und die Werbetruppe mit ihrem grotesken, ganz zu den großen Worten des Plakats passenden Aufwand? Mit ihrer sonderbaren Aufnahmemaschinerie, die Karl durch vier Kanzleien jagt, bis sich endlich diejenige für europäische Mittelschüler zuständig fühlt? Überhaupt diese Kanzleien! Wecken sie nicht ominöse Assoziationen an die Kanzleien im «Prozeß» und im «Schloß»? Und fühlt sich Karl nicht auch hier einer inquisitorischen Fragerei ausgesetzt? In den merkwürdigen Zeremonien, im Verhalten der Werbebeamten, die so unberechenbar wirken wie Karls Gegenspieler in früheren Zeiten, auch wenn das Ergebnis für diesmal zum Guten ausschlägt – in all dem liegen genug Indizien für die Annahme, Karl habe sich hier auf ein ganz gefährliches Abenteuer eingelassen.

Nun, das sind Spekulationen. Man kann sie aber ebensogut begründen wie die optimistischen Erwartungen, und das zeigt klar, wie unmöglich es ist, aus dem Text, der uns zur Verfügung steht, etwas Eindeutiges über das Schicksal herauszulesen, das Karl in Oklahoma erwartet. Vom Schlimmsten bis zum Besten läßt sich alles mit ebensoviel Recht denken. Im Text, das müssen wir ganz entschieden festhalten, findet also die optimistische Deutung keine genügend tragfähigen Stützen. Wenn sie sich in der Diskussion trotzdem mit beträchtlichem Gewicht behauptet hat, stützt sie sich ganz auf Max Brods Bericht von mündlichen Angaben Kafkas über seine Pläne mit dem Theaterfragment. Im Nachwort zur ersten Ausgabe des Amerikaromans (Gesamtausgabe von 1953: S. 356) schreibt er:

«Aus Gesprächen weiß ich, daß das vorliegende unvollendete Kapitel über das 'Naturtheater in Oklahoma[1]', ein Kapitel, dessen Einleitung Kafka besonders liebte und herzergreifend schön vorlas, das Schlußkapitel sein und versöhnlich ausklingen sollte. Mit rätselhaften Worten deutete Kafka lächelnd an, daß sein junger Held in diesem 'fast grenzenlosen' Theater Beruf, Freiheit, Rückhalt, ja sogar die Heimat und die Eltern wie durch paradiesischen Zauber wiederfinden werde.»

Auf dieser winzig kleinen Basis, die nur ihm zugänglich ist, baut Brod im gleichen Nachwort seine verwegen optimistische Interpretation des Amerikaromans auf, die in den Sätzen gipfelt:

«Im 'Amerika'-Roman dagegen wird durch die kindliche Unschuld und rührend naive Reinheit des Helden das Unheil gerade noch knapp in Schach gehalten. Wir fühlen, wie dieser gute Junge Karl Roßmann, der schnell unsere ganze Liebe gewinnt, allen falschen Freundschaften und perfiden Feindschaften zum Trotz, sein Ziel, sich im Leben als anständiger Mensch zu bewähren und die Eltern zu versöhnen, erreichen wird ... Nur wird der Kampf ums Recht diesmal mit ruhigerem Gewissen, in jugendlicher Ungebrochenheit geführt. Und die vergebliche, wie

[1] Die Bezeichnung «*Natur*theater» – überhaupt das Wort «Natur» – kommt im ganzen Kapitel nicht vor. Offenbar hat Brod das Theater und das ganze Kapitel selbst auf diesen Namen getauft.

oft ironisch genasführte Postensuche verweist auf die verwandten Geschehnisse im 'Schloß', mit der Ausnahme, daß hier, in 'Amerika', zum Schluß das erlösende, sei's auch durch gewisse Nebenumstände nicht ganz vollgültige 'Aufgenommen' erklingt» (S. 358).

Der große Streit brach nun aus, weil sich ja, wie wir wissen, in Kafkas Tagebuch unter dem Datum des 30. September 1915 (S. 481) die Notiz findet:

«Roßmann und K., der Schuldlose und der Schuldige, schließlich beide unterschiedslos strafweise umgebracht, der Schuldlose mit leichterer Hand, mehr zur Seite geschoben als niedergeschlagen.»

Dieser offene Widerspruch zu seiner These ist Brod oft vorgehalten worden, ohne daß er sich überzeugend verteidigt hätte. Wer die Stelle ernsthaft berücksichtigte – und das taten alle seriösen Forscher –, hielt sich an das unumstößliche schriftliche Zeugnis und sah darin das maßgebliche Indiz für Kafkas Plan. Nun stimmt es, daß sich Brod als Herausgeber unglaubliche Eigenmächtigkeiten erlaubte; ein Beispiel ist die Taufe des Theaterkapitels, die wir in der letzten Anmerkung erwähnten. Daß er aber eine Äußerung Kafkas geradezu erfunden oder so stark verdreht hätte, wie es hier der Fall sein müßte, vermögen wir ihm nicht zuzutrauen; er hat oft willkürlich Akzente gesetzt, aber nie zu Fälschungen und Erfindungen gegriffen. Es scheint mir darum doch zu billig, Brods Bericht, wie es die meisten Kritiker tun, einfach als unglaubwürdig beiseite zu schieben.

Wir können das um so weniger, als nicht zu übersehen ist, daß Kafkas Worte, wie Brod sie überliefert, sehr genau zur Euphorie passen, die das Theaterfragment selbst neben allen ominösen Indizien durchzieht. Das ist der springende Punkt: Der Widerspruch ist gar nicht aus der Welt geschafft, wenn man Brods Bericht anzweifelt – er liegt in Kafkas Text selbst. Wir können uns von ihm ebenso zu froher Erwartung wie zu größtem Pessimismus angeregt fühlen. In dieser Spannung liegt, wenn irgendwo, der Schlüssel zur Lösung des Oklahomarätsels verborgen – Auskunft kann uns aber offensichtlich nur der Text selber geben. In ihn müssen wir uns endlich ohne Voreingenommenheit für die eine oder andere Seite vertiefen.

Daß ihn eine euphorische, ja chiliastische Stimmung durchweht, ist unbestreitbar. Karls Hoffnungen wallen hoch empor.

Die Sprache des Plakats kann man nur bombastisch nennen. Die Szenerie, die Kafka vor unsere Augen zaubert, wirkt betäubend: Trompeten, Engel und Teufel, die in langen Reihen blasen und trommeln – ein Anklang ans Jüngste Gericht ist unverkennbar. Wie Fanfarenstöße wirken selbst die Ausrufzeichen im Plakat, und mit gleicher Resonanz dröhnt auch sein Inhalt; das Theater ruft, wie wenn es vor den letzten Richter ginge: «... Es ruft nur heute, nur einmal! Wer jetzt die Gelegenheit versäumt, versäumt sie für immer! ... Verflucht sei, wer uns nicht glaubt! ...» Ein ganz unglaublicher Spektakel, den Kafka da vor uns aufzieht.

Es dürfte schwerfallen, in seinem ganzen Werk Stücke von ähnlicher Aggressivität zu finden. Und doch – eine schmale Brücke verbindet das exzentrische Stück mit dem alten Roman. Verwandt in der Stimmung, wenn auch nicht entfernt so extrem in Gehalt und Ausmaß, sind die euphorischen Partien im Onkelkapitel – der Schreibtisch mit seinen hundert spielenden Federn und Schubladen, das schwebende Klavier, Karls seliges Klavierspielen und, für einen verschwindend kurzen Moment, das Aufleuchten der Freiheitsstatue am Anfang. An diesen Stellen melden sich, geradezu schüchtern im Vergleich mit dem Oklahomaexzeß, winzige Schößlinge jenes unbändigen Freiheitsdurstes zum Wort, der das «letzte Kapitel» zu sprengen droht. Offenbar haben wir es auch dort schon mit denselben Triebkräften zu tun; allein ihre Dimensionen haben sich seither gewaltig verändert, neue Bedingungen scheinen zu herrschen. Der eherne Ring, der sich um das innere Leben im alten Werk legte, scheint geborsten. Was jetzt geschieht, ist von vornherein unglaubwürdig, und Kafka gibt sich auch gar keine Mühe mehr, das zu verbergen; so bricht das bizarre, schießbudenhafte Wesen wie die wilde Jagd ins Theaterkapitel ein. Engel und Teufel, der tanzende Kinderwagen, die hektische Sprache des Plakats quellen weit über den Rahmen hinaus, den ein strenger Wille früher auch um die scheuen Zeugnisse von Kafkas Phantasie gezogen hatte. Im wunderbaren Schreibtisch, aber auch in den skurrilen Szenen der Geschäfts-, Hotel-, Portierlogenbetriebsamkeit war noch eine klar durchschaubare, in Grenzen gehaltene Methode am Werk: Eine rein mechanisch-logische Phantasie steigert Bekanntes nach dem Klischee des unendlichen Amerikas numerisch ins Extrem; und auch die bildmächtigen Gestalten Greens und Bruneldas unterstehen, wie wir gesehen haben, sehr präzisen Gesetzen in Kafkas Einbildungskraft. Im Theaterkapitel läßt Kafka seiner Phantasie in ganz anderem Maß die Zügel schleifen, da brechen in ekstatischem Überschwang mythische Bilder in die Wirklichkeit ein und verschmelzen mit ihr zu einem merkwürdigen Konglomerat. Entsprach der Grad der Erregung bei Karls Einfahrt in den New-Yorker Hafen etwa einem natürlichen Reisefieber, war sie bei Karls Klavierspiel wehmütig und versunken, so schießen jetzt Hoffnungen ins Kraut, die chiliastische Requisiten auf die Erde herabziehen.

Merkwürdigerweise bleibt der seltsame Spuk eingebettet in ein Prosastück, das daneben den Stil des alten Romanteils wieder aufnimmt, wie wenn nichts wäre. Wenige Beispiele lassen das rasch erkennen. Den naturalistischen Schaubildchen begegnen wir wieder:

«In der Kanzlei für Ingenieure saßen an den zwei Seiten eines rechtwinkligen Pultes zwei Herren und verglichen zwei große Verzeichnisse, die vor ihnen lagen. Der eine las vor, der andere strich in seinem Verzeichnis die vorgelesenen Namen an. Als Karl grüßend vor sie hintrat, legten sie sofort die Verzeichnisse fort und nahmen andere große Bücher vor, die sie aufschlugen» (316).

Das erinnert ganz an jene Szene im Kapitänsbüro. Dem Gegenstück, dem zerfallenden Stückchen Wirklichkeit, begegnen wir im letzten Abschnitt des Fragments, auf der Reise nach Oklahoma:

«Am ersten Tag fuhren sie durch ein hohes Gebirge. Bläulichschwarze Steinmassen gingen in spitzen Keilen bis an den Zug heran, man beugte sich aus dem Fenster und suchte vergebens ihre Gipfel, dunkle, schmale, zerrissene Täler öffneten sich, man beschrieb mit dem Finger die Richtung, in der sie sich verloren ...» (331).

Die adversativen Fügungen finden sich: «Diese zarten und doch kräftigen, langen und schnell bewegten Finger ...» (321); Karls Förmlichkeit:

«Es kam öfters vor, daß es Karl drängte, die gegebene Antwort zu widerrufen und durch eine andere, die vielleicht mehr Beifall finden würde, zu ersetzen, aber er hielt sich doch immer noch zurück, denn er wußte, welch schlechten Eindruck ein derartiges Schwanken machen mußte, und wie unberechenbar überdies die Wirkung der Antworten meist war» (321).

Sein krankhaftes Mißtrauen ist so wachsam wie früher: «Diese Frage» (nämlich: Zu welchem Posten fühlen Sie sich geeignet?) «enthielt möglicherweise wirklich eine Falle, denn wozu wurde sie gestellt, da Karl doch schon als Schauspieler aufgenommen war?» (322).

Die Zeitnot tritt wieder auf – im Laufschritt eilt man auf den Zug –, die Personenkonstellation um Karl ist ganz die alte (der gute Schreiber in der Aufnahmekanzlei und der böse, aber einflußlose Leiter), die Einzelnenperspektive ist durchaus eingehalten – kurz, alles Wesentliche ist beisammen. Mag sein, daß sich die strenge Zucht im ganzen etwas gelockert hat, daß direkte Rede, Karls Wünsche und Erwartungen etwas viel Platz einnehmen, daß Kafka etwas mehr plaudert als früher, uns mit Fanny und Giacomo überrascht und nicht mehr so streng komponiert; ins Gewicht fallen diese Unterschiede nicht, es handelt sich um jenes leichte Nachlassen der Konzentration, das uns gleich in jener Unebenheit des ersten Satzes aufgefallen war.

Das ganze ergibt die merkwürdigste Mischung. Der Abstand zwischen skurriler Phantasie und hektischem Atem einerseits, dem unberührten alten Naturalismus andrerseits scheint auf keine Weise zu überbrücken; auch als Kontrast- oder Spannungsverhältnis will er uns nicht plausibel vorkommen, die beiden Elemente laufen vielmehr beziehungslos nebeneinander her. Aber auch der phantastische Bereich selbst ist keineswegs homogen. Einerseits bemüht sich Kafka sichtlich um einen leichten Ton. Die Phantasieelemente kommen in komischem, fast lächerlichem Aufzug daher, die Engel sind in profane Kleider gehüllt, die Postamente aus handfesten Requisiten aufgebaut, die ganzen Anleihen bei mythischen Bildern gehen glatt im irdischen Propagandarummel der Werbetruppe auf – ein Aufgehen, das uns aber keineswegs beruhigt, uns vielmehr in eine sonderbare blasse Unzufriedenheit stürzt. Dann wieder läßt uns die Assoziation ans Gericht aufhorchen, und unversehens liegt die Landschaft unter den tiefernsten Schatten, welche der Gedanke an Richter und Strafe über Kafkas Welt legte. Das ist auf keine Weise mehr mit der komischen Wirkung der langgewandeten Engel zu vereinbaren. Das ganze Stück lebt offenbar von heterogensten Impulsen und oszilliert in einer Weise, die kaum mehr auf ein eindeutiges Konzept zurückzuführen ist.

Immer noch können Brod und seine Anhänger behaupten, dieses Fragment zeige jedenfalls, daß Kafka die Welt wenigstens momentweise auch leichter nehmen konnte. Aber täuscht uns unser Gefühl, daß gerade der leichte Ton recht künstlich wirkt; daß er, wie bis jetzt immer bei Kafka, bald einmal mit einer furchtbaren Wirklichkeit konfrontiert würde; daß es sich um eine forcierte Leichtigkeit handelt, ganz an jenes euphorische Frühlingsgefühl im Jugendbrief erinnernd, den wir im ersten Teil so ausführlich behandelten (vergleiche S. 38/39; und «Briefe», S. 28–30)? Neben dem unmißverständlichen Verdikt über Josef K. und Karl Roßmann im Tagebuch scheint auch ein Brocken Selbstgespräch, vier hingeworfene Worte im Tagebuch, diesen Pessimismus zu stützen:

«Die Lärmtrompeten des Nichts» (4. August 1917, S. 523). Aber es bleibt natürlich unbeweisbare Vermutung, daß damit die Trompeten des Oklahomafragments gemeint sind. Gab es nicht wenigstens Momente in Kafkas Schaffen, da er die Welt optimistischer sah?

Die Frage ist so offen wie zuvor. Aber langsam versiegen die Quellen, sie zu beantworten. Was im Oklahomastück selber an Anhaltspunkten liegt, haben wir ausgegraben; wir müssen uns langsam eingestehen, daß es zu einem sicheren Urteil über das Ganze nicht ausreicht. Aus der dichten Welt des Amerikaromans sind wir in eine Region verschlagen, wo uns nur Andeutungen, vage Versprechen und jähe Bilder umzucken; und es bleibt ganz unserer Intuition überlassen, zu welchem Gesamtbild wir diese Splitter ergänzen wollen. So versuchen wir uns denn einmal auf dieser schwankenden Grundlage die Deutung des «Schlußkapitels» zusammenzureimen, die uns nach all dem die einleuchtendste scheint – wohl wissend, daß wir nicht mehr die Evidenz für uns haben werden, die aus der Fülle des alten Romans sprach, sondern bestenfalls eine Wahrscheinlichkeit, die mehr überzeugt als der unfruchtbare Streit um das Ende des Romans.

Aus der bekannten Amerikaszenerie, von Kafka nach größerem Unterbruch wieder hervorgezogen, hebt sich ein Phantasieprodukt mit Zügen, die uns zunächst fremd anmuten. Die Richtung der Eruption ist zwar nicht neu; einen Aufschwung zu neuen Hoffnungen erlebten wir schon am Anfang des ganzen

Romans, eigentlich in seiner ganzen Konzeption, und wieder beim Onkel. Neu aber und beim ersten Lesen überwältigend ist die Wildheit des Ausbruchs. In die realistischen Kulissen brechen kosmische Visionen ein, Flammenspitzen einer ungezügelten Phantasie züngeln durch die mürbe Kruste der alten Landschaft; in Gehalt und Stil bricht Kafka stoßweise aus dem Rahmen aus, der bis dahin das Amerikawerk einfaßte. Ein erster Schluß, unterstützt durch den äußeren Befund, scheint unumgänglich: Das neue Stück ist vom alten deutlich abzuheben. Es ist nicht einfach eine Fortsetzung des Amerikaromans und schon gar nicht ein «letztes Kapitel»; wir müssen es als Neuaufnahme des brachliegenden Amerikathemas unter veränderten Bedingungen betrachten.

Wie sehen diese neuen Bedingungen aus? Vor allem ein Zug ins Grandiose reißt uns mit. Mächtig, visionär öffnen sich neue Perspektiven; Karl kommt in die Theaterwelt – ja in ein Welttheater, und das scheint mehr zu sein als ein Wortspiel; dafür spricht die unermeßliche Größe, die das Theater von Oklahoma haben soll, und sprechen die kosmischen Anklänge der Engel-und-Teufel-Szenerie. Vielleicht haben wir es mit den freischwebenden Fetzen einer kosmischen Gesamtschau des Lebens zu tun. – Das tönt gewaltig, doch ist es nicht geeignet, das Amerikawerk in andere Dimensionen zu heben, wie es die spekulativen Deuter zu tun lieben[1]. Was uns Kafka davon hinterlassen hat, ist nicht mehr als der versprühende Niederschlag einer Anwandlung, die ohne Folgen blieb, eines kurzen hektischen Spiels mit kolossalen Ideen und Bildern, das er bald wieder aufgab. Selbst in diesem Wetterleuchten aber erscheint der Kosmos, den Kafka zu fassen vermochte, in den ominösen Metaphern des Jüngsten Gerichts. Das Textstück, das wie ein Geisterspuk an uns vorüberzieht, trägt alle Anlagen zum schlimmen Ende in sich – wie das Schwert in der Hand der Freiheitsstatue drohend über dem Tor zum gelobten Land Amerika schwebte.

So bleibt denn das Exzentrische am Oklahomastück ein Spuk, der offenbar verschwindet, wie er gekommen ist. Er hat keine bleibenden Züge in Kafkas Gesicht eingegraben wie etwa der

[1] Auf dem Weg dahin befindet sich Norbert Fürst, der im Amerikaroman eine Allegorie des Kosmos sehen will, konsequent aus- und ad absurdum geführt hat das Alfred Borchardt mit seiner These, Kafka stelle im Amerikaroman das Gesuch um Aufnahme in die katholische Kirche.

Alptraum des «Urteils». Diese nüchterne Einsicht gibt uns noch keine Auskunft über den Sinn der Oklahomaproduktion. Aber sie reduziert doch deren Gewicht beträchtlich und gestattet uns die Feststellung, daß das Stück die Ergebnisse unserer Arbeit am realistischen Rumpf des Romans nicht wesentlich tangieren wird, sondern bestenfalls als Nebenprodukt gelten darf, das zwar Aufmerksamkeit verdient, jedoch nicht zum Schlüssel von Kafkas ganzer Amerikawelt gemacht werden darf. Kafka mag zu einer gewissen Zeit mit den alten Amerikamotiven und -entwürfen gespielt, Neues mit ihnen im Sinn gehabt haben; an der festen, tiefen Konzeption des alten Werkstücks in seiner Dichte und Geschlossenheit vermag dieses flüchtige Spiel mit Ideen und Bildern nichts zu ändern. Das wilde Oklahomastück ist darum auch innerlich als Neuaufnahme brachliegender Motive unter veränderten Bedingungen anzusehen – ein neues Interesse bemächtigt sich eines alten Themas zu neuen Zwecken und ohne tiefere Folgen.

Bei alledem verliert das rätselhafte Stück nichts von seiner Faszination. Steht es auch hinter dem ersten Amerikaexperiment an Bedeutung und Tiefe zurück, so interessiert es uns doch nicht minder, wie Kafka in dieser flüchtigen Anwandlung das Motiv gewendet hat; so dringend wie zuvor bleibt die Rätselfrage, was den Dichter für einen Augenblick in einen solchen Exzeß trieb.

Sogar in der ungewöhnlichen Familie der Werke Kafkas wirkt ja das Theaterfragment fremd, gesucht, ausgefallen, gewollt. Eine viel größere Rolle als sonst scheint der bewußte Wille, ja geradezu die Willkür zu spielen; erinnern wir uns nur daran, wie gewalttätig das Plakat eingeführt wird und mit welch bohrender Intensität es seine Rhetorik bis zu Drohungen und Verfluchungen steigert. Der Verdacht wird schließlich wach, daß wir es mit einem forcierten Ausbruch zu tun haben; daß die Quellen der unförmigen Schöpfung in besonderen Lebens- und Schaffensumständen des Dichters zu suchen sind. Kafka scheint sich von irgend etwas losreißen zu müssen, mit dem gewaltsamen Willen, den Durchbruch ins Freie zu erzwingen. Alles Alte wird weggeworfen, mit größtem Einsatz der Weg in eine verheißungsvolle Zukunft freigeschlagen; der Dichter sprengt die Fesseln des strengen Realismus und gestattet sich stilistisch den Auslauf in neue Regionen der ihn bedrängenden Einbildungskraft. Bald zeigt sich allerdings, wie fragwürdig die Grundlagen und Aussichten des Unternehmens sind. Wie schwerer Ballast hängt sich das alte Wesen an den neuen Stil, Karls Mißtrauen, die Unberechenbarkeit der Werbemaschinerie, der alte Realismus, das dringt durch alle Poren; stilistisch wären die heterogenen Elemente kaum überzeugend zu verschmelzen gewesen. Ganz abgesehen von den unheildrohenden Indizien für Karls Zukunft, hatte sich Kafka diesmal auch stilistisch in eine Sackgasse verrannt – im Rahmen der alten Kulissen waren die neuen Visionen nicht zu bewältigen. Kein Wunder, daß er das Unternehmen so bald wieder aufgab. Soweit wir wissen, hat er es nie wieder aufgenommen.

Warum aber hat er es überhaupt begonnen? Hat er die Fragwürdigkeit der Konzeption nicht von Anfang an durchschaut? Offenbar nicht. Sein ganzes Gehaben macht einen unsicheren Eindruck; als ob er sich, nachdem das Werk ins Stocken geraten war, in neue Gefilde vortastete, ohne schon einen klaren Weg vor sich zu sehen. In Tiefen, die er noch nicht deutlich erkannte, muß sich eine Umschichtung vorbereitet haben, die ihn zu einem verwegenen Ausbruch inspirierte, welcher ihm noch nicht in die richtigen Bahnen geriet. In einem Zustand unsicherer Ahndung neuer Möglichkeiten scheint ihn eine Vision überfallen und gleich so in den Strudel schwellender Hoffnungen auf neues Gelingen gerissen zu haben, daß ihm der klare Blick für das Mögliche abhanden kam. Tatsächlich trägt das Oklahomastück mit seinem flackernden Wesen ganz die Zeichen jener heftigen Eruptionen an sich, die Kafka in Zeiten inneren Umbruchs heimsuchten. Wir kennen das aus jener Nacht, als er in fliegender Hast das «Urteil» aufs Papier warf; nur mit dem Unterschied, daß ihm damals der große Wurf auf Anhieb gelang, während er offenbar mit der Theatervision vorprellte, als die Zeit noch nicht reif war, das neue innere Gesicht der Dinge noch nicht ausgeformt in der Seele bereitlag.

Wir spüren damit – zum erstenmal übrigens seit unseren vorbereitenden Studien im ersten Teil – das Bedürfnis, über den Text hinaus in die Biographie zu dringen. Offenbar wäre es wünschenswert, die äußeren Daten zu kennen, welche diese Vermutungen stützen müßten. Das ist im Fall des Oklahomastücks nicht so einfach wie beim «Urteil», denn wir wissen nichts Direktes darüber, wann und wie es entstanden ist. Brod erklärt

(Biographie, S. 183), Kafka habe ihm und seiner Frau «das unvollendete Schlußkapitel» während der Weihnachtsferien 1914 in einem Koliner Hotel vorgelesen. Nach dieser kleinen Stadt machten die drei auf ihrem Ausflug einen Abstecher; Kafka wollte dort das Hus-Denkmal des tschechischen Bildhauers Bilek sehen. Und hier fassen wir erregt den Zipfel einer ersten Spur: Denn Brod teilt mit, daß dieses Denkmal «ohne Sockel unmittelbar aus dem Erdboden aufzuschießen scheint». Die Parallele zu den trompetenblasenden Engeln, deren Gewänder bis an den Boden über die Podeste herabwallen, ist frappant (Brod übrigens, wie es scheint, nicht aufgefallen). Auffälligerweise figuriert jedoch das Oklahomafragment nicht in der Bilanz der Arbeiten, die Kafka wenige Tage darauf, am Silvester 1914, im Tagebuch aufstellt. Ein Kapitel des «Verschollenen» wird da zwar erwähnt, doch zählt er es zum «Fertigen» – um unser Fragment kann es sich demnach nicht handeln. Wenn wir nicht annehmen wollen, Kafka habe beim Aufzählen das Oklahomastück schlicht vergessen, das er wenige Tage vorher vorgelesen hat, oder Brods Bericht sei falsch, dann muß er es schon vor dem August 1914 fertig gehabt haben, denn mit diesem Datum beginnt die Werkbilanz: «Seit August gearbeitet ...» Blättern wir nun vom August 1914 an im Tagebuch zurück, so stoßen wir unter dem Datum des 29. Mai auf eine Eintragung, die unsere Szene wie ein Blitzschlag erhellt.

«Ich mache Pläne. Ich sehe starr vor mich hin, um nicht die Augen von den imaginären Gucklöchern des imaginären Kaleidoskops zu entfernen, in das ich schaue. Ich mische gute und eigennützige Absichten durcheinander, die guten werden in der Farbe verwaschen, die dafür auf die bloß eigennützigen übergeht. Ich lade Himmel und Erde ein, sich an meinen Plänen zu beteiligen, aber ich vergesse nicht die kleinen Leute, die aus jeder Seitengasse hervorzuziehen sind und die vorläufig meinen Plänen besser nützen können. Es ist ja erst der Anfang, immer wieder erst der Anfang. Noch stehe ich hier in meinem Jammer, aber schon kommt hinter mir der ungeheure Wagen meiner Pläne angefahren, die erste kleine Plattform schiebt sich unter meine Füße, nackte Mädchen, wie auf Karnevalswagen besserer Länder, führen mich rücklings die Stufen empor, ich schwebe, weil die Mädchen schweben, und hebe meine Hand, die Ruhe befiehlt. Rosenbüsche stehn zu meiner Seite, Weihrauchflammen brennen,

Lorbeerkränze werden herabgelassen, man streut Blumen vor und über mich, zwei Trompeter wie aus Steinquadern aufgebaut blasen Fanfaren, kleines Volk läuft in Massen heran, geordnet hinter Führern, die leeren, blanken, gerade geschnittenen, freien Plätze werden dunkel, bewegt und überfüllt, ich fühle die Grenze menschlicher Bemühungen und mache auf meiner Höhe aus eigenem Antrieb und plötzlich mich überkommendem Geschick das Kunststück eines vor vielen Jahren von mir bewunderten Schlangenmenschen, indem ich mich langsam zurückbeuge – eben versucht der Himmel aufzubrechen, um einer mir geltenden Erscheinung Raum zu geben, aber er stockt –, den Kopf und Oberkörper zwischen meinen Beinen durchziehe und allmählich wieder als gerader Mensch auferstehe. War es die letzte Steigerung, die Menschen gegeben ist? Es scheint so, denn schon sehe ich aus allen Toren des tief und groß unter mir liegenden Landes die kleinen gehörnten Teufel sich heraufdrängen, alles überlaufen, unter ihrem Schritt zerbricht alles in der Mitte, ihr Schwänzchen wischt alles aus, schon putzen fünfzig Teufelsschwänze mein Gesicht, der Boden wird weich, ich versinke mit einem Fuß, dann mit dem andern, die Schreie der Mädchen verfolgen mich in meine Tiefe, in die ich lotrecht versinke, durch einen Schacht, der genau den Durchmesser meines Körpers, aber eine endlose Tiefe hat. Diese Endlosigkeit verlockt zu keinen besonderen Leistungen, alles, was ich täte, wäre kleinlich, ich falle sinnlos und es ist das beste» (Tagebuch, S. 383/84).

Welch unglaubliches Dokument! Die Parallelen zum Oklahomastück sind so evident, daß wir uns fast schämen, sie aufzuzählen. Trompeter, wie aus Steinquadern aufgebaut (offenbar schon hier der Einfluß des Bildhauers), kleines Volk in Massen, geordnet hinter Führern (wie bei der Werbetruppe), die Mädchen, schließlich die Teufel: Diese Motive sind direkt ins Fragment eingegangen. Die Stimmung ist genau die gleiche: ekstatisch, visionär; Rosenbüsche, Weihrauchflammen, Lorbeerkränze, das Schweben (genau wie beim Klavier, auf gleicher Höhe mit den andern – der genauste Gegensatz zum ewigen Hinaufschauen Karls!) – das Ganze ein Wunschtraum.

Einige unauffälligere Korrespondenzen gewinnen besondere Bedeutung. Wir vermerken das Auftreten des Wortes «Karneval»: Schon über der ersten rauschhaften Vision hängt also jener

Firnis des Unernstes, den Kafka auch über das Fragment zieht. Wird hier aber nicht klar, daß diese Komik nicht natürlicher Ausgelassenheit, sondern der mißtrauischen Vorsicht entspringt, den unheimlichen Mummenschanz, den unkontrollierte Kräfte der Tiefe produzieren, prophylaktisch nicht ganz ernst zu nehmen? Die Einleitung zeigt unmißverständlich, aus welcher inneren Unsicherheit heraus der wilde Traum entsteht; wie bedrückend die Gegenwart ist und wie aus solcher Unzufriedenheit die phantastischen Hoffnungen sprießen: «Noch stehe ich hier in meinem Jammer, aber schon kommt hinter mir der ungeheure Wagen meiner Pläne angefahren ...» Es ist sicher nicht Zufall, daß Kafka seinen Plänen nicht ins Auge blickt, daß sie sich vielmehr von hinten unter seine Füße schieben. Himmel und Erde lädt er ein, sich an ihnen zu beteiligen, und doch traut er sich nicht richtig aus den kleinen Leuten der Nebengassen heraus: Der ganze Kontrast zwischen den mythischen Bildern und der prosaischen Alltagsumgebung des Oklahomastücks ist schon angelegt. Indes bestätigt es sich, daß Kafka in diesem rauschhaften Traum all die heterogenen Elemente, die dann bei der Ausführung des Fragments ihre Borsten gegeneinander kehren sollten, noch keineswegs unvereinbar scheinen.

Bei Kafka schiene es durchaus plausibel, daß eine so ungewöhnliche Vision ganz aus seinem Innern aufsteigt. Die Nachforschung zeigt indessen, daß sie diesmal eng mit seinen äußeren Lebensumständen zusammenhängt. Der 29. Mai 1914, an dem er sie niederschrieb, fand ihn am Vorabend eines außerordentlichen Ereignisses. Am gleichen Tag hat er vorher ins Tagebuch geschrieben:

«29. Mai. Morgen nach Berlin. Ist es ein nervöser oder ein wirklicher verläßlicher Zusammenhalt, den ich fühle? Wie wäre das? Ist es richtig, daß wenn man einmal die Erkenntnis des Schreibens erhält, nichts verfehlt werden kann, nichts versinkt, aber auch nur selten etwas übermäßig hoch emporschlägt? Wäre es das Herandämmern der Ehe mit F.? Sonderbarer, mir allerdings in der Erinnerung nicht ganz fremder Zustand» (382).

In Berlin sollte die Verlobung mit Felice Bauer vollzogen werden, die er seit 1912 kannte – für Kafka ein Ereignis ohnegleichen, dem er, wie die Notiz zeigt, nicht ohne echte Hoffnungen entgegensah. Doch wie sollten sie enttäuscht werden! Die Verlobung wurde zur Katastrophe:

«6. Juni. Aus Berlin zurück. War gebunden wie ein Verbrecher. Hätte man mich mit wirklichen Ketten in einen Winkel gesetzt und Gendarmen vor mich gestellt und mich nur auf diese Weise zuschauen lassen, es wäre nicht ärger gewesen. Und das war meine Verlobung, und alle bemühten sich, mich zum Leben zu bringen, und da es nicht gelang, mich zu dulden, wie ich war. F. allerdings am wenigsten von allen, vollständig berechtigterweise, denn sie litt am meisten. Was den andern bloße Erscheinung war, war ihr Drohung» (Tagebuch, S. 384).

Mitte Juli 1914 (zwischen dem 10. und dem 22., wie man aus Briefen interpolieren muß) ist Kafka nochmals nach Berlin gefahren und hat sich wieder entlobt.

Es wäre seltsam, wenn die Nachbarschaft der Verlobungsgeschichte mit dem Tagtraum von den Mädchen und Teufeln Zufall wäre. Kafkas Schaffensrhythmus hing in den «Amerika»-Jahren eng mit seinem Verhältnis zu Felice Bauer zusammen. Schon der ersten Bekanntschaft mit ihr im August 1912 war ja bald der schöpferische Ausbruch gefolgt («Urteil» am 22. September, dann Amerikaroman und «Verwandlung»). Dem alten Amerikaroman ging aber auch am 11. September 1912 ein Traum vom New-Yorker Hafen voraus, der in vagen Umrissen die Szene von Karls Ankunft in Amerika vorzeichnet: offenbar nach Atmosphäre und Stellung im Schaffensprozeß ein genaues Gegenstück zum Verhältnis von Engel-Wunschtraum und Theaterfragment.

Und so klären sich denn die Entstehungsumstände des Oklahomastücks mit ziemlicher Gewißheit auf. Das Traumerlebnis vom 29. Mai macht so sehr den Eindruck einer ersten Vision, daß man sich das verwandte, aber ausführlichere und kompliziertere Oklahomafragment nicht als Vorläufer dazu vorstellen kann; es muß vielmehr eine spätere, von jenem Traum inspirierte Ausführung sein. Nach Anfang August ist es aber, wie wir aus der Silvesterbilanz schließen müssen, auch nicht entstanden. Im Juni oder Juli 1914 muß also Kafka das umstrittene Schlußstück des Amerikaromans geschrieben haben.

So gewinnen wir zu unserer Überraschung in einem kriminalistischen Puzzlespiel doch noch eine solidere Grundlage für das Verständnis des widerborstigen Oklahomastücks. Von drei ganz verschiedenen Seiten her haben wir es jetzt eingekreist. Die

Untersuchung seiner äußeren Bindungen zum alten Romanteil ergab mit Sicherheit, daß es praktisch selbständig dasteht, mit Ausnahme des großen Rahmens nur neue Elemente enthält und weitab von der alten Handlung in anderer Landschaft ein neues Thema aufnimmt. Die Stilanalyse ergab, daß sich, äußerlich eingebettet in die alte Manier, schockierend neue Stilelemente erheben, die dem Stück seinen ganzen Charakter aufprägen; daß diese Elemente aber nicht zu einer einheitlichen Form zusammenwachsen und der ganze Versuch den Eindruck einer flüchtigen, bald wieder aufgegebenen Anwandlung macht. Zuletzt hat das Studium der Entstehungsumstände mit ziemlich großer Wahrscheinlichkeit ergeben, daß man die Geburt des Fragments auf zwei Monate des Jahres 1914 fixieren kann und daß es mit der Verlobungsepisode dieser Monate zusammenhängt. So eingekreist, bleibt noch ein genau bemessener Spielraum für eine Deutung des dichterischen Exkurses, welche zwar immer noch nicht hundertprozentige Gewißheit, aber doch einen ausreichenden Grad von Plausibilität beanspruchen darf. Zum zweitenmal, und jetzt mit wesentlich solideren Voraussetzungen, setzen wir denn zum Versuch einer Deutung an.

Wie wir das Oklahomafragment jetzt kennengelernt haben, steht es gerade noch locker und allgemein in der Amerikathematik drin, die Kafka von 1912 bis 1914 beschäftigte; aber die intime Verflechtung mit der prägnanten Handlung, die diesen Rahmen bisher ausfüllte, ist ganz weggefallen. Der Inhalt des neuen Stücks ist nicht die organische Fortsetzung des alten Romans; es steht äußerlich selbständig da, die Konzeption ist neu entworfen, die Akzente sind deutlich verschoben, das stilistische Klima weit exotischer, und Kafka stößt mit phantastischen Spitzen in neue Bild- und Gefühlsregionen vor, die zu fragmentarisch angedeutet sind, als daß wir sie durch und durch verstünden. In einer Aufwallung von extremen Gefühlsausschlägen und chiliastischem Gepräge hat Kafka das Amerikathema an sich gerissen, umgeknetet und gleich bis an den Punkt vorgetrieben, wo offenkundig wurde, daß der alte Rahmen unter dem Ansturm der neuen Gefühle zu bersten drohte.

Dank der Kenntnis der Entstehungsumstände des Oklahomafragments gerät jetzt dieses außerordentliche Geschehen in einen durchschaubaren Zusammenhang. In den Jahren 1913 und 1914 arbeitete Kafka in sporadischen Schüben am siebenten Kapitel des alten Romans («Asyl» bei Brunelda) und hat diesen Skizzen offenbar im Oktober 1914 eine abschließende Form gegeben. Diese Arbeit galt der organischen Fortsetzung der alten Handlung; dieser sind die Bruneldaepisoden nach Stil und Inhalt noch durchaus zuzuordnen, wenn auch gewisse Nuancen schon auf eine Wandlung des inneren Bildes hindeuten mögen. Mitten in diese Zeit fallen wie eine Springflut, welche die beengenden Dämme seiner angestammten Gefühlswelt überrannte, die Hoffnungen auf Verlobung und Ehe; dieses außerordentliche Erlebnis muß die ungewöhnliche heftige dichterische Entladung im Oklahomamotiv provoziert haben. Zum erstenmal in seinem engen, «irrsinnigen junggesellenmäßigen Leben» (Tagebuch, 15. August 1914) entstammt das Erlebnis nicht seiner eigenen, inzuchtgewohnten Innerlichkeit, sondern der Außenwelt und war ganz dazu angetan, gewaltige Hoffnungen auf diese zu entzünden. In diesem Moment überfiel ihn die Vision von den Engeln und Teufeln und seinem eigenen Schlangenmenschenkunststück. Wie wir uns wohl erinnern, erlebte Kafka dieses Kunststück nicht als wirklich vollbrachtes, sondern von Anfang an als Zukunftstraum von wunderbaren Möglichkeiten im «imaginären Kaleidoskop, in das ich schaue», er sah «in meinem Jammer» den Wagen seiner Pläne angefahren kommen; und auch dieser Traum ging schon in stetem Bogen von der Beseligung in den tiefsten Sturz über. Und da Kafka schon am andern Tag nach Berlin zur Verlobung abreiste, muß das Oklahomafragment entstanden sein, *nachdem* sich diese schon unter den schlimmsten Begleitumständen abgewickelt hatte («war gebunden wie ein Verbrecher»). Trotzdem, und das ist entscheidend, hielt sich diesmal in der ganzen Entwicklung ein Rest von echter Hoffnung. Mochte schon in der Vorahnung die Angst überwiegen, so zeigt doch die nüchterne Notiz «Morgen nach Berlin ...» am Vorabend der Verlobungsreise, daß Kafka Momente erlebte, wo er ernsthaft eine bessere Zukunft ins Auge fassen konnte, nicht jeden Mut von vornherein verlor. Das gilt auch nach der deprimierenden Verlobungsszene. Im Juni-Juli 1914 schreibt Kafka zum Beispiel (Briefe, S. 129) aus Prag an Jizchak Löwy:

«Übrigens eine Neuigkeit: Ich habe mich verlobt und glaube damit etwas Gutes und Notwendiges getan zu haben, wenn es natürlich auch soviele Zweifel in der Welt gibt, daß auch die beste Sache vor ihnen nicht sicher ist.»

Und auch nach der Entlobung hielt die ambivalente Stimmung an, die Kafka hie und da optimistische Ausblicke bescherte. Denn der ganze dichterische Ausbruch vom Juni-Juli 1914 war, obwohl er selbst scheiterte, das leidenschaftliche Vorspiel zu einer Periode ungeahnter Produktivität, der wir als schönste Frucht den «Prozeß» verdanken; und Kafkas Notizen zu dieser Zeit sind manchmal von erstaunlicher Ruhe und Ausgeglichenheit.

Damit ist deutlich geworden, daß wir im Oklahomafragment den Moment einfangen, wo die inneren Voraussetzungen, die Kafkas Dichten seit dem «Urteil» im Herbst 1912 bestimmen, zu wanken beginnen – den Moment, wo Kafka den Bedingungen der Amerikawelt entwuchs. Wohl zwang er sich im Oktoberurlaub 1914 noch dazu, das Bruneldakapitel fertigzumachen; allein es ist wohl nicht Zufall, daß es im Unterschied zu den ersten sechs Kapiteln, die alle sehr geschlossen wirken, in eine Serie von einzelnen Episoden zerfällt (Flucht vor dem Polizisten, Gespräch mit Robinson, Wahlumzug, Kampf mit Delamarche und Bekanntschaft mit dem Studenten). Das Oklahomaexperiment aber war offenbar ein erster Ausbruchsversuch aus den alten Schranken, entstanden in einem Klima vager Ahnung neuer Erfahrungen, ausgelöst durch das erschütternde Erlebnis der Verlobung; scheiternd zwar, weil die neuen Gefühle, die da in vulkanischer Eruption an die Oberfläche quellen, im alten Amerikagehäuse nicht zu bewältigen waren und Kafka noch keine adäquaten neuen Ausdrucksformen fand – und doch als Ganzes ein deutliches Zeichen für das Herannahen neuer Möglichkeiten. Offenbar drang Kafka in eine neue Gefühlszone vor, wo Hoffnungen und Angstvisionen auf und ab wogten, ohne daß sich die Waagschale auf die eine Seite neigte – genau wie damals im September 1912, als das «Urteil» die Euphorie auslöste, der wir den Amerikaroman verdanken. Etwas war in Bewegung gekommen und brachte die Grundlagen ins Wanken, auf denen seit anderthalb Jahren die Amerikawelt ruhte.

Damit löst sich endlich die Verkrampfung um das Ende des Amerikaromans und gibt den Blick frei auf ein klares Bild von Stellung und Bedeutung des Oklahomafragments in Kafkas Amerikaodyssee. Zweifellos müssen wir annehmen, Karls Leben hätte, wäre das Werk vollendet worden, keinen guten Ausgang nehmen können – so wenig wie der Wunschtraum vom 29. Mai. Aber wir können das tun, ohne daß wir gezwungen sind, Max Brod und die Anhänger des «guten» Karl brüsk zu desavouieren. Der Dichter hatte keinen festen Plan; Ideen und Bilder umschwebten ihn, ohne daß er schon das Ende sah; und aus verzweifeltem Befreiungsdrang wie auch durch äußere Hoffnungen angestachelt, schlug er sich in die Flucht nach vorn. Dabei scheinen ihm hie und da Momente der Erleichterung geschenkt worden zu sein. Einer solchen Anwandlung können sehr wohl die von Brod notierten, so heftig umstrittenen Rätselworte entstammen, die Karl Roßmann in Oklahoma alle Wunder bescheren.

Daß diese Hoffnungen flüchtige Anwandlungen blieben, daß Kafka nicht entfernt dazu kam, die wundersame Vision auszuführen, wird niemanden überraschen. Im tiefsten Grund seiner Seele hat er vielleicht selbst nie ganz daran geglaubt. Es bleibt aber auffällig, daß die scharfen, eindeutig pessimistischen Urteile alle aus späterer Zeit stammen: das «strafweise umgebracht» vom 30. September 1915, die «Lärmtrompeten des Nichts» vom 4. August 1917, und am 19. Juli 1916 finden wir im Tagebuch noch eine an sich belanglose Skizze, in der aber auch auf eigentümliche Weise Engel und Gericht in Nachbarschaft geraten:

«Sonderbarer Gerichtsgebrauch. Der zum Tode Verurteilte wird dort in seinem Zimmer vom Scharfrichter ohne Beisein anderer Personen erstochen. Er sitzt an seinem Tisch und beendet den Brief, in dem es heißt: Ihr Geliebten, Ihr Engel, wo schwebt ihr, unwissend, unfaßbar meiner irdischen Hand ...» (Hier bricht die Eintragung ab[1].)

Offenbar konnte Kafka dem bitteren Ende erst klar ins Auge sehen, als er sich nicht mehr aktiv mit dem Thema befaßte. Und selbst da hatte er noch das Bedürfnis, das Urteil über Karl abzuschwächen: «... strafweise umgebracht, der Schuldlose mit leichterer Hand, mehr zur Seite geschoben als niedergeschlagen.» Im gefühlsbetonten Moment der Niederschrift selbst überließ er sich willig der Empfindung, neue Möglichkeiten vor sich zu haben; es ist, wie wenn er in der Periode, da ihm die innere

[1] In Ton und Inhalt eine erstaunliche Korrespondenz zu Rilkes schrecklichen Engeln aus der ersten Elegie – 1916! (Vergleiche S. 31–40.)

Umschichtung bewußt wurde, für einen Augenblick die tödliche Konsequenz außer Kraft gesetzt hätte, welche ihn sonst immer bis zum bitteren Ende treibt. So erscheint das Theaterfragment als Frucht einer Übergangsphase, die uns einen experimentierenden, noch nicht «definitiven» Dichter zeigt – noch nicht den Kafka, der in den folgenden Monaten bei der Arbeit am «Prozeß» auch in der Gattung des Romans seine reife Form fand.

Der alte Streit um das Ende des Amerikaromans dürfte damit beigelegt sein. Der Ausblick in das Theater von Oklahoma öffnet keine umstürzenden Perspektiven, wie Brod meinte, der sich, sei es bewußt oder instinktiv, praktisch kritiklos auf alles stürzte, was bei Kafka den Glauben an eine bessere Welt zu belegen schien; er muß Kafkas Andeutungen zum mindesten sehr extensiv interpretiert haben. Anderseits ist aber sein Hinweis auch nicht einfach als Geflunker abzutun; und seine optimistische Auffassung hat als Moment im ganzen Zusammenhang durchaus ihr Daseinsrecht. (Brod hat übrigens versucht, seiner Auffassung nachträglich diese relativistische Färbung zu unterlegen; siehe seinen Artikel «Zur Deutung von Kafkas Amerika» in der «Neuen Zürcher Zeitung» vom 13. März 1958, Nr. 711.) Beide Parteien im homerischen Streit um Karl Roßmanns Ende haben sich in eine absolutistische Fragestellung treiben lassen, die im Text, wie er wirklich vorliegt, gar keine Basis findet. Denn weit wichtiger als die Hypothese, wie der Roman geendet hätte, ist ja die Tatsache, daß ihn Kafka eben nicht vollendet hat – und zwar offensichtlich aus tiefer innerer Nötigung. Das hat man mit aller Entschiedenheit beiden Auslegungsschulen entgegenzuhalten, der optimistischen und der pessimistischen. Wir haben das Oklahomafragment als das zu nehmen, was es ist – ein Fragment, in seiner ganzen Ambivalenz und Vorläufigkeit. Auch das wilde Oklahomastück, das ist unser letzter Schluß, und damit das gedankliche Ende des ganzen Amerikaexperiments fügt sich wie alles andere in Kafkas Lebenstakt von Aufschwung und Rückschlag ein. Es handelt sich bei der Frage nach Karl Roßmanns Ende nicht um ein Entweder-Oder, wie der heftige Streit glauben machen könnte, sondern um ein Zuerst-Nachher; ein Auf und Ab – die Grundfigur, aus der es für Kafka kein Entrinnen gab. Wie ein ewiger Refrain dazu klingen uns wieder die Sätze im Ohr, mit denen Kafka am 4. April 1913 Kurt Wolff das erste

Kapitel zur Veröffentlichung anbot: «Es ist ein Fragment und wird es bleiben, diese Zukunft gibt dem Kapitel die meiste Abgeschlossenheit» (Briefe, S. 115). Und drei Wochen später insistiert er: «Es würde mir sehr viel daran liegen, daß wenigstens auf dem inneren Titel, wenn es nur irgendwie angeht, unter dem Titel 'Der Heizer' der Untertitel 'Ein Fragment' steht» (Briefe, S. 117).

Das Traumland der unbegrenzten Möglichkeiten

Als wir uns zu Beginn des letzten Kapitels an die Arbeit am Oklahomafragment heranmachten, taten wir es vor allem in der Absicht, zu erfahren, ob etwa die Gesetze der Amerikahandlung, die wir uns erarbeitet hatten, durch diese exzentrische Fortsetzung widerlegt würden. Blicken wir jetzt auf die Ergebnisse zurück, so merken wir verblüfft, wie sehr sich unsere Interessen verschoben haben. Mit einem Seitenblick notieren wir gerade noch, daß wir auf die beunruhigende Anfangsfrage eine befriedigende Antwort erhalten haben – und wenden uns alsbald gebannt den neuen Perspektiven zu, die sich beim Eindringen in das bizarre Stück geöffnet haben.

Ohne Zweifel ändert die Existenz des «Schlußkapitels» nichts am festen Bau der Erkenntnisse, die wir aus dem alten Romanteil gewonnen haben. Gegenüber der dichten, reichen Welt des realistischen Romans bleibt der euphorische Exzeß der flatterhafte Wurf einer vorübergehenden Anwandlung – ein kleiner wilder Seitensproß an einem alten, mächtigeren Stamm. Kafka nimmt zwar das alte Thema wieder auf, springt aber völlig respektlos mit ihm um und macht es in exaltierter Stimmung wesentlich anderen Zwecken dienstbar. Das Stück, das entstand, ist ein grotesker Versuch, den er bald wieder abbrach, ein Unikum selbst in der exotischen Menagerie von Kafkas Dichtungen.

Je länger wir uns aber mit ihm abgeben, desto mehr scheint uns, daß das exotische Wesen, das die Deuter so sehr fasziniert, überhaupt nicht das Wesentliche daran ist, ja den Blick von einem Interesse in der Tiefe ablenkt, das auf die Länge weit wichtiger scheint. Immer stärker tritt unter der wirren Oberflächenmelodie ein tiefer, fester Orgelpunkt hervor, und zwar gerade im Raum der winzig kleinen Brücke, die das Stück mit dem alten Roman verbindet. Tief unter dem phantastischen Wust der Bizarrerien mottet Kafkas brennendes Interesse am alten Thema und an den Möglichkeiten, die es in sich birgt, weiter. Ein unwiderstehlicher Drang scheint ihn zur Grundsituation «Karl Roßmann in Amerika» zurückzuziehen, ungeachtet der Verschiedenheit der Stimmung, in der er sich diesmal befindet. Die Chancen des jungen Karl schlagen ihn immer wieder in den Bann und entlocken ihm einmal eine sorgfältig realistische, einmal eine ironisch-phantastische Dichtung. Welch großem Wandel auch die Möglichkeiten unterworfen sind, die im Thema liegen – das Grundmotiv selbst übt in den Jahren 1912 bis 1914 eine gleichbleibende Faszination auf ihn aus.

Damit hat sich herausfordernd das Thema vor unsere Augen gehoben, das wir bis jetzt sorgsam gemieden haben und das doch bei unserem Versuch, den Überblick über das Ganze zu gewinnen, ins Zentrum rücken muß: die Grundsituation von Roman und Fragment, der motivische Generalrahmen «Karl Roßmann in Amerika». Es scheint der Moment gekommen, da wir uns der Struktur und Bedeutung der ganzen Amerikawelt zuwenden müssen, in der sich Kafkas Innenleben so reich entfaltet.

Warum also wählt Kafka einen sechzehnjährigen Jungen mit einer ungewöhnlichen Vergangenheit zu seinem Helden? Wie kommt es dazu, daß ihn der scheue, sich in Prag einkapselnde Dichter nach Amerika führt? Und warum ist dieses Amerika so seltsam gemischt aus großartigen Zügen und dem kleinräumigen Realismus von Karls engster Umgebung? All diese Züge prägen, noch bevor die Einbildungskraft am Stoff zu arbeiten beginnt, das Gesicht des «Verschollenen» in seinen Grundlinien, und die ausgebrannten Grundmauern des Gebäudes braucht Kafka schließlich auch noch als Fundamente für die zum Himmel strebende Architektonik des Oklahomaexperimentes. Aus welchem Grund hat ihn diese eigenartige Konstellation so tief angezogen? Und warum gerade von 1912 bis 1914? Irgendwie muß sie sich zum Ausdruck seiner Gefühle in dieser Zeit besonders geeignet haben. Wo finden wir den Schlüssel, der uns den Zugang zu diesen tiefen Zusammenhängen öffnet?

Es gibt am Anfang des Romans ein Bild von klarster Leuchtkraft, das unverbraucht einer ersten Vision zu entspringen scheint.

Der junge, aus Europa verstoßene Karl Roßmann bei der Einfahrt ins weite, offene Land Amerika, wo seiner alle Möglichkeiten warten: Diese herrliche Szene trägt die Frische des Ursprungs an sich. Wenn uns nicht alles täuscht, ist hier der Moment zu fassen, in dem sich die Grundkonzeption «Amerika» aus den wolkigen Konturen der mit Entwürfen spielenden Einbildungskraft verfestigte. Aus dem Grund der Seele aufsteigend, scheint dieses Bild des jungen Einwanderers ein Spiegel der Dinge zu sein, die den Dichter selbst tief im Innern beschäftigen. Und mit einemmal werden wir inne: Es widerspiegelt aufs genaueste seine eigene Lage nach dem schöpferischen Durchbruch im «Urteil». Eben ist er aus der drückenden Enge jahrelanger Stagnation ausgebrochen und sieht eine Welt voll schöpferischer Möglichkeiten vor sich. Weht uns nicht aus dem ersten Abschnitt des Romans die Erwartung von Licht, Freiheit und Zukunft an?

Nicht weniger bedeutungsvoll ist natürlich, was sich aus diesem Beginn entwickelt. Der Dichter sucht in ihm selbst umsonst nach den Kräften, die notwendig wären, den weiten Rahmen auszufüllen; vielmehr rebelliert seine Phantasie und gebiert ihm nichts anderes als Bilder von der eignen Hast, Enge, Not und Schuld. In den Tiefen der schaffenden Seele, aus der die Bilderfolge aufsteigt, spielt sich der uns bekannte Urbogen von Aufbruch und Enttäuschung ab. Kafkas Erzählung bedeutet für ihn selbst das Scheitern einer Hoffnung[1]. Gegen das Ende der ersten Schaffensetappe schreibt er Brod:

«Ich habe gesehen, daß da ganz andere Kräfte nötig sind, als ich sie habe, um dieses Zeug aus dem Dreck zu ziehen» (Briefe, S. 111, 13. November 1912).

Und wie sagte er später zu Janouch?

«Am besten spricht man über ferne Dinge. Die sieht man am besten. 'Der Heizer' ist die Erinnerung an einen Traum, an etwas, was vielleicht nie Wirklichkeit war» (Janouch, S. 24).

Im Rückblick sieht Kafka klar, daß Karl Roßmann keine wirkliche, sondern eine erträumte Gestalt war.

[1] Weil der Aufbruch für das Werk so wesentlich ist wie das Scheitern, habe ich Brods eigenmächtige Benennung «Amerika» neben «Der Verschollene» auch hie und da gebraucht. Vergleiche «Zum Titel des Amerikaromans», S. 12/13.

In einem andern Gespräch (S. 24–25) wehrt er sich energisch gegen Janouchs Vermutung, Karl sei nach einer Vorlage gezeichnet. Wohin ihn seine Sehnsucht zieht, deutet er in den anschließenden Sätzen an:

«Karl Roßmann ist nicht Jude. Wir Juden werden aber schon alt geboren.»

Tatsächlich hat Kafka seinen Helden mit christlichen Attributen ausgestattet: mit der Erinnerung ans Krippenspiel (S. 51) und einer Taschenbibel (S. 115). Diese Züge wirken allerdings so ephemer, daß sie der Leser kaum bemerkt. Sie sind aber symptomatisch für Kafkas Vorstellungen: Karl soll offenbar eine hoffnungsvollere Weltanschauung haben als das Judentum. Weit besser als diese Äußerlichkeit wirkt ja Karl selbst in seiner Jugendlichkeit, der sechzehnjährige, strebsame Junge an der Schwelle des Lebens. Kafka überläßt sich dem Traum, eine Zukunft vor sich zu haben, die auf Gestaltung wartet. Mit welcher Anteilnahme folgt er Karl in sein Leben hinein! Zum andern Eckpfeiler der Konzeption aber wird der Handlungsschauplatz – Amerika, das «Land der unbeschränkten Möglichkeiten», das Karl empfängt. Ein weiteres Gespräch mit Janouch bezeigt, daß dem Dichter dieser Ausdruck voll weitgespannter Hoffnung wohl vertraut ist; und auch, daß er deren Wunschtraumcharakter zu dieser späten Zeit klar durchschaut. Als ihm der junge Freund «Photographien konstruktivistischer Bilder» vorlegte, sagte Kafka:

«Das alles sind nur Träume von einem wunderbaren Amerika, von einem Zauberland unbeschränkter Möglichkeiten. Das ist durchaus verständlich, da Europa immer mehr und mehr zum Land der unmöglichen Beschränktheit wird» (Janouch, 89).

«Träume von einem wunderbaren Amerika»: die leiteten Kafka, da er seinen Karl auf die Lebensbahn schickte.

So wäre denn die ganze Grundkonzeption des Romans von 1912, wäre dieses Jungenschicksal in Amerika nichts anderes als die Spiegelung von Wünschen und Vorstellungen in des Dichters eigener Brust? Die Deutung scheint fast zu banal, mahnt an allzu direkt gezogene trivialpsychologische Konstruktionen. Wir haben bisher erst festgestellt, daß einerseits der Roman zu seiner Grundszenerie einen Jungen in Amerika hat und andrerseits Kafka zu später Zeit (Janouch sprach ja 1920 mit ihm) in flüchtigen

Aperçus das Traumland Amerika dem beschränkten Europa gegenüberstellt. Wir müssen prüfen, ob es sich beim Verhältnis zwischen Romanbild und bewußten Überlegungen um eine oberflächliche Parallele oder um jenen innigen Ausdruck der seelischen Regungen handelt, welcher sich in jeder Faser des Werks niederschlägt.

Die erste Probe finden wir in der Entdeckung, daß sich manches, was uns bisher verwirrte, aufs natürlichste aufklärt, sobald wir es in den Rahmen dieser Konzeption stellen. In erster Linie ist hier das irritierende Stilphänomen der Klischees zu nennen, die inmitten des naturalistischen Eifers wie ein Fremdkörper wirken. Klischees verwenden heißt ja nichts anderes als stilistisch allen Hindernissen aus dem Weg gehen – und eben ein Verschwinden der Hindernisse, an die er überall anstieß, versprach sich Kafka offenbar, als er geistig ins Land der unbegrenzten Möglichkeiten auswich. Bezeichnenderweise konzentrieren sich die Klischees auf die allgemeinen Vorstellungen vom Leben in Amerika: die Wolkenkratzer New Yorks, seinen Verkehr, die Fabrik- und Hoteleinrichtungen. Das ist aber der Bereich, der außerhalb des engen Gesichtskreises Karls beginnt. Mit Klischees überbrückt demnach Kafka die Kluft zwischen dem, was er aus eigener Erfahrung zu schildern sich getraut, und dem weiten Rahmen «Amerika», den er in verwegener Hoffnung ausgesteckt hatte. Und was ist der Inhalt der Klischees? Auch hier: Alle Widerstände scheinen aufgehoben, Verkehr-, Fabrik- und Hotelbetrieb laufen ohne Störung, Karl selber läßt mit einem Federdruck die hundert Fächer seines Schreibtisches spielen und das Klavier im Aufzug emporschweben, selbst auf gleicher Höhe mitschwebend. Karls Hoffnung, mit seinem Klavierspiel die amerikanischen Verhältnisse zu beeinflussen, ist das verwegene Extrem dieser Freiheitssehnsucht. Der Onkel aber ist der Zauberer, der alle Möglichkeiten des Wunderlandes aufschließt und dem Roman am Anfang die Weite zu geben verspricht, die Kafka insgeheim von ihm erwartet. Nicht umsonst drängen sich die Klischees im Onkelkapitel zusammen. Geradezu wollüstig nützt Kafka den selbstgeschaffenen Innenraum von Freiheit und Traum aus, der mit dem äußeren Leerrahmen «Amerika» korrespondiert.

Mit dem Wunschtraumcharakter hängt auch der futurische Zug zusammen, der durch «Amerika» geht und uns zunächst irritieren muß, weil sonst keine Schöpfung Kafkas auf die Zukunft ausgerichtet ist. Gewöhnlich haben wir es mit einem stagnierenden Geschehen oder einer stationären Situation zu tun. Es ist ein Grundschema von Kafkas Geschichten, daß er über eine bestimmte Lage, die meist am Anfang mit wenigen Strichen gezeichnet wird, nicht hinwegkommt, sich daran festhakt, sich immer weiter in sie hineinbohrt und sich in diesem qualvollen Geschäft erschöpft. Musterbeispiele sind die «Verwandlung», «Vor dem Gesetz», «Der Schlag ans Hoftor», «Der Dorfschullehrer» (von Brod als «Riesenmaulwurf» herausgegeben), «Der Prozeß» und «Das Schloß». Die Handlung von «Amerika» dagegen geht über mehrere Stationen, Episoden werden abgeschlossen und neue in Angriff genommen. Karl selbst beschäftigt, was einmal geschehen ist, überhaupt nicht mehr, dafür bis in die Nähe des Verfolgungswahns alles, was möglicherweise geschehen könnte. Ohne die geringste Spur von Bewegung nimmt er die Nachricht von der Verstoßung durch den Onkel entgegen; überaus typisch ist die schon mehrmals zitierte Reaktion: «Die schlimme Nachricht, welche den ganzen Abend in Green gesteckt hatte, war überbracht, und von nun an schien Green ein ungefährlicher Mann» – während sich Karl das Geheimnis hinter dieser Figur in den düstersten Farben ausgemalt hatte, solange es noch zu erwarten war.

Offensichtlich schuf sich Kafka mit dem Kunstgriff, seinen Jungen in ein unerforschtes, ihm selbst fernes Land zu schicken, die verführerische Möglichkeit, in eine Zukunft hinein schreiben zu können, wo noch nicht alles durch die lähmenden Erfahrungen der Gegenwart verbaut war. Der weitgezogene Rahmen schuf überall Spielraum. Zunächst äußerlich, mit der Möglichkeit, unangenehme Kapitel schließen, aus drückender Umgebung nach neuen Ufern aufbrechen zu können. Dann aber auch innerlich: Nirgends in Kafkas Werk finden wir so viele Träume und Sehnsüchte wie im Amerikaroman; über eine ganze Seite spinnt Karl die Vorstellung aus, wie er aus dem Landhaus überraschend zum Onkel heimkehren wolle (S. 75/76) – und allerdings auch den Angsttraum, was bei der Entdeckung Robinsons im Hotel alles geschehen könnte (S. 185/86).

In diesem Zusammenhang gewinnt das Oklahomafragment noch einmal ein besonderes Profil. Offensichtlich nützt Kafka in ihm noch einmal die futurischen Möglichkeiten der Themaanlage von «Amerika» aus – und zwar gleich bis zum Höchstmaß des Möglichen. Hatte Kafka zuerst den weitgespannten Rahmen episch und im Detail ausgemalt, so ballen sich jetzt die latenten Hoffnungen und Ängste für einen kurzen Moment zu einem Ausbruch zusammen, der die Zeichen des verzweifelten Willens an sich trägt, alles aus dem Motiv herauszupressen, was es an Möglichkeiten der Befreiung birgt – und so entstand das bizarre, chiliastisch-bigotte Unikum. So bis zum letzten ausgelaugt ließ Kafka das Thema liegen, ohne daß es ihm den Durchbruch ins gelobte Land, in eine Gegend freieren Spielraums für seine beengte Seele geschenkt hätte. Die Epoche, in der er sich vom dichterischen Aufenthalt im Land Amerika etwas versprochen hatte, war zu Ende. Wie wir in Janouchs Aufzeichnungen gesehen haben, war sie ihm später nur noch ein ferner, versunkener Traum, an den er sich wehmütig erinnerte.

Das Theaterfragment ist die letzte virulente Eruption der geheimen Hoffnung auf Amerika – aber der «Verschollene» ist nicht etwa die erste. Wir können sie vielmehr in Spuren bis in die früheste Zeit zurückverfolgen. Das Amerikawunschbild ist wirklich nicht die Laune eines Augenblicks, sondern früh und tief in Kafkas Gefühls- und Gedankenwelt eingegraben.

Kaum erkennbar, wie verschämt meldet sich die Amerikasehnsucht schon in jener Skizze der «Betrachtung» mit dem merkwürdigen Titel «Wunsch, Indianer zu werden», wo sie eine Symbiose mit dem Wunschtraum vom Reiten eingeht, das für Kafka ein Symbol der Überlegenheit ist. (Karl darf beim Onkel reiten!)

«Wenn man doch ein Indianer wäre, gleich bereit, und auf dem rennenden Pferde, schief in der Luft, immer wieder kurz erzitterte über dem zitternden Boden, bis man die Sporen ließ, denn es gab keine Sporen, bis man die Zügel wegwarf, denn es gab keine Zügel, und kaum das Land vor sich als glattgemähte Heide sah, schon ohne Pferdehals und Pferdekopf» (Band «Erzählungen», S. 44).

Ein tief verräterisches Dokument aber ist der jugendliche Schreibversuch, von dem Kafka im Tagebuch am 19. Januar 1911 (S. 39–41) aus der Erinnerung berichtet:

«Einmal hatte ich einen Roman vor, in dem zwei Brüder gegeneinander kämpften, von denen einer nach Amerika fuhr, während der andere in einem europäischen Gefängnis blieb. Ich fing nur hie und da Zeilen zu schreiben an, denn es ermüdete mich gleich. So schrieb ich einmal auch an einem Sonntagnachmittag, als wir bei den Großeltern zu Besuch waren und ein dort immer übliches, besonders weiches Brot, mit Butter bestrichen, aufgegessen hatten, etwas über mein Gefängnis auf ... In den paar Zeilen war in der Hauptsache der Korridor des Gefängnisses beschrieben, vor allem seine Stille und Kälte; über den zurückbleibenden Bruder war auch ein mitleidiges Wort gesagt, weil es der gute Bruder war ...»

Welch tiefe Verwandtschaft zum Amerikaroman! Schon der ganz junge Kafka gestaltet unwillkürlich den tiefen Zwiespalt seiner Seele im Bild des Gegensatzes Europa–Amerika, der noch im Gespräch mit Janouch in größter Klarheit erscheint. Der Unterschied ist bloß, daß Kafka im reifen Alter einsieht, daß das nur Träume des eingeengten Europäers sind, während er in der Jugendzeit – und noch im Amerikaroman – diese Träume wirklich träumt. «Im europäischen Gefängnis»: Dieser Ausdruck bedeutet gewiß primär konkret «ein Gefängnis irgendwo in Europa», wo der zurückgebliebene Bruder sitzt. Ohne Zweifel dürfen wir aber dahinter schon den metaphorischen Sinn «Europa als Gefängnis» mithören – «das Gefängnis, in dem ich sitze». Noch im Gespräch mit Janouch entspringt der Ausdruck «Land der unmöglichen Beschränktheit» gewiß nicht bloß der spielerischen Lust an der Umkehrung des Klischees, das der Europäer für Amerika bereithält, sondern drückt Kafkas eigenes Gefühl aus. Der andere Bruder jedoch flüchtet im jungen Versuch nach Amerika: Ein überdeutlicher Ausdruck der unstillbaren Sehnsucht, aus innerer Gefangenschaft in den Raum auszuweichen, wo nach der Sage das Unmögliche möglich wird. Ein Klischee der Jahrhundertwende mit ihrer Auswandereuphorie (der ja auch der Traum vom Erbonkel entstammt) wird in Kafkas Seele charakteristisch verwandelt. Amerika und Europa werden zu Polen, um die herum sich die Kraftströme von Kafkas gequälter Seele ziehen – hier das Leiden am engen Gefäß für das Ich, in das er sich gepreßt fühlt, dort der weite Raum, den er sich sehnsüchtig erträumt. Und so treffen wir denn die charakteristische Kluft, die durch alle

Erfahrungen und Äußerungen Kafkas gegangen ist, in einem ungeheuer groß gespannten Rahmen wieder an. Die Räume, in denen Kafka die Menschen seines ersten Romans ansiedelt, eine Geographie, die uns zunächst ganz geheimnislos schien, Schauplatz eines Auswandererschicksals, wie sie in realistischen Romanen zu Dutzenden auftreten, wird zur Landkarte seiner zerfurchten Seele.

So viel könnten wir schon aus dem Amerikaroman allein herauslesen; die Parallele im jugendlichen Entwurf stützt aber unsere Gewißheit ganz erheblich. Indessen weisen die Gestalten der beiden Brüder, so skizzenhaft sie auch in der späteren Aufzeichnung erscheinen, auf Wurzeln zurück, die noch tiefer liegen und aus dem «Verschollenen» allein kaum zu erkennen wären. Die ganze Amerikamotivik ist nämlich an ihren Quellen mit anderen Motiven der Frühzeit durch ein geheimnisvolles, fest vorgeprägtes Grundmuster verbunden. In Karl Roßmanns Förmlichkeit haben wir früher ein inneres Auseinandertreten kennengelernt, ein Tun als ob, das nichts anderes war als die Konsequenz des Gefühls, der Außenwelt etwas schuldig zu sein. Dieses Gefühl führte Kafka dazu, sich ohne eigene Regung und sogar gegen den eigenen Willen den Erwartungen entsprechend zu verhalten, die er seiner Umwelt unterschob, zum Beispiel indem er sich «zum Dank durch eine etwas New Yorkisch gefärbte Redeweise angenehm zu machen sucht» (S. 60), oder wenn er, da der Chauffeur von ihm die Bezahlung erwartet, in die Taschen greift, «obwohl er wußte, daß es nutzlos war» (235). Zuletzt geht nun wohl auch die Spannung, welche die beiden kämpfenden Brüder verkörpern, auf das Gefühl des unüberbrückbaren Abstands zwischen vorgegebener Pflicht und magerem Leistungsvermögen zurück, den wir «das Schulden» nannten. Wir werden das besser verstehen, wenn wir den frappanten Parallelfall zur Entwicklung des Amerikamotivs in die Diskussion ziehen: die «Verwandlung». Auch die Keime dieses Motivs reichen in Kafkas Frühzeit zurück. Eduard Raban nämlich, der Held der «Hochzeitsvorbereitungen auf dem Lande», möchte sich ebenfalls in zwei Menschen teilen; und zwar genau im Moment, wo er sich vor einer widerwärtigen, unaufschiebbaren Pflicht sieht. Kafka führt das ganz offen als Wunschvorstellung ein («Hochzeitsvorbereitungen», 11/12).

«Und überdies kann ich es nicht machen, wie ich es immer als Kind bei gefährlichen Geschäften machte? Ich brauche nicht einmal selbst aufs Land fahren, das ist nicht nötig. Ich schicke meinen angekleideten Körper. Wankt er zur Tür meines Zimmers hinaus, so zeigt das Wanken nicht Furcht, sondern seine Nichtigkeit. Es ist auch nicht Aufregung, wenn er über die Treppe stolpert, wenn er schluchzend aufs Land fährt und weinend dort sein Nachtmahl ißt. Denn ich, ich liege inzwischen in meinem Bett, glatt zugedeckt mit gelbbrauner Decke, ausgesetzt der Luft, die durch das wenig geöffnete Zimmer weht.»

Und zwei Sätze später stoßen wir auf die bestürzende Wendung:

«Ich habe, wie ich im Bett liege, die Gestalt eines großen Käfers, eines Hirschkäfers oder eines Maikäfers, glaube ich ... Eines Käfers große Gestalt, ja. Ich stellte es dann so an, als handle es sich um einen Winterschlaf, und ich preßte meine Beinchen an meinen gebauchten Leib. Und ich lisple eine kleine Zahl Worte, das sind Anordnungen an meinen traurigen Körper, der knapp bei mir steht und gebeugt ist. Bald bin ich fertig – er verbeugt sich, er geht flüchtig und alles wird er aufs beste vollführen, während ich ruhe.»

Damit öffnen sich die weitesten Perspektiven. Daß der Wunsch Rabans perfekte Förmlichkeit ist, ist klar. Die Beleuchtung scheint aber anders als bei den beiden Brüdern. Das bequeme Leben hat bei Raban jener Teil des Ich, der sich ins Schneckenhaus zurückzieht, während der ausziehende allen Schwierigkeiten der Welt ausgeliefert wird; und auch Freiheit scheint hier der sich verkriechende Teil zu genießen, während draußen Mühsal und Beklemmung warten. Diese Umkehrung gegenüber der Gefängnistopographie muß uns nicht verwirren. Im Rückblick ist ja einfach zu sehen: Keine der beiden Möglichkeiten, weder der Versuch, sich der Welt zu stellen, noch das Sicheinkapseln, kann in Kafkas Welt zum Erfolg führen – dazu müßten, was ihm ewig versagt ist, beide zusammenfallen. Darum ist jede der beiden Möglichkeiten in sich selbst wieder ambivalent. Ohne das zu merken, fällt der ganz junge Kafka aus einer Variante in die andere und wählt naiv immer gleich die für ihn schmeichelhafteste Auslegung: Die Gefangenschaft im Innenraum kann Ausdruck der Ehrlichkeit und Gutmütigkeit sein, die der rohen Außenwelt nicht gewachsen ist – diese Vorstellung fließt unbefangen dem jungen Romanschreiber in die Feder, der den «guten Bruder» den Kampf verlieren läßt. Und ebenso naiv stellt er einige Jahre später das Gegenbild dar: Wie sich einer vor der unangenehmen Welt ins Bett, in die Freiheit des Innenlebens flüchtet. Einmal liegt die Freiheit in der Ferne, einmal innen; ganz nach Wunsch und scheinbar ohne Probleme.

Innerlichkeit als freier Raum und als Gefängnis, Außenwelt als drohende Last und als Ziel der Sehnsucht: Das läuft in Kafkas früher Zeit nebeneinander her, ohne sich zu stoßen; er dachte noch nicht so weit, daß er die Unvereinbarkeit dieser Konzeptionen realisiert, die Gewalt erraten hätte, mit der sie einmal aufeinanderprallen mußten. Weich gab er dieser und jener Regung nach, ahnte nicht, daß sie, alle aus ihm selbst aufsteigend, seine Welt zur Hölle machen würden, sobald er sie als seine einzige, unentrinnbare erkannte. Diese Einsicht war dem Reifeprozeß vorbehalten, der sich bis 1912 entwickeln sollte. Welche Zeichen aber gibt uns Kafkas Einbildungskraft schon in der frühen Zeit! Der Instinkt eilte dem Verstand weit voraus und hielt Bilder bereit, die der Dichter niederlegte, ohne die bestürzende Bedeutung zu ahnen, die sie einmal bekommen sollten. In Europa im Gefängnis: Das ist schon durchsichtig; allein der junge Literat malt sich nur melodramatisch und oberflächlich die kalten Korridore aus. Aber dann der Käfer im Bett! In völliger Indifferenz tritt das Bild in den «Hochzeitsvorbereitungen» auf, ein nichtssagender Vergleich, der durch die Anspielung auf den Winterschlaf noch explizit ins Äußerliche gezogen wird. Und doch muß diese Käfervorstellung, die da wie ein Irrlicht durch das flache Jugendwerk geistert, schon unbewußt aus jenem Sumpf von Erniedrigung stammen, der sich in der «Verwandlung» ekelerregend über alle Dämme hinweg ans Tageslicht wälzen sollte! Erinnern wir uns schließlich jenes parallelen Vorgangs mit dem Maulwurf, den der Hund zu Tode biß – als der zwanzigjährige Kafka ein unklares Mitgefühl mit der gequälten Kreatur richtiggehend verdrängte, bis es viel später im «Bau» den tiefsten Ausdruck fand (vergleiche S. 38 und 45–46).

Damit enthüllt sich das erstaunliche Schauspiel, welches uns die Entwicklung Kafkas bis 1912 im wolkigen Reich der Bilder und Motive bietet. Die Ordnung in Kafkas Welt des Schuldens widerspiegelt sich früh schon in der Tiefe der schaffenden Seele; Motive und Symbole von tiefer Bedeutung liegen da bereit, die Spannung Europa–Amerika, Freiheit und Gefängnis, Außen-

und Innenwelt, das Bild vom Käfer im Bett; hie und da tritt etwas davon an die Oberfläche, wird hingeschrieben, ganze Konzeptionen werden sogar skizziert – aber noch vereinzelt, ohne die Spannung, welche erst die Einsicht verleiht, daß alle einzelnen Ordnungen und Bilder in *eine* Welt ohne Ausweg gehörten. Und dann, in der Schöpfungsserie vom Herbst 1912, in Kafkas erster reifer Epoche, bricht die latente Ambivalenz der beiden Pole der Förmlichkeit wie ein lange zurückgehaltener unterirdischer Strom gewaltsam aus. In beiden Fällen haben sich die Wertungen umgekehrt: Mit inniger Hoffnung und wärmstem Anteil begleitet jetzt Kafka seinen Jungen nach Amerika hinein – der «gute Bruder» fährt jetzt über den Ozean, jedoch auch er auf der Flucht; Europa hat ihn ausgestoßen, von ihm erhofft der Dichter schon nichts Gutes mehr. Und schrecklich sind die Folgen, wie der Traum von Amerika zunichte wird. Kafka wendet sich dem anderen in der Jugend präludierten Doppelmotiv zu, dem «Sich-ins-Bett-Verkriechen», da sich im Ausreißen keine Hoffnung erfüllte. Aber zu welch anderer Entfaltung kommt jetzt das Motiv! Der Käfer, in den «Hochzeitsvorbereitungen» durchaus neutral, wird zum Ungeziefer, das unter den scheußlichsten Begleiterscheinungen aus Gesellschaft und Familie ausgestoßen wird.

Das heimliche Gesetz, unter dem das ganze Schaffen der frühen Epoche steht, ist das Auseinandertreten zweier Pole, das seinen tiefen Ursprung im inneren Zwang zur Förmlichkeit findet. Auch in der «Beschreibung eines Kampfes» übrigens, also unter ganz anderen Umständen, tritt die Förmlichkeit offen zutage, und zwar wie in den «Hochzeitsvorbereitungen» als bequemer Ausweg gegenüber äußeren Pflichten: Denn der ganze «Kampf» besteht darin, daß sich der Ich-Erzähler von der Konversation mit dem lästigen Begleiter dispensiert und sich willenlos seinen Phantasien überläßt (das wird klar beim Übergang von Teil I zu II, S. 23). In ähnlichen Bahnen, aber weit ernsthafter und gefährlicher entwickelt sich der schöpferische Ausbruch im Herbst 1912. Der Rhythmus der Motivwahl vom 22. September bis Ende November folgt heimlich der Figur des Schuldens; unwillkürlich wählt Kafka für das Auf und Ab der Welle die beiden Pole, die, im Käfer- und im Amerikamotiv, der Bilderschatz der Seele bereithält. Nach dem «Urteil», dem visionären Geschenk einer Nacht, das dem lange zurückgestauten Schaffensdrang die Schleusen öffnete, fällt Kafka auf das Motiv vom Jungen, der nach Amerika auszieht, und legt die ganze Hoffnung und den Zukunftsglauben hinein, den der Durchbruch in ihm erweckt hatte; nachdem der Plan bei der Ausführung gescheitert ist, stürzt er sich grimmig auf das Motiv vom Ungeziefer, das sich, unfähig, die Welt zu bewältigen, in sein Bett verkriecht, und führt es mit tödlicher Konsequenz dem Ende zu.

Im «Verschollenen» und in der «Verwandlung» stehen sich die Pole plastisch gegenüber, die unversöhnlich, aber auch nicht sich selbst genug in Kafkas Dasein liegen. Später einmal (1915) hat Kafka selbst diesen unheilbaren Riß in seiner Seele und seiner Dichtung in Worte gefaßt. Für die «Verwandlung» steht in der Tagebuchnotiz die «Strafkolonie» – der Antagonismus war nicht an besondere Zeiten gebunden, sondern liegt im unwandelbaren Grund seines Schaffens.

«9. Februar. Gestern und heute ein wenig geschrieben. Hundegeschichte.

Jetzt den Anfang gelesen. Es ist häßlich und verursacht Kopfschmerzen. Es ist trotz aller Wahrheit böse, pedantisch, mechanisch, auf einer Sandbank ein noch knapp atmender Fisch ... Wenn sich die beiden Elemente – am ausgeprägtesten im 'Heizer' und in der 'Strafkolonie' – nicht vereinigen, bin ich am Ende. Ist aber für diese Vereinigung Aussicht vorhanden?»

Die «Infrastruktur» des Romans und eine Gesamtdeutung

Nachdem wir in unserem Streifzug durch den Amerikaroman bis zu den Wurzeln der Konzeption gedrungen sind, scheint der Gedankengang zu einem gewissen Abschluß gelangt zu sein. Der Überblick, dem wir zustrebten, scheint erreicht, das Werk rundherum abgeschritten, und denken wir zurück an die Aufgabe, die wir uns ganz am Anfang stellten, so scheint es, als ob wir vor dem Ziel stünden. Jenes Geheimnis, das wir zu Beginn so deutlich spürten und doch auf keine Weise zu fassen wußten, es hat sich uns stufenweise erschlossen. Nachdem wir einen allgemeinen Leitfaden in der latenten Neigung zum Schulden gefunden hatten, haben wir die wichtigsten Lebensbereiche der Amerikadichtung einzeln abgeschritten: Karl Roßmanns Seelenleben, die charakteristischen Züge der Personenwelt, bestimmte Konstanten, die den Roman durchziehen: die sozialkritische Komponente und die geheime Neigung zur Gerichtsatmosphäre und Angeklagtenperspektive; schließlich, der Zusammenfassung zustrebend, die Handlung mit ihrem von innen gesteuerten Rhythmus, das komplizierte Problem des Romanschlusses und zuletzt die heimlichen Regungen, welche die Gesamtkonzeption des Werkes bestimmen.

In einem erstaunlichen, quellenden Reichtum von Äußerungen haben wir dabei erlebt, wie ein in aller Vielfalt immer gleiches Lebensgefühl von geprägter Eigenart und Konstanz in erschütterndem Drängen seinen Ausdruck sucht. An diesem Lebensgefühl tritt beim Rückblick ein Zug dominierend in den Vordergrund. Was Kafka schreibt, zielt nicht auf Äußeres, lebt nicht aus der natürlichen Freude am epischen Ausbreiten von Dingen und Welt; es erfüllt sich aber auch nicht im sachlichen Schildern von Innerlichem, von Charakteren und Beziehungen – vielmehr wird alles, was dem Dichter unter die Hände gerät, zum direkten Ausdruck innerer Erfahrungen. Alles Rohmaterial, sei es äußerlicher oder seelischer Natur, scheint durchmasert von einer heimlichen, genauen Gesetzen unterstehenden Infrastruktur, die je länger, je mehr am ganzen Werk das wichtigste zu sein scheint. Wir wenden darum den Blick nochmals nach innen, diesmal quer durch den ganzen Körper des Werks hindurch, mit dem erklärten Ziel, das verästelte Gewebe dieses empfindlichen Nervensystems im Gesamtzusammenhang bloßzulegen. Das Strukturgesetz, das auf unsichtbare Weise den Werkkörper durchgliedert, soll zum Schluß seine zusammenfassende Darstellung erhalten. Etwas Ähnliches haben wir schon bei den Betrachtungen zum Thema «Schulden» betrieben. Allein dort ging es noch um Grundfiguren in Kafkas Wesen überhaupt; jetzt gilt es, die besondere Schichtung im Inneren des Amerikaromans zu erfassen.

Wir versenken uns für einen Augenblick nochmals in die Stimmung des unbefangenen Lesers beim ersten Gang durch die Kapitel, etwa im Landhaus oder im Hotel. Wie verschieden auch diese Geschichten aufgefaßt werden, es gibt doch ein Moment, in dem jedermann den unverkennbaren Kafka wiederzufinden glaubt: Es ist der unheilvolle Ausgang des Geschehens. Man mag sich streiten, wie man sich dazu stellen und ob man das als Kafkas letztes Wort gelten lassen soll: Daran, daß seine Welt bis tief ins Mark von Unheil gezeichnet ist, hat nie jemand gezweifelt. Gewöhnlich läßt Kafka diese Vorgänge in einem halb oder ganz unwirklichen Raum abspielen. Oft brechen irreale Geschehnisse in eine reale Umgebung ein, wie in der «Verwandlung», bei der lebendigen Zwirnspule Odradek oder den magischen weißen Bällen, die Blumfeld verfolgen. Auch wo Kafka, wie im «Urteil», im «Prozeß» und im «Schloß», die äußere Realität intakt läßt, entfernt sich die Handlung weit vom Gewohnten, und nicht nur die Natur dieser Vorgänge, sondern auch die Tragweite und Bedeutung des sie umwitternden Unheils sind außerordentlich schwer abzuschätzen und heftig umstritten. «Amerika» ist in dieser Hinsicht ein einzigartiger Sonderfall. Hier hat sich Kafka ohne Vorbehalt in den Rahmen der hergebrachten Realität eingeschlossen, und wir besitzen damit das kostbare Exempel, wie sich sein fremdartiger Geist unter allgemeinverständlichen Bedingungen verhält. Dabei stellen wir fest, daß sich die Dämonie seiner Welt auch unter diesen Bedingungen durchsetzt; aber auch, daß sie das auf eine Weise tut, die sich von den üblichen Vorstellungen erheblich unterscheidet.

Im Zentrum steht die Beobachtung, daß sich Kafka entgegen der landläufigen Erwartung ausgesprochen bemüht, die Handlung offen zu halten. Der Leser soll offenbar gerade *nicht* den Eindruck bekommen, Karl erliege zwangsläufig dem Einfluß böser Mächte[1]. An kritischen Stellen der Verhandlung im Hotel entscheiden Imponderabilien über den Verlauf. Auffällig ist vor allem das störende Dazwischentreten des obersten Liftjungen Beß in einem entscheidenden Moment, ganz wie bei jenem Intermezzo mit dem Brief im Landhaus. Hartnäckig wiederholt sich an neuralgischen Stellen der Handlung dasselbe Schauspiel: Um keinen Preis läßt sich Kafka auf eine bestimmte Variante des Ablaufs, auf ein klares Abgrenzen der Verantwortung festlegen. Wie im Landhaus, so auch im Fall Robinson balanciert

[1] Das Grundübel vieler Deutungsversuche liegt darin, daß sie diesem Umstand übersehen. Fast alles, was an Emrichs Werk falsch wirkt, ist seinem Grundfehler zuzurechnen, als bewußtes Programm darzustellen, was sich dem Dichter gegen großen Widerstand entringt.

Kafka mit auffallender Sorgfalt die Kräfte um Karl so aus, daß keiner einzelnen ein entscheidender Einfluß zukommt. In der Oberköchin schafft er das notwendige Gegengewicht gegen den unversöhnlichen Oberportier; der Oberkellner aber, der in der Mitte steht und die Entscheidung in der Hand hält, ist keineswegs ein Mann der Willkür, sondern des Ernstes und der Ordnung. Daß er den folgenschweren Entscheid zu Karls Ungunsten trifft, ist das Ergebnis einer Konstellation von Umständen, die Kafka demonstrativ so einrichtet, daß nirgends schlüssig eine Verantwortung fixiert werden kann. Der Schluß ist klar und unausweichlich: Kafka steuert gar nicht auf das Unheil los, das sich am Ende durchsetzt. Warum denn kommt es nicht nur trotzdem zustande, sondern macht überdies einen so zwingenden Eindruck?

Die Antwort ist einfach. Des Dichters pessimistische Überzeugung vom Lauf der Welt ist in einer seelischen Tiefe festgelegt, die keine Begründung mehr erträgt und keine verlangt. Der Dichter traut sich nicht einmal, sie zu rechtfertigen. Daher die unüberwindliche Hemmung, sobald er die Verantwortung für den verhängnisvollen Ablauf festlegen sollte! Hinter ihr steht die tiefe Scheu, die Ursache des Verhängnisses in der Außenwelt zu suchen. Kafkas Hang zum Pessimismus ist eine durch nichts anfechtbare, keiner Rechtfertigung bedürftige Grundanlage tief im Innern; das Eigenste, was uns dieser Dichter gibt, unvergleichlich fester, als es jeder bewußte, auf beweisbare Umstände rekurrierende Entscheid sein könnte.

Damit liegt das Geheimnis über dem eigentümlichen Gang des Geschehens im «Verschollenen» so klar wie noch nie vor unseren Augen. Kafka macht sich daran, ein einfach erfundenes Schicksal aus der realen, uns allen bekannten Welt zu schildern. Er hat den ehrlichen Willen, sie offen zu zeigen, wie sie ist. Nun geschieht aber das Eigentümliche, ihn zutiefst Kennzeichnende. Wie einem unerklärlichen Zwang folgend, nehmen alle Dinge, die ihm unter die Hand geraten, eine katastrophale Wendung. Es ist der tiefe, unbesiegbare Fatalismus, der hier im geheimen wirkt. In der realistischen Handlung, die Kafka aufzieht, steckt verborgen eine unheilbare Disposition zum Schuldigwerden, breitet sich von innen her aus und bringt es mit einemmal, ohne daß wir dahinterkommen, wie es zugegangen ist, aber unfehlbar dahin, daß Karl (und im ersten Kapitel der Heizer) verurteilt und ausgestoßen wird. Jetzt verstehen wir, was uns immer und immer wieder unvorbereitet begegnete: wie sich die Handlung aus scheinbar unverdächtiger Ausgangslage zu beklemmenden Konstellationen entwickelt – warum sich der Dichter immer wieder unversehens in der Gerichtsperspektive wiederfindet.

So erscheint denn unter der farbigen Oberfläche von Karls Abenteuerleben in Amerika, das äußerlich kaum von Romanen ähnlichen Schlages zu unterscheiden ist, ein Grundgewebe, das im Großen und im Kleinen von einmalig Kafkascher Art ist. Im großen Muster treten die Runen des Schuldens wie in einem verwitterten Felsen heraus, und die Details sind von den tausend unheimlichen Zügen umflackert, die wir in unserer Untersuchung zusammengetragen haben. Unter der glatten Oberfläche des Romans lodern Kafkas geheime Regungen und lauern darauf, alles Vorgeschobene an sich zu reißen. Sei es im Charakter der Hauptperson, in der Konstellation der übrigen Personen, im sozialen Gefühlskomplex, im brüchigen Naturalismus, in Kafkas einzigartig konsequenter Einzelnenperspektive: Überall regt und entfaltet sich unter einer scheinbar problemlosen Oberfläche mächtig ein inneres Leben, dessen vielfältige Formen alle aus *einer* tiefen Quelle, Kafkas charakteristischer Disposition zu Schuld und Enge, stammen. Sie steuert, schwer durchschaubar, aber wirksamer als jede bewußte Lenkung sein ganzes Schaffen und Wirken.

Von diesem Lebensquell aus müßte eigentlich der Roman als Ganzes zu erfassen sein, und so wagen wir uns denn endlich, nachdem wir seine Landschaften bisher immer nur einzeln durchstreift haben, an die Gesamtinterpretation heran.

Kafkas Amerikawerk hängt innig mit seiner Frühepoche zusammen, dieser ganz eigenen Entwicklung bis 1912; genau widerspiegelt es seine seelische Disposition im Herbst dieses entscheidenden Jahres, die Sicht der Welt, wie sie sich aus den mühsamen Versuchen des ersten Schaffensjahrzehnts entwickelt und nach dem Dammbruch im «Urteil» geöffnet hatte. Eine angeborene Enge, das spürte er zutiefst und erfuhr es täglich, machte ihm zu schaffen, war das Hauptthema, das ihm aufgegeben war. Er wurde später zum Dichter, der ein Grundmotiv seiner Epoche, die Ausweglosigkeit des Menschen, bis zur Neige auszukosten hatte.

In seiner Reifezeit sollte er klar durchschauen, daß diese Ausweglosigkeit für ihn in Wahrheit ohne Hoffnung war, und sich unter lähmenden Druck dieser Erkenntnis in endlosen An-Ort-Treten mit ihren Konsequenzen auseinandersetzen. (Wunderbarer Ausdruck dieser Situation ist das Höhlenleben des Maulwurfs im «Bau».) Es scheidet Kafkas Frühepoche scharf von der Reifezeit, daß diese klare Einsicht noch fehlte, daß er heimlich oder offen nach einem Ausweg suchte, von besseren Zuständen träumte. Zwar gab er sich keinen Illusionen über die Gegenwart hin – so weit sein Auge in die Umgebung blickte, fand er sich eingekesselt; allein er fühlte sich in unklarer Ahnung noch von einem weiteren Gürtel von Lebensmöglichkeiten umgeben, in den er nur noch nicht vorgestoßen zu sein wähnte.

Dies Lebensgefühl findet seinen präzisen Ausdruck im Raumbild von Europa und Amerika, das ihn von der jugendlich-naiven Romanskizze an bis in die Zeit von 1914 begleitete. Noch träumte er von weiten Räumen, die ihm in der Ferne offenstünden; gerade in den Notizen von 1911/12 geistern immer wieder verräterisch hochgespannte Vorstellungen von Himmel und Welt durch seine Redewendungen: «Ich habe nicht Zeit für eine Geschichte, mich in alle Weltrichtungen auszubreiten, wie ich es müßte» (Tagebuch, 20. August 1911), «der Roman ist so groß, wie über den ganzen Himmel hin entworfen ...» (Brief vom 10. Juli 1912), der Titel «Die städtische Welt» (Tagebuchskizze vom Februar oder März 1911). Noch hatte Kafka nicht erfahren, wie es in jener erträumten Weite draußen aussah. So schickt er denn, nachdem die Schöpferkraft des «Urteils» die Pforten zu jenem Reich geöffnet zu haben schien, den jungen Karl Roßmann, den «guten Bruder» aus dem frühen Romanversuch, auf die Reise ins wunderbare, große Land Amerika. In Karls Gestalt geht alles, was Kafka im Herbst 1912 noch an Hoffnungen in sich trug, alles Jungenhafte und Optimistische auf das Abenteuer der Amerikafahrt. So zieht Karl Roßmann vor unseren gespannten Augen voller Hoffnung und Freiheitsdurst ins Land der unbeschränkten Möglichkeiten, wie ein Traum versinken die widerwärtigen Erlebnisse der Heimat in ferner Vergangenheit, und wie ein Schlüssel einen weiten, unbekannten Raum aufschließt, öffnet der einflußreiche Onkel den Zugang zum erträumten Amerika.

Nicht dazu aber, sich Träumen hinzugeben, benützt Kafka den neugewonnenen Raum. Karl soll die rauhe Wirklichkeit meistern, sich im prallen, vollen Leben bewähren, mit zielbewußtem Angriffsgeist, mit unendlichem Eifer und der demütigen Bereitschaft, sich mit bescheidensten Umständen abzufinden; ja eigentlich ist ihm sogar wohler in Gesellschaft des Heizers als beim Onkel. Kafka beschert ihm solcher Umgebungen genug. Gleich am Anfang führt er ihn in die Maschinistenkajüte, nach dem Intermezzo beim Onkel zu den beiden Landstreichern, dann in den strengen Hoteldienst und schließlich in Delamarches Tyrannei. Die halb unbewußte, halb durchschaute Absicht Kafkas ist vom ersten Satz an klar: Mit gewaltsamen Ruck sprengt er die Fesseln, die bisher an ihm hingen, wie einen wüsten Alptraum schüttelt er die Erinnerung an Elternhaus und Ausstoßung ab; auf freiem Feld, den Blick fest in die Zukunft gerichtet, soll sein Karl in Amerika den Aufbau eines tüchtigen Lebens anpacken.

Dann aber erfüllt sich das Geschick des Werkes. Aus unbeirrbaren Gründen der Seele aufsteigend, treten langsam die mächtigen Konstanten von Kafkas tiefster Anlage ans Tageslicht. Unnachsichtig wachsen ringsumher aus dem fremden Boden die Mauern, die Kafka in Europa weit zurückgelassen zu haben glaubte. Von einem spürbar stärkeren Gesetz gelenkt, treffen Karl die erbarmungslosen Rückschläge, und immer mehr nimmt das Leben eine Form an, die durch eherne Ordnung vorbestimmt erscheint: eine hektische, aussichtslose Jagd nach einer entschwindenden Welt – eingespannt in die begrenzte Perspektive eines Einzelnen – beengt und bedroht von einflußreichen Gestalten am Weg; ein ermüdender Kampf darum, irgendwo einen festen Platz einzunehmen, einem ruhelosen Auf und Ab unterworfen, aber mit immer klarerer Tendenz, in Bedrängnis, Enge und Ausweglosigkeit zu geraten, gerichtet und ausgestoßen zu werden.

Auf solche Weise erfüllt sich in dem besonderen Kolorit dieses Amerikas und im verhängnisbestimmten Leben und Treiben dieser Hauptgestalt das allgemeine Gesetz von Kafkas Dichten, das wir als Ausdruck eines unwiderrufbaren Schuldigseins empfinden – als ein spontanes, unbegründbares Schuldgefühl des Dichters gegenüber allem, was in sein Blickfeld tritt. Dieses ursprüngliche Schuldgefühl reißt bei allem, was ihm begegnet, eine Kluft und eine Spannung auf, die zu überbrücken Kafkas unbeirrbares, allseitiges Bestreben ist – und ewig bleiben muß, weil das Bewußtsein des Abstands aus ihm selber steigt. «Sein eigener Stirnknochen verlegt ihm den Weg, an seiner eigenen Stirn schlägt er sich die Stirn blutig.» «Er hat das Gefühl, daß er sich dadurch, daß er lebt, den Weg verstellt.» Sätze wie diese aus der Sammlung «Er» (Band «Beschreibung eines Kampfes», S. 292) sind tief aus dem beschriebenen Lebensgefühl heraus gesprochen. Dieses Lebensgefühl drückt sich in den großen Linien wie im Kleinen aus. Wir haben es gespürt in dem unruhigen Auge des Erzählers, das unstet über die Dinge gleitet, bloß Bruchstücke erhascht und nie zufriedenzustellen ist; im Blick, der sich gerne in unerreichbare Fernen, in entschwindende Höhen verliert; aus diesem Lebensgefühl steigen Bilder auf wie die Szenen der Hast, die Situationen der Enge, der Ohnmacht, des Ausgeliefertseins, es regelt aber auch diskret die Verteilung von Licht und Dunkel und tritt in hilflosen Gebärden Karl Roßmanns auf. Unser Gedankengang hat gewiß nicht einen vollständigen Katalog der Äußerungen dieses Gefühls erstellt; es ist aber in so mannigfaltiger Weise und überall so präzis und zwingend an den Tag getreten, daß wir in ihm füglich das Lebenszentrum von Kafkas Amerikawerk sehen dürfen.

Es webt schließlich auch von innen her ein zartes, festes Gewebe durch das Werk, eine Art Innenarchitektonik, die das Koordinatensystem für alle Erscheinungen abgibt. Sehen wir zu! Die natürliche Domäne innerer Anliegen in einem Roman war von jeher der Charakter des Helden. Karl Roßmann trägt denn auch mit seiner Bedrängnis, der Förmlichkeit, dem Schuldbewußtsein, der Isolation den unverwechselbaren Kafka-Stempel in seinem Erleben; sein Charakter aber ist, wie jeder Leser spürt, der innerste Kern des Werkes, des Dichters sicherste Bastion, aus schmerzlich vertrauter Erfahrung gestaltet. Unüberhörbar ist die Empfindung, wie kümmerlich dagegen die Daten sind, die aus der Außenwelt ins Bewußtsein dringen. Mit dieser Außenwelt aber hat es auch eine besondere Bewandtnis. Nie tritt sie selbständig auf; nur in Abhängigkeit von innen kann sie erscheinen. Konsequent wendet der Dichter die Einzelnenperspektive an: Das Bewußtsein des Helden ist Ordnungszentrum für den ganzen Weltgehalt des Romans. Es können überhaupt nur Gegenstände auftreten, denen Karl begegnet, und nie erscheinen sie in anderer Beleuchtung, als Karl sie sieht. So prägen sich dem ganzen Gürtel an Realität, den Kafka um Karls Seelenleben legt, von vornherein die inneren Gesetze dieses Lebens auf. – Nun muß freilich der Dichter doch Dinge erfinden, die in dieser Sicht erscheinen sollen. In dieser Phase des Schaffensprozesses kommt Kafka nicht darum herum, selbständige Schöpfungen in die Welt zu setzen. Auch darauf reagiert er typisch: Er verzichtet weitgehend auf sein dichterisches Recht, in diese Vorlagen einen eigenen Sinn zu legen. Die Ereignisse, Menschen, Szenerien haben im Amerikaroman zu einem großen Teil keine in sich ruhende Bedeutung, sie sind wie entsubstanzialisiert. Das trat uns am schönsten in den Romanpersonen entgegen. Wir können kaum mehr erkennen, als was sie ursprünglich gedacht waren. Dafür wird die subjektive Schicht in ihrem Bilde mächtig; ihre markante Statur, die unheimlich-gegenwärtige Gestalt, zu der sie im Verlauf der Erzählung heranwachsen, erhalten sie von den Gesetzen der Bedrängnis und des Kampfes, die in Karl Roßmanns Sicht die Welt regieren; was noch hinter ihnen liegt, splittert sich in fragmentarische Umrisse auf und verliert sich in nebelhafte Tiefen. Dasselbe dämonische Schauspiel beobachten wir schließlich auf der Ebene der Dinge: in Kafkas unterhöhltem Naturalismus. Nicht um ihrer selbst willen häuft er die realistischen Details an, sondern weil er gebannt auf die Lücken starrt, die dazwischen hervortreten. Hinter dem fadenscheinigen Gespinst aber, als das sich die Welt mehr und mehr entpuppt, scheint graue Leere zu warten – jene Leere, die beängstigend durch die Sätze auf der letzten vollendeten Seite des Fragments II geistert:

«Wohl aber erschreckte ihn, als er jetzt den Wagen in den Flur schob, der Schmutz, der hier herrschte und den er allerdings erwartet hatte. Es war, wenn man näher zusah, kein faßbarer Schmutz. Der Steinboden des Flurs war fast rein gekehrt, die Malerei der Wände nicht alt, die künstlichen Palmen nur wenig verstaubt, und doch war alles fettig und abstoßend, es war, als wäre von allem ein schlechter Gebrauch gemacht worden und als wäre keine Reinlichkeit mehr imstande, das wieder gutzumachen» (355).

Entwicklungszüge und Spannungen im Amerikaroman. Kafkas Blick durch die Löcher der Welt

Gerne wollten wir unsere Arbeit mit der eben gegebenen Gesamtinterpretation abschließen – allein es bleibt da noch ein Rest von Unabgeklärtem, Ungelöstem.

Was uns beunruhigt und rätselhaft fasziniert, ist Kafkas Blick durch die Löcher der Welt, mit dem unser letztes Kapitel schloß. Wie eine stumme Geste lockt und widerstrebt das Bild, als läge darin ein tiefes Geheimnis von Kafkas amerikanischer Odyssee beschlossen. Ist uns nicht, als ob er durch ein Geschiebe reeller Kulissen hindurch, das er ängstlich und eifrig aufstapelt, den leeren Raum erspähte, der ihm bloß wieder die Haltlosigkeit seines eigenen Ich widerspiegelt? So daß ihm der ganze Exkurs in die farbige Amerikawelt am Ende demonstrierte, daß er auch in der exotischsten Zone, die er aufsucht, nur immer sich selbst in seiner Beschränktheit wiederfindet? Der Amerikaroman mit seinen weitläufigen Anstalten – er scheint mit einemmal ein riesiger Umweg Kafkas zu sich selbst zu sein. Freilich ein notwendiger: die bittere Probe nämlich, die ihm zeigte, daß auch im erträumten Gürtel der Freiheit von nahem besehen die gleichen Bedingtheiten herrschen wie in der nächsten Umgebung. Die Kulissenberge, die er auftürmt, verlieren plötzlich ihren Selbstzweck und erweisen sich als Demonstrationsobjekte, an denen er erfahren muß, daß die Schöpfungen, zu denen er befähigt war, ihren Sinn nie in ihrem realistischen Gehalt finden würden, sondern immer nur vom Walten eines autonomen, kaum bewußten seelischen Grundgefüges zeugen.

So entpuppt sich die große Exkursion nach Amerika als der schmerzhafte Übergang aus der frühen Epoche der Träume in die desillusionierte Reifezeit. Sie wird Kafka zum Gefäß der bitteren Erfahrung, daß er, wohin er auch aus seiner Enge fliehen mag, von seinen inneren Anlagen unnachsichtig eingeholt und wieder an Ketten gelegt wird. Ruhelos den äußeren Gürtel durchstreifend, den er als geistiges Exil noch offen wähnte, fand er sich auf Schritt und Tritt von den alten Netzen eingeengt, von den alten Angstvorstellungen bedroht. «Amerika», mit dem letzten verzweifelten Ausbruchsversuch ins Theater von Oklahoma, ist in Wahrheit ein Angelpunkt in Kafkas ganzer Entwicklung – ein Prozeß, ohne den er nie zu seinen reifen Werken vorgestoßen wäre. «Amerika» schließt die frühe Epoche ab, indem es die Lücken stopft, die er am Horizont seiner Möglichkeiten noch offen wähnte, den Gürtel um ihn unwiderruflich schließt. Und es öffnet den Weg in die Reifezeit, da es mit den Illusionen aufräumt, welche ihn noch von der Aufgabe weglockten, die ihn zum Exponenten seiner ganzen Epoche machen sollte: sich ganz in der inneren Gefangenschaft einzurichten, mit der er geschlagen war, und ihre Düsternis mit nie erlahmendem Eifer wiederzugeben. «Meine Gefängniszelle – meine Festung»: Diese vier Worte, leider undatiert (fliegendes Blatt, Band «Hochzeitsvorbereitungen» S. 421), entstammen gewiß einem Moment, da ihm diese Einsicht in aller Klarheit vor die Augen trat.

Mit dem Blick auf diesen lebensgeschichtlichen Prozeß im «Verschollenen» weitet sich aber unsere Aufgabe noch einmal aus. Mit den Linien und Strömen aus Kafkas innerer Entwicklung, die sich an diesem Kreuzweg schneiden, treten neue Gesichtspunkte auf; wir haben uns ihnen in einem letzten Kapitel zu stellen, in welchem die Gesamtinterpretation ausschwingt. Jener gebannte Blick durch das Kulissengeschiebe der Welt verändert nämlich das Kraftfeld, unter dem wir den Roman bisher gesehen haben. Zwar bleibt das Gewebe der Infrastruktur, das wir in mühsamer Kleinarbeit freigelegt haben, in seiner Konsistenz und Bedeutung unangetastet; doch wird jetzt seine Stellung im Romankörper zum Problem. Denn wir erkennen plötzlich, daß wir uns bisher ständig in zwei verschiedenen Schichten hin- und herbewegt haben, die gar nicht von vornherein miteinander harmonieren müssen. Was wir immer suchten und herausarbeiteten, das innere Grundgefüge, ist eines; ein anderes die dichte, näher der Oberfläche zu liegende Schicht praller Wirklichkeit, die uns immer zuerst in die Augen fiel, welche aber ihre Ordnungsregeln und -gesetze stets aus der geheimeren, «unsubstanziellen» Schicht zu empfangen schien. Nie fragten wir uns, wie sich die beiden Schichten vertrügen; als selbstverständlich nahmen wir an, die «tiefere» bestimme das Wesen des Werks. Daß dem so ist, dürfen wir wohl kaum ernsthaft bezweifeln. Geht aber die ganze Rechnung ohne weiteres auf; liegen die Schichten übereinander, ohne sich zu reiben?

Wenn wir versuchen, uns in einen Abstand vom Werk zu rücken, der es uns in seiner ursprünglichen Frische zeigt, ohne die unvermeidliche Abhängigkeit von den Ergebnissen der eigenen Forschung, so kommen uns beträchtliche Zweifel. Welcher umständlichen, hochkomplizierten Veranstaltungen bedurfte es doch, den Lebensnerv des Werkes freizulegen! Sind unsere subtilen Dispositionen nicht sehr entfernt von der unmittelbaren Empfindung bei der ersten Lektüre? Sieht nicht ein unbefangener Leser in «Amerika» das wohl traurige, aber durchaus unkomplizierte Geschick eines Romanhelden gewöhnlicher Art? Und gibt diesem Leser nicht die Aufmachung des Werkes weitgehend recht? Erinnern wir uns daran, wie das ganze realistische Kulissenwerk daliegt, als ob es sich selbst genüge; oder daran, wie suggestiv Karls Idealismus, überhaupt der ganze sozialethische Angriffsgeist wirkt und wie er das Interesse so ausschließlich belegt und befriedigt, daß auch gescheite Beobachter den bedrohlichen Untergrund übersehen! Wie diskret, fast scheu, fast zaghaft wird umgekehrt etwa die Einzelnenperspektive behandelt – ja überhaupt alles, worauf es eigentlich ankommt! Liegen nicht die wesentlichen Kräfte des Werkes tief versteckt da – und versteckt nicht wie unter andeutungsvollen Hüllen, sondern vielmehr wie verschüttet unter oberflächlichem, plattem Geschiebe?

Nehmen wir diese Bedenken nicht leicht! Natürlich hat der Interpret die Aufgabe, in evidente Zusammenhänge zu bringen, was der naive Leser nur vage empfindet; damit macht jener durchsichtig, was dieser einfach spürt. Bei «Amerika» scheint jedoch der Fall etwas anders zu liegen. Wir müssen uns eingestehen, daß das, was wir als Grundessenz herausdestillierten, und die äußere Erscheinung des Werks nicht oder jedenfalls nicht ganz kongruieren wollen. Das feingesponnene, körperlose Netz innerer Regungen liegt wie beziehungslos in einem Körper gröberen Stoffes; zwischen der Allüre, mit der Kafka vor den Leser tritt, dem frischweg erzählenden Romancierston, und seinem verhaltenen eigentlichen Anliegen besteht eine tiefere Diskrepanz. Zwar läßt sich sagen: Die Dispositionen des scheinbar naiven Erzählers richten sich insgeheim doch nach den Bedürfnissen der inneren Interessen; aber die Ausdrucksmittel des Romans wirken nicht als unmittelbarer Ausfluß dieses versponnenen Innern, vielmehr wie Kulissen aus einer andern Welt, zwischen welchen sich der Strom inneren Drängens eher mühsam hindurchzwängt.

Es ist, als wenn der Rohstoff, aus dem der Roman gewirkt wird, im Vergleich zu seinem zarten Anliegen gröber und körperlicher wäre. Eine recht handfeste Realität herrscht in seinem ganzen Aufzug. Wir brauchen diesen Zug nicht mehr im einzelnen nachzuweisen; seine Stücke sind uns alle schon begegnet: der Naturalismus in Stil und Haltung, die unbewußt von Dickens übernommene Personenkonstellation, damit verbunden die sozialkritischen Impulse, Karl Roßmanns eiserner Wille, sich im praktischen Leben zu bewähren – also viel mehr, als wir im Kapitel «Naturalismus» aufzählten. Nahmen uns nicht jedesmal diese starken Eindrücke zuerst gefangen? Freilich entdeckten wir dann regelmäßig, wie sie brüchig wurden, sobald wir Kafka im Ernst darauf behaften wollten; wir fanden jedesmal, daß ihn insgeheim etwas ganz anderes trieb – zum Naturalismus die Angst vor dem Entgleiten der Welt, zu den sozialkritischen Tendenzen die Faszination der Unterlegenenperspektive. Es war naturgemäß unsere Hauptaufgabe, zu entdecken, was hinter der Fassade liegt; nichtsdestoweniger ist es Tatsache, daß sich Kafka zunächst immer an etwas Reelles hält. Haben wir uns bisher ganz auf die Infrastruktur des Werkes konzentriert, in der wir den unwandelbaren Kern von Kafkas Wesen ahnten, so müssen wir jetzt den Blick noch auf seine gröbere Körperlichkeit richten, in der jene wie ein Nervensystem eingebettet liegt.

Damit treten aber auch Spannungen und Divergenzen ins Gesichtsfeld – Symptome des Entwicklungsprozesses, dessen Rahmen das Werk ist. Die Realismen im Amerikaroman – das sind die stehengebliebenen Reste einer älteren Vorstellungsschicht, die sich um ein noch nicht ausgeformtes inneres Anliegen lagern. Gleicht das Beziehungsnetz, das wir herausarbeiteten, nicht einem Keim, der sich, zu jung und zu delikat, um zu einem eigenständigen Romankörper auszuwachsen, in einer Umgebung von handfesterem Stoff entfaltet? Fühler scheinen es zu sein, die der «eigentliche», tiefste Kafka im «Verschollenen» vorstreckt; die handfestere Grundsubstanz aber, die den «Verschollenen» gegenüber Werken wie dem «Prozeß» und dem «Schloß» so deutlich abstechen läßt, scheint zu einer stilistischen Schicht zu gehören, die der reife Kafka als Schlacke abstoßen wird. Im «Prozeß» und im «Schloß» findet sich gerade noch ein Residuum an realem Gehalt; es ist allen Eigengewichts, aller Selbständigkeit und Substanz entleert und nur noch vorhanden, weil es sich vorzüglich in einer dienenden Funktion bewährt: als Versuchsanordnung, innerhalb deren sich die inneren Spannungen austragen lassen. Halten wir vor diese Rasterwelten das lebensvolle «Amerika», so springt der gewaltige Überschuß an Realitätsdichte drastisch in die Augen.

Wir erinnern uns, daß wir dieselbe Feststellung unter ganz anderen Umständen schon im vorbereitenden Teil unsrer Arbeit gemacht haben (vergleiche S. 61–62). Im «Verschollenen», fanden wir damals, kulminiert eine längere realistische Entwicklung Kafkas; der Roman ist ein Produkt des in seinen frühen Anschauungen festverankerten Zweigs naturalistischer Bemühungen und kam uns vor wie deren letzte große Bastion. Das wird unter anderem deutlich, wenn wir auf die gleichzeitig entstehenden Novellen blicken. Dort wagte Kafka schon den Sprung aus der beruhigenden Alltagswelt heraus, während er sich im Roman entschieden auf ihren Rahmen einschränkte. Dieses Verhalten läßt sich kaum anders denn als Hemmung deuten. Es schien uns damals schon, daß sich Kafka die Entfaltung seiner inneren Anlagen bei der Arbeit am Amerikaroman durch realistische Rücksichten einschränken ließ. Später erfuhren wir, wie uns diese Hemmung immer wieder an entscheidenden Stellen zu schaffen machte – immer, wenn wir den Übergang von der realistischen Oberfläche zur schummerigen, unnahbaren Tiefe suchten; zum Beispiel ganz am Anfang, als wir ratlos vor dem Werk standen, oder damals im zweiten Teil, als wir vom Naturalismus aus mühsam die Stollen in Richtung Innerlichkeit vortrieben.

Es scheint, daß wir auf dem Punkte stehen, die Unebenheiten und Spannungen in den Griff zu bekommen, die davon herrühren, daß sich Kafkas Welt während der Ausarbeitung des Amerikawerks noch in Entwicklung befand. Es lagern sich in ihm Schichten übereinander, die zu verschiedenen Stufen seiner inneren Biographie gehören. Sieht unser bisheriges Eindringen in die Infrastruktur aus wie eine anatomische Aufgabe, so stehen wir jetzt vor einer Art Geologie des Amerikaromans, welche die verschiedenen Schichten, ihr Verhältnis zueinander, ihre «Erdgeschichte» und vor allem die Spannungen untersucht, die zwischen ihnen bestehen. Drei Hauptaufgaben scheint uns diese Geologie abzuverlangen. Die Entwicklungszüge im «Verschollenen» sind herauszuheben; der Roman ist mit dem «Prozeß» zu konfrontieren, welcher gleich nach dem Abschluß der Übergangsphase entstand; und die Spannungen im Übergangswerk sind aufzudecken.

Seit wir im ersten Teil die Stellung des Amerikaromans innerhalb des Frühwerks äußerlich einzugrenzen versuchten, sind wir nie mehr auf entwicklungsbedingte Züge unseres Themas gestoßen – bis sie uns bei der Beschäftigung mit dem Oklahomafragment wieder scharf vor die Augen gerückt wurden. Eine Ausnahme ist zu erwähnen: jene Stelle in den Kapiteln über den Naturalismus, da wir ihn als ehernen Ring empfanden, der sich um tiefere, unterdrückte Regungen legt. Wie zur Momentaufnahme erstarrt, zeigte sich uns dort die Dimension der Entwicklung mit ihren Spannungen, Extremen und Widersprüchen. Diesem starren Bild müssen wir jetzt den lebendigen Hintergrund verschaffen, aus dem es sich isolierte. Ein Teil der Arbeit ist schon getan; denn der untergründige Strom des Amerikamotivs in Kafkas junger Seele, dem wir im vorletzten Kapitel nachspürten, ist nichts anderes als die sich im Innern abspielende Vorgeschichte des Amerikaromans. Was noch darzustellen bleibt, ist die im Roman ans Licht tretende Geschichte des Motivs. Einzelstücke daraus haben wir ebenfalls schon an verschiedenen Stellen behandelt: die äußeren Entstehungsdaten, das Verhältnis von Amerika- und Oklahomafragment, die Konstellation in Kafkas Innerem, die mit ihren Spannungen das dichterische Geschehen trieb und lenkte. Wir haben nun noch den äußeren und inneren Ablauf der Ereignisse im Zusammenhang und in ordentlicher Reihenfolge darzustellen.

Die kritische Übergangszeit in Kafkas Entwicklung zur Reife wird am Anfang und am Schluß klar durch zwei Ereignisse abgegrenzt: die Entstehung des «Urteils» Ende September 1912 und den Beginn des «Prozesses» Mitte August 1914 – ein weniger spektakulärer, aber ebenso bedeutender Abschnitt. Die zwei Jahre dazwischen gleichen einer Inkubationsperiode, während welcher die realistischen Präokkupationen abgebaut wurden, die sich 1912 noch als zu widerstandskräftig erwiesen hatten. Offenbar brauchte Kafka zwei Anläufe, um seine inneren Kräfte ganz freizusetzen. Zum erstenmal explodierten sie 1912, wurden dann aber in eigentümlicher Weise in realistische Kanäle zurückgeleitet; erst im zweiten Schub, 1914, strömten sie ungehemmt aus und entledigten sich aller einengenden Fesseln.

Die beiden Schübe wickeln sich in auffällig ähnlichen Bahnen ab. Die Eruption des «Urteils» 1912 hatte eine Periode dichterischer Stagnation beendet; 1913/14 treffen wir, nach Ausweis der Tagebücher, genau die gleichen Symptome wieder an: Es entstehen keine Werke von Bedeutung (Kafka beginnt ja die Bilanz am Silvester 1914 mit den Worten: «Seit August gearbeitet»), dafür eine Reihe konturloser Ansätze, die Kafka oft ohne Gewinn hin- und herwendet; zum Beispiel: Kaufmann Meßner (Tagebuch, S. 333–35, 346), ein Student mit Namen Rense (S. 322, 363, 364, 369, 372). Bis in die Details haben wir dasselbe vor 1912 beobachtet (vergleiche S. 51–52). An beiden Orten finden sich in regelmäßigen Abständen die Verzweiflungsausbrüche über das Geschriebene und das Schreiben. Zwei Beispiele:

«Gestern unfähig, auch nur ein Wort zu schreiben. Heute nicht besser. Wer erlöst mich? Und in mir das Gedränge, in der Tiefe, kaum zu sehn. Ich bin wie ein lebendiges Gitterwerk, ein Gitter, das feststeht und fallen will» (8. April *1914*, T. 372).

«... Ich bin ja wie aus Stein, wie mein eigenes Grabdenkmal bin ich, da ist keine Lucke für Zweifel oder für Glauben, für Liebe oder Widerwillen, für Mut oder Angst im besonderen oder allgemeinen, nur eine vage Hoffnung lebt, aber nicht besser als die Inschriften auf den Grabdenkmälern. Kein Wort fast, das ich schreibe, paßt zum andern, ich höre, wie sich die Konsonanten blechern aneinanderreiben, und die Vokale singen dazu wie Ausstellungsneger» (15. Dezember *1910*, T. 27).

Die Gefühlslage ist beide Male höchst bezeichnend: Alles seelische Leben scheint erstarrt, die schöpferischen Kräfte schlummern in unzugänglicher Tiefe.

Auf die beiden Schübe hin lockert sich dann die Erstarrung. Aus dem Frühjahr *1912:*

«Heute beim Baden glaubte ich, alte Kräfte zu fühlen, als wären sie unberührt von der langen Zwischenzeit» (8. März 1912).

«Wieder Aufmunterung. Wieder fasse ich mich, wie die Bälle, die fallen, und die man im Fallen fängt. Morgen, heute fange ich eine größere Arbeit an, die ungezwungen nach meinen Fähigkeiten sich richten soll» (16. März 1912).

Am 27. Mai *1914*, nach zwei begonnenen Skizzen, folgt je zuerst eine abschätzige und dann eine zuversichtliche Beurteilung:

«Es hat Sinn, ist aber matt, das Blut fließt dünn, zu weit vom Herzen ...

Wenn ich mich nicht sehr täusche, komme ich doch näher. Es ist, als wäre irgendwo in einer Waldlichtung der geistige Kampf. Ich dringe in den Wald ein, finde nichts und eile aus Schwäche bald wieder hinaus; oft wenn ich den Wald verlasse, höre ich oder glaube ich das Klirren der Waffen jenes Kampfes zu hören» (T. 377).

Nach der nächsten Skizze:

«Tanzt ihr Schweine weiter; was habe ich damit zu tun? Aber wirklicher ist es, als alles was ich im letzten Jahr geschrieben habe. Vielleicht kommt es doch darauf an, das Gelenk zu lockern. Ich werde noch einmal schreiben können» (T. 379).

Von dieser analogen Ausgangslage aus wollen wir nun den Gang des Geschehens im Jahre 1912 und im Jahre 1914 konfrontieren, wobei einleuchtend klar wird, welch merkwürdiges Zwischending zwischen Befreiung und Hemmung «Amerika» in Kafkas Entwicklung bedeutet. In den Sommerferien 1912 schreibt Kafka an einem Roman, und der einzige Satz über ihn, von dem wir Kenntnis haben, in einem Brief an Max Brod geschrieben, trifft uns wie ein Blitz, der eine bekannte Gegend für einen Moment erhellt:

«... Der Roman ist so groß, wie über den ganzen Himmel hin entworfen (auch so farblos und unbestimmt wie heute) und ich verfitze mich beim ersten Satz, den ich schreiben will» (Aus dem Harzkurort Jungborn, 10. Juli 1912; «Briefe» 96).

Zwar können wir nicht glauben, daß Kafka (wie Brod in einer Anmerkung meint; «Briefe», 502) schon am eigentlichen Amerikaroman schreibt. Er hätte sonst kaum am 11. September darauf ausführlich einen Traum beschrieben, der unverkennbar der Ankunft Karl Roßmanns im New-Yorker Hafen gleicht, ohne das Heizerkapitel mit einem Wort zu erwähnen. Wir zitieren aus diesem erstaunlichen Dokument die wichtigen Stellen:

«Ein Traum: Ich befand mich auf einer aus Quadern weit ins Meer hineingebauten Landzunge ... Ich wußte zuerst nicht eigentlich, wo ich war, erst als ich mich einmal zufällig erhob, sah ich links von mir und rechts hinter mir das weite, klar umschriebene Meer, mit vielen reihenweise aufgestellten, fest verankerten Kriegsschiffen. Rechts sah man New York, wir waren im Hafen von New York. Der Himmel war grau, aber gleichmäßig hell ... Nun bemerkte ich auch, daß das Wasser neben uns hohe Wellen schlug und ein ungeheuer fremdländischer Verkehr sich auf ihm abwickelte» (Tagebuch 288/89).

So konkret dürfen wir uns wohl das Werk, an dem Kafka in Jungborn schrieb, nicht vorstellen. Aber wir spüren in jenem einzigen Satz darüber doch schon die Atmosphäre, den grauen, konturlosen Himmel, eine diffuse Unbestimmtheit und Weite, die dann im ausgeführten Roman der faszinierend-leere Rahmen «Amerika» repräsentiert. Bezeichnend übrigens, daß Kafka bei der Ausführung sofort ins Stocken gerät! Auch damit wird die typische Konstellation des «Verschollenen» vorausgenommen: Ein weit entworfener Rahmen, den der Dichter nicht auszufüllen vermag – die Grundkonstellation für alles «förmliche» Verhalten. Man spürt deutlich das Gefälle auf die Konzeption des Amerikawerks zu. Kafka empfand die herannahende Lockerung und begann unbestimmt an weite Möglichkeiten zu glauben.

Nun brauchte es noch den sichtbaren Dammbruch. Als das «Urteil» entstanden war, fühlte sich Kafka bestätigt. Unwiderleglich bewies es seine schöpferische Kraft. In völlig veränderter Stimmung, im Rausch durchgebrochener Freiheit begann er einen Roman zu schreiben – doch dabei ging es nun in eigentümlicher Weise schief. Kafka wählte, vermutlich ohne langes Besinnen, aber mit einem Sinn, den er selbst kaum ahnte, das schon lange bereit liegende Motiv vom Ausbruch nach Amerika. Damit überließ er sich instinktiv der Sehnsucht nach einem Raum, der frei war vom Druck der bekannten Verhältnisse – schönstes Symbol, wie der Ausschluß aus der Familie, im «Urteil» vernichtende Gegenwart, in dämmernder Ferne der Erinnerung versinkt. Gleichzeitig richtete aber Kafka seine Gedanken noch mit größter Energie aufs Reale: Er strebte zielbewußt nach Bewährung im wirklichen Leben, wie Karls Eifern und, noch verräterischer, der unwillkürliche Rückgriff auf naturalistische Stilmittel beweist. Kafka sah offensichtlich noch nicht, was im Rückblick aus dem «Urteil» klar hervorgeht: daß seine schöpferischen Kräfte nicht dazu angelegt waren, die Realität der Welt zu erfassen, sondern notwendigerweise Visionen produzierten, die mit realen Kategorien nichts zu tun hatten und sich inmitten realistischer Bedingungen völlig unverständlich, wie Katastrophen ausnehmen mußten. Genau das erwies sich bei der Ausführung des «Verschollenen» – bestimmt ohne daß es Kafka bewußt anstrebte; bedenken wir, daß ihn seine eigenen Romanfiguren verfolgen, wie er Brod beschreibt! Kafka mußte erleben, wie seinen Karl in regelmäßigen Abständen unvorhergesehene, unbegreifliche Schläge aus einem Bereich heimsuchten, der mit dem rationalen Gang der Geschehnisse nichts mehr zu tun hatte.

Die Lehre daraus ist im Rückblick klar zu fassen. Kafka hatte im Taumel der durchgebrochenen Schöpferkraft den Rahmen zu weit ausgesteckt – «wie über den ganzen Himmel hin entworfen» – und erfuhr nun auf allen Ebenen, wie ihn seine innere Bedingtheit aufs enge Maß zurückholte. So zum Beispiel im Zurückfallen von der Weite der Konzeption auf den Gesichtskreis der engsten Einzelnenperspektive, über den er sich nicht (oder nur in Klischees) hinausgetraute. Etwas Ähnliches spielte sich im Bereich der künstlerischen Mittel ab. Das Eigenste an Kafkas Visionen war unberechenbar und nicht mit realistischen Mitteln wiederzugeben. Verwendete er diese trotzdem, so konnte nur ihre Unzulänglichkeit offenbar werden – wie wir im Naturalismus drastisch erfuhren. Das ist das typische Geschehen im Amerikaroman: Eine innere Vision sucht hier, dort, überall Ventile, drängt machtvoll an die Oberfläche – ohne den ehernen Ring der realistischen Konzeption sprengen zu können.

Wie sich das innere Leben an jeder Stelle regt, das zu sehen war die Kleinarbeit, aus der sich unsere Untersuchung zusammensetzte. Wir können übrigens auch ein deutliches Gefälle vom Realistischen zum Visionären mit dem Fortschreiten der Niederschrift feststellen. Im Heizerkapitel ist alles noch sehr handfest, der Heizer selbst, Schubal, der Kapitän, die Offiziere, alles trägt noch die kräftige Farbe sozialkritischer Romane. Green, die beherrschende Gestalt des nächsten Romanabschnitts, trägt schon deutlich alptraumartige Züge. In Delamarche erhebt sich noch einmal eine derbe Gestalt; doch begleitet ihn als merkwürdiger Satellit Robinson, eine groteske Erscheinung, die die Herkunft aus unheimlicheren Zonen der Einbildungskraft nicht verleugnen kann. Während aber Robinson neben Delamarche noch ganz ohne Einfluß und Gewicht bleibt, tritt im siebenten Kapitel, auch Delamarche verdrängend, mit magischer Anziehungskraft Brunelda in den Mittelpunkt, fast bar aller natürlichen Züge – eine abstoßend-faszinierende Traumgestalt, die wohl die Grenzen dessen erreicht, was unter Aufrechterhaltung der realistischen Fiktion in der Richtung aufs Visionäre möglich war. Was in der Figur Bruneldas angelegt war und auf Befreiung wartete, sprengt eigentlich die Basis, auf der der «Verschollene» aufgebaut war, und das ist wohl der tiefste Grund, warum der Roman und warum an dieser Stelle abgebrochen wurde. Die Visionen von Brunelda, dem Gehalt nach immer selbständiger, emanzipieren sich schließlich auch äußerlich vom Romankontext: Das «Fragment II», «Ausreise Bruneldas», schließt nicht mehr wie «Fragment I» (Waschung und Speisung Bruneldas) kontinuierlich ans Vorhergehende an, sondern ist eine selbständige, außerhalb des Zusammenhangs stehende, nur noch an die allgemeine Situation «Vorstadtwohnung Delamarches» anknüpfende Episode. Die Unvereinbarkeit dessen, was seinen Ausdruck suchte, mit den Romanfundamenten ist offenkundig geworden, und Kafka hat das hoffnungsvoll begonnene Werk unabgeschlossen liegen lassen, wie es uns heute überliefert ist. Als nur noch halb legitimen Seitensproß am Amerikastamm hat er schließlich noch das Oklahomafragment aus sich emporgetrieben – ein gewaltsamer, extremer Versuch, aus letzter Verzweiflung geboren, der die Unbrauchbarkeit der realistischen Amerikakonzeption drastisch offenbarte.

Schließlich gehört auch die «Verwandlung» noch in diesen Schaffenstakt. Nachdem der Amerikaroman schon im Herbst 1912, wenige Wochen nach seinem Beginn, zum erstenmal ins Stocken geraten war, machte Kafka noch einen Versuch mit einer selbständigen Novelle, und zwar offensichtlich im Willen, zur surrealistischen Methode des «Urteils» zurückzukehren und sie bis zur Neige auszunützen. Allein die «Verwandlung» ist nicht nur ein verzweifelter Abschied von aller Hoffnung auf Freiheit, Gemeinschaft, Bewährung und Bewältigung der Wirklichkeit geworden, sondern ein grimmiger Epilog auf den Ausbruch des Schöpferischen von 1912 überhaupt. Zwar macht es zuerst den Anschein, als brächen in der «Verwandlung» gerade die Kräfte aus, die im Rahmen von «Amerika» noch zurückgestaut blieben. Das stimmt auch; bei näherem Zusehen bemerken wir jedoch, daß sie sich nur mit höchster Not gegen den gewaltigsten Widerwillen behaupten können. Muß sich nicht Kafka, um aus den Bindungen ans Realistische herauszuspringen, am Anfang gewaltsam einen Ruck geben, den er nachher nur unter den mühseligsten Anstrengungen einzuholen und nur unter größten Qualen auszuhalten vermag? Mit Gregor Samsas Widerstand, die Verwandlung anzuerkennen, ist Kafka selbst noch zutiefst verwachsen; noch überstieg es seine Kräfte, sich längere Zeit in diesen unfreundlichen Zonen aufzuhalten. Die «Verwandlung» ist ein früher Versuch, das zu leisten – und er gelang nur unter Aufbietung der letzten Kräfte und auf lange Zeit hinaus zum letztenmal, denn bis 1914 versank Kafka wieder in qualvoller Unproduktivität. Wie sehr die «Verwandlung» das Produkt einer Überanstrengung ist, sehen wir, wenn wir sie mit ihrem Gegenstück von 1914 vergleichen. In der «Strafkolonie», entstanden im Oktober 1914 (nach der Bilanz im Tagebuch; siehe S. 453, 437), beschreibt Kafka ebenso schreckliche Vorgänge mit kühler Distanz, beinahe maschinenhaft registrierend; die Widerstände sind ja kaum verschwunden, aber wenigstens gelingt es ihm jetzt, sie zu neutralisieren.

1912 fehlte Kafka noch eine unerläßliche Voraussetzung für die ungehemmte Entfaltung seiner Gaben: Er brachte es nicht über sich, seine dichterische Mission, die sich nur in visionären Katastrophen erfüllen konnte, willig auf sich zu nehmen. Im «Urteil» kündigt sich seine unheilvolle Bestimmung wie in einem flüchtigen Wetterleuchten an und ist vorüber, ehe wir zum Nachdenken kommen; unter den größten Qualen und gegen stärksten inneren Widerstand unterliegt er ihr in der «Verwandlung»; in «Amerika» sucht er ihr angestrengt und erfolglos zu entspringen – und zwar gleich mehrmals in immer neuen Anläufen: Wie die Kaskaden einer Stromschnelle bricht sich das Werk in mehreren Stücken am unüberwindlichen Widerstand. Zum erstenmal siegte das Widerstreben, als Kafka den Oberkellner und den Oberportier aufs Papier bringen sollte. Man darf wohl der Geschlossenheit des Robinsonkapitels entnehmen, daß er diese beiden Gestalten doch noch im Herbst 1912 in den Roman zwang. Dann aber wich er in die Bruneldaversuche aus, die sporadisch im Lauf der nächsten Jahre entstanden – lange nicht mehr so geschlossen wie der erste Anlauf; das siebente

Kapitel ist ganz im Gegensatz zu den ersten sechs zerdehnt und offenbar erst im Oktober 1914 äußerlich abgeschlossen worden. Zwei weitere Ansätze schließlich sind Fragment geblieben.

All das zeigt, daß Kafka Zeit brauchte, bis er lernte, sich in seine schwere Bestimmung zu schicken. Den Punkt der Reife aber bezeichnet der August 1914. Der «Prozeß», der damals begonnen wurde, ist nicht nur das Produkt dieses Reifungsvorgangs, sondern sein eigentlicher Ausdruck und zeigt uns ein Gegenbild, von dem sich die Fehlentwicklung des «Verschollenen» plastisch abhebt.

Wir erinnern uns, wie auch im Sommer 1914 die Symptome einen Schub ankündigen. Fügen wir jetzt bei, daß sich im Tagebuch wieder frappante Vorspiele finden, unverkennbare «Prozeß»-Elemente in unkenntlicher Umgebung:

«Josef K., der Sohn eines reichen Kaufmanns, ging eines Abends nach einem großen Streit, den er mit seinem Vater gehabt hatte – der Vater hatte ihm sein liederliches Leben vorgeworfen und dessen sofortige Einstellung verlangt –, ohne eine bestimmte Absicht, nur in vollständiger Unsicherheit und Müdigkeit in das Haus der Kaufmannschaft, das von allen Seiten frei in der Nähe des Hafens stand. Der Türhüter verneigte sich tief. Josef sah ihn ohne Gruß flüchtig an ...» (Tagebuch, 29. Juli 1914, S. 414).

Nur hinweisen können wir auf die tiefen Bezüge, die in dieser Notiz aufleuchten. Ganz ähnlich präludierte der Versuch «Die städtische Welt» (Tagebuch, S. 45) das «Urteil», der weit über den Himmel gespannte Roman aus Jungborn und der Traum am New-Yorker Quai den Amerikaroman. Damit nicht genug, sind die drei Vorspiele auch unter sich ganz vage und tief verwandt: Eben hat uns ein «Hafen» an den «Verschollenen» erinnert, auch ein Hauch von Freiheit wie am Eingang zu «Amerika» wird im freistehenden Haus spürbar; doch auch ein Streit mit dem Vater steht wieder am Eingang; und am meisten frappiert natürlich der Türhüter, hier noch in völlig prosaischer Gestalt – Embryo eines Symbols wie der Käfer in den «Hochzeitsvorbereitungen».

Unmittelbar nach dieser Notiz vollzog sich nun aber die entscheidende letzte Wandlung, zu der Kafka 1912 noch nicht gekommen war: Er stand zu seinem Innern, mit der ganzen schmerzlichen und gefährlichen Isolation von der Wirklichkeit, die es unheilbar in sich barg. Eines der berühmtesten Selbstzeugnisse Kafkas wirkt wie ein Stempel auf den Vollzug dieses Übergangs:

«Der Sinn für die Darstellung meines traumhaften innern Lebens hat alles andere ins Nebensächliche gerückt und es ist in einer schmerzlichen Weise verkümmert und hört nicht auf zu verkümmern.»

Dieser Satz ist oft, meist allgemein-verschwommen, als Beleg für den Charakter von Kafkas Dichtung überhaupt zitiert worden. Wie präzise aber Kafkas Aussagen genommen werden wollen, zeigt ein Blick auf das Entstehungsdatum. Der Satz stammt vom 6. August 1914 (Tagebuch, S. 420), und das sind genau die Tage, in denen Kafka den «Prozeß» begonnen haben muß. Am 21. August wird er zum erstenmal mit Namen erwähnt, neben zwei anderen Geschichten (Tagebuch, 435):

«Mit solchen Hoffnungen angefangen und von allen drei Geschichten zurückgeworfen, heute am stärksten. Vielleicht ist es richtig, daß die russische Geschichte nur immer nach dem 'Prozeß' gearbeitet werden durfte.»

Schon sechs Tage vorher, am 15., hat Kafka aber, was wir sicher auch schon auf den «Prozeß» beziehen dürfen, geschrieben:

«Ich schreibe seit ein paar Tagen, möchte es sich halten. So ganz geschützt und in die Arbeit eingekrochen, wie ich es vor zwei Jahren war, bin ich heute nicht, immerhin habe ich doch einen Sinn bekommen, mein regelmäßiges, leeres, irrsinniges junggesellenmäßiges Leben hat eine Rechtfertigung. Ich kann wieder ein Zwiegespräch mit mir führen und starre nicht so in vollständige Leere. Nur auf diesem Wege gibt es für mich eine Besserung.»

Wir bemerken, was uns hochwillkommen ist, daß Kafka selbst die beiden Epochen 1912 und 1914 als Einschnitte betrachtet. Aus den weiteren Notizen vom Herbst 1914 geht mit Sicherheit hervor, daß in dieser Zeit der «Prozeß» ganz oder zum größten Teil entstanden ist. Im September liest Kafka Brod das erste Kapitel vor (Biographie, S. 178), im Tagebuch spricht er regelmäßig vom «Schreiben», manchmal namentlich vom «Prozeß», viel vom «Roman» und von «Kapiteln»; er nimmt im Oktober zwei Wochen Urlaub, «um den Roman vorwärtszutreiben», und am 13. Dezember heißt es schließlich (T. 448): «Statt zu arbeiten – ich habe nur eine Seite geschrieben (Exegese der Legende) – in fertigen Kapiteln gelesen und sie zum Teil gut gefunden.»

Das positive Urteil überrascht. Wenn auch zwischendurch Verzweiflungsanfälle nicht fehlen, ist es doch Tatsache, daß die Zufriedenheit im Herbst 1914 vorherrscht. Sie stammt offenbar aus dem gewonnenen Einverständnis mit sich selbst. Gegen das Ende des Urlaubs schreibt Kafka jedenfalls:

«15. Oktober. Vierzehn Tage gute Arbeit, zum Teil vollständiges Begreifen meiner Lage.»

Es war wohl auch dieses für ihn neue Gefühl, welches ihn ganz gegen seine Gewohnheit eine Jahresbilanz schreiben ließ.

Denn: Was ist der Inhalt des entstehenden Hauptwerkes anderes als der Ausdruck einer mit schmerzlichem, aber klarem Bewußtsein vollzogenen Wendung nach innen? Eine Hauptschicht des «Prozesses» ist die sukzessive Lösung des K.-Helden aus seinen äußeren Bindungen und das geheimnisvolle Überhandnehmen eines Prozesses geheimnisvoll unwirklicher Natur. Und gegenüber dem «Verschollenen» hat Kafka offensichtlich das Lager gewechselt. Die Priorität des Inneren steht außer Frage; wenn er auch den Widerstand Josef K.s noch tief mitempfindet, steht der Dichter doch ohne Zögern auf der Seite des Gerichts. Kafka ist von Anfang an, ganz im Gegensatz zum Geschick Karl Roßmanns, im heimlichen Einverständnis mit dem Ablauf des Geschehens; ja es sieht fast so aus, als wolle er der K.-Figur eine Lektion erteilen. Die Lektion, die Kafka selbst in mühsamem Prozeß hatte erlernen müssen – daß er den Zugang zur realen Wirklichkeit nicht erzwingen konnte und sich ohne äußeren Halt den eigenen Visionen ausliefern mußte.

Es ist die Lehre aus dem Ringen um das Amerikathema. Dort hatte er versucht, im großen Rahmen die Welt zu erobern, die seinen schöpferischen Kräften nach der Befreiung im «Urteil» scheinbar offenstand. Der Versuch schlug fehl: Die äußere Welt, auf die er sich warf, war mit den inneren Anlagen, die er mitbrachte, nicht zu bewältigen. Der ganze Gürtel an Realismus im Roman, in den die tieferen Regungen eingebettet liegen, und alle Spannungen und Unklarheiten, die daraus resultieren, sind das Produkt dieses Übergriffs über die eigenen Grenzen. Daß sich das unbewußte innere Anliegen dennoch behauptete und sogar in den entscheidenden Wendungen durchsetzte, geschah sozusagen gegen den erklärten Willen des Dichters – und allerdings um einen Preis, der den Roman als Kunstwerk schwächt; denn damit werden die Grundlagen seiner Konzeption desavouiert. Es gilt darum unzweideutig anzuerkennen, was den Liebhaber vielleicht schmerzlich berührt: «Amerika» ist als Ganzes kein homogenes, gelungenes Werk. Wir müssen in ihm klar die zeitbedingte, zum Scheitern verurteilte Werbung Kafkas um das wirkliche, volle Leben und die ursprüngliche Anlage, die darunter durchzubrechen versucht, auseinanderhalten.

Das weist dem «Geheimnis», das wir in langer Untersuchung verfolgten, seine genaue Stellung zu. Im Lebensgefühl des Schuldens, dessen Regungen wir unter der Oberfläche der Erzählung aufspürten, erkennen wir die tiefe, feste Bestimmung Kafkas; der Amerikaroman zeigt sie uns aber unter besonderen Umständen, die uns zu Augenzeugen des einzigartigen Schauspiels werden lassen, wie dieser Wesenskern, ein unfaßbares, körperloses Gebilde, inmitten eines völlig andersartigen Kraftfeldes gegen die verbissene Werbung des Dichters um die Wirklichkeit seine Festigkeit behauptet und seine Entscheidungen durchsetzt. Das Verfolgen dieses erregenden Vorgangs entschädigt uns für den Mangel an Geschlossenheit. Es ist diese besondere Konstellation, welche den eigentümlichen Reiz des Amerikaromans ausmacht. Sie hält ihn im charakteristischen Schwebezustand zwischen scheinbar unproblematischer Erzählung und untergründig lauernder Explosivität.

Damit durchschauen wir die Unstimmigkeiten, die sich beim Lesen oft in einer merkwürdigen Lähmung bemerkbar machen. Wir müssen uns nur vor Augen halten, daß sich in diesem Roman eigentlich ein permanenter heimlicher Aufruhr der inneren Visionen gegen die Gesetze der reellen Wirklichkeit abspielt, die Kafka aufrechterhalten will. Das quellende, drängende Innenleben des Dichters muß sich in starre realistische Kulissen und Fiktionen bequemen, von denen sich sein bewußter Kunstverstand noch nicht hat trennen können. Seine unheilbare Disposition zum Schulden drängt mit Macht an die Oberfläche und sucht alle Motive, die ihm in die Feder fließen, auszusaugen – jedoch ganz unberührt davon, als ob er es nicht wahrhaben wollte, erzählt Kafka seinen Stoff von Anfang bis zum Schluß im steifen Korsett des versierten Naturalisten. Auf diese Weise entsteht die rätselhafte Ungreifbarkeit des Romans, jene glatte Haut, welche sich schützend und abweisend um den tieferen Gehalt legt und ein überaus ambivalentes Mittel ist. Wir dürfen nicht übersehen, daß diese Praxis ihre positiven Auswirkungen hat. Wohl nur ihr verdanken wir es, daß die in vollem Gang befindliche Auseinandersetzung zwischen Innen und Außen ohne allzu sichtbare Spuren des Kampfes gestaltet werden konnte. Die «Beschreibung eines Kampfes» ist das abschreckende Gegenbeispiel; «Amerika» ist bei aller Problematik doch ein Werk, das sich sehen lassen darf. Anderseits muß auch nüchtern festgehalten werden, daß der Schutzgürtel die natürliche Wirkung des Romans verhängnisvoll behindert und ein Notbehelf ist, der die ungelösten Spannungen nur in tiefere Schichten verlegt, wo sie schwerer aufzuspüren sind. Kafka hat diese Spannungen mit bewunderungswürdiger Kunst eingedämmt und ausgeglättet; es war aber unmöglich zu verhindern, daß dabei gewisse Interferenzerscheinungen auftraten, die nicht in die Augen springen, indessen auf die Dauer eben jenes Unbehagen entstehen lassen, welches so untergründig den Roman begleitet. Eine verhaltene Spannung in seinem Körper wird wie ein feiner Sprung an Stellen sichtbar, wo innere und äußere Tendenzen aufeinanderstoßen.

Wir erinnern zunächst an zwei schon behandelte Erscheinungen. Da ist jenes Gefälle zum Visionären, das schließlich zum offenen Zerfall der Romanfundamente führt und in der Gestalt Bruneldas auch den scharfsinnigsten Leser vexiert. Da ist weiter jene Grenze, die mitten durch die Handlung läuft und eine «kleine» von der «großen» trennt. Die «kleine Handlung» entsteht wie von selber aus den leichtgewichtigen Motiven, welche das innere Interesse unauffällig aufsaugen und ausnützen kann, während Kafka vor den bedeutenden Entscheidungen im Leben Karls zurückschreckt und sie mit Scheu und dem entsprechenden Aufwand an Überwindung behandelt, welcher ihnen das Drohend-Mächtige verleiht.

Darum muß dieser Antagonismus auch innerhalb der «großen Handlung» allein auftreten. Wir haben gesehen, wie sich in ihr der tiefste Rhythmus von Kafkas Weltgefühl unwiderstehlich durchsetzt; aber sehr bewußt erlebten wir dabei den Kontrast zu Kafkas gleichzeitigen Bemühungen, den Eindruck von Offenheit und natürlichem Ablauf zu erwecken. Diese Kluft überbrückt zwar Kafka bei der Einzelausführung mit großer Kunst, so daß sie der unbefangene Leser kaum bemerkt; aber bei dieser Operation tritt als verräterisches Kennzeichen eine Interferenz auf, die wohl die Leser anderer Zeitalter kritischer als unsres registriert hätten: eine hochgradige Unwahrscheinlichkeit der geschilderten, als real ausgegebenen Vorgänge. Durch welche Kumulation von Zufällen wird Karl mit dem Onkel zusammengebracht! Wir haben das bei anderer Gelegenheit schon bemerkt und beschrieben (siehe S. 168) und erkennen nun klar den Grund: Um die Unwahrscheinlichkeit des Ereignisses, welches der innere Rhythmus der Handlung gebieterisch verlangte, zu temperieren, teilte es Kafka in unauffällige kleine Portionen auf. Analoge Erscheinungen treten prompt an allen Wendepunkten in Karls Leben auf. Die Ausgefallenheit des Vorfalls mit der Dienstmagd, der das ganze Romangeschehen auslöst, und die unglaubliche Brutalität der elterlichen Reaktion hinterlassen nur darum keinen tieferen Eindruck, weil sie so weit zurückliegen und Kafka diesen Vorfall richtig überspielt. Bei der schroffen Ausstoßung durch den Onkel behilft sich Kafka mit Kleistischen Kunstgriffen, deren Raffinesse wir im Detail verfolgt und bewundert haben. Und wieder häuft er eine Reihe von Zufällen, wie Karl aus dem Hotel hinausfliegen soll: Gerade im Hotel, und gerade nachdem er Karl gefunden hat, muß Robinson erbrechen; im Schlafsaal plaudert der Betrunkene Dinge aus, die der scharfsinnigste Intrigant nicht gefährlicher hätte anlegen können; gerade während Karls Abwesenheit vom Lift will ein hochprominenter Gast bedient werden, und genau in diesem Moment muß auch noch der Oberkellner dazulaufen. Der große Graben, der innere Vision und realistisches Gehaben trennt, ist wohl nirgends so sichtbar wie hier.

Wenden wir unsere Aufmerksamkeit noch einer weiteren Interferenz zu, die an der Reibungsfläche von innen und außen entsteht – einer unauffälligeren, aber heimtückischeren. Es handelt sich um ein Problem der Romantechnik. Kafkas Anlage zum Blick von innen führte ihn auf natürlichste Weise zur Verwendung einer Art des «monologue intérieur»; wir meinen jenes feine Nachziehen von Karls inneren Regungen, das wir im Kapitel «Charakter» kennenlernten. Es ist mit einem bedeutenden Anteil im Roman vertreten, aber, das ist das Irritierende daran, in einer willkürlich anmutenden Streuung. Kafka nimmt sich nämlich die Freiheit heraus, bei der Wiedergabe von Karls Innenleben unvollständig zu sein. Ein frappantes Beispiel: Nachdem Kafka die Wirkung einer nebensächlichen Episode, des Gesprächs mit dem Heizer in der Kajüte, minuziös genau beschrieben hat, schaltet er im viel entscheidenderen Moment, als ihn der Heizer aufs Büro mitnimmt, den Blick auf seine inneren Regungen plötzlich vollständig aus.

«Er faßte Karl bei der Hand, nahm noch im letzten Augenblick ein eingerahmtes Muttergottesbild von der Wand über dem Bett, stopfte es in seine Brusttasche, ergriff seinen Koffer und verließ mit Karl eilig die Kabine» (17) – und so, rein objektiv und plötzlich in großer Hast geht die Beschreibung weiter. Nachdem dem Jungen geringfügigste Reaktionen des Heizers so viel zu überlegen gegeben haben, berührt es eigenartig, daß Kafka einen solchen Akt beschreibt, ohne ein Wort auf Karls Regungen zu verwenden. Die Einzelnenperspektive wird dadurch nicht etwa verletzt, denn der Gang bis zum Kapitänsbüro wird ganz aus Karls Sicht geschildert:

«Man hörte das Lachen aller Mädchen ...»

«Für eine Schiffseinrichtung sah das recht verschwenderisch aus ...»

«Karl staunte über den großen Betrieb ...» (S. 18)

Aber nach einem Abschnitt großer innerer Regsamkeit scheint die Karlfigur ein Stück weit bloß noch rezeptives Organ zu sein.

Man versteht natürlich gut, wie es zu diesen Schwankungen im Grad der subjektiven Durchsättigung des Textes kam. Die realistische Konzeption, das Schildern eines längeren Stücks aus dem Leben eines jungen Menschen, stand fest, beanspruchte Raum und ließ natürlich im Ernst nicht an einen lückenlosen inneren Monolog denken. Nun zog es Kafka im tiefsten doch zur Beschreibung «von innen», und diesen auseinanderstrebenden Anforderungen suchte er durch eine freie, unsystematische Auswahl gerecht zu werden, die er in lockerer Folge vortrug. Man hat den Eindruck, daß er sich hierbei weitgehend der Intuition überließ. Er greift also aus Karls Schicksal in Amerika einzelne

Stationen heraus; er beschreibt sie objektiv, aber in den genauen Grenzen der Einzelnenperspektive, also immer nur das, was Karl zu Gesicht bekommen kann, jedoch lange nicht alles, und suggeriert mit den bekannten Mitteln die Präsenz des Helden; von Zeit zu Zeit verdichtet er auf kurze Strecke die Wiedergabe seiner inneren Tätigkeit, und erst in diesen Partien eigentlich kann sich Kafkas Weltgefühl voll und reich entfalten. Die intensitätsarmen Stellen ermöglichen es ihm, die Handlung tüchtig zu fördern, und ohne dieses Mittel wäre er an kein Ende gekommen; daß aber bloß die intensitätsdichten seiner Vorstellung ganz entsprechen, daran kann kein Zweifel bestehen. Gegen das Ende des Romans bewegt er sich denn auch immer stärker auf dieses Ideal zu. Es fällt auf, daß er vom «Fall Robinson» an bis zum Schluß, und das ist fast während der Hälfte des Romans, Karls Bewußtseinsleben ohne Unterbruch folgt; darum finden auch in diesem großen Romanteil nur die Ereignisse eines einzigen Tages Platz. Wie in andern Fällen setzt sich diese Tendenz in den reiferen Romanen fort: Der «Prozeß» ist von vornherein auf ein Jahr konzipiert, und im ganzen «Schloß» wird der Bewußtseinsstrom K.s mit einer geringfügigen Ausnahme ununterbrochen während bloß sechs Tagen verfolgt.

Die Staffelung der Intensität, das Springen von Intensitätsleere zu Intensitätsdichte, der unorganische Wechsel von realistischer und subjektivistischer Beschreibung in «Amerika», diese ganze unruhige Erzählweise überfordert nun aber auch den aufnahmefähigsten Leser. Die mehr objektiv schildernden Stellen unterscheiden sich von der traditionellen realistischen Erzählweise wenig und im Extremfall, den naturalistischen Beschreibungen, gar nicht. Das plötzliche Umspringen hemmt nicht nur den natürlichen Lese- und Erlebnisfluß, sondern lenkt den Sinn auf falsche Bahnen, und man muß Kafka selbst einen großen Teil der Verantwortung für die Verwirrung auferlegen, die um den Aussagewert seiner Sätze entstanden ist. Es bedarf der bewußten Einsicht ins Gesetz der Einzelnenperspektive und einer permanenten, im Text viel zu schwach gestützten Sonderanstrengung, sich die innerliche Durchsäuerung des Realismus in diesem Werk gegenwärtig zu halten. Gerade hieran merken wir besonders deutlich, welchen Fortschritt die reiferen Romane darstellen. Dort hat es Kafka verstanden, die realistische Rücksicht, welche diese Dilemmen verursachte, und damit eine Prätention, die seiner Natur widerstrebte, abzustreifen und bis zum halbwirklichen Weltschema abzubauen, das zum Gefäß seiner Erfahrungen prädestiniert war – Erfahrungen, welche die Realität überstiegen, ohne daß Kafka diese wie die Surrealisten leugnete oder ignorierte.

Es war unsere Pflicht, auch auf die Schwächen des Amerikawerks mit klarem Blick zu sehen. Die Webfehler in seinem Gefüge sind zwar überaus geschickt getarnt, und doch spürt der unbefangene Leser eine undeutliche, unfaßbare, dumpfe Unausgeglichenheit in seinen Tiefen, deren Ursache in diesem Kapitel zutage trat: eine ungelöste Spannung zwischen unvereinbaren Zielen. Diese Spannung geht grundsätzlich über die Kluft hinaus, die Kafkas ureigenstes Weltgefühl ausmacht. Der Naturalismus und die innere Zerrüttung sind zwei inkommensurable Tendenzen, nicht zwei antagonistische, die sich gegenseitig bedingen und eine lebendige Spannung ins Werk bringen würden.

«Amerika» bedeutet uns darum nicht weniger. Es ist kein reines Kunstwerk, an dem man seine ungetrübte Freude haben könnte, und alle Versuche, seine stilistische Einheit lückenlos nachzuweisen, können nur gequält herauskommen. Aber es zeigt uns wie sonst kein anderes Werk den Dichter im Ringen mit den Schwierigkeiten, die die Welt einem Geist von solcher Weltfremde bot. «Amerika» ist die kritischste Erfahrung Kafkas auf dem dornigen Weg zur «Darstellung meines traumhaften innern Lebens», die letzte und eindrücklichste Phase seines gewaltigen Ringens um den Zugang zur äußeren Welt, die sich ihm verschloß. In diesem unter Anspannung aller Kräfte vorgetragenen Kampf um den Ausbruch aus bedrängter Innerlichkeit erst erfuhr Kafka, daß eben diese sein Gefängnis und sein Schicksal war – «Meine Gefängniszelle – meine Festung». Die Amerikaszenerie ist das letzte und größte Prüffeld für den Versuch, die Außenwelt zu erobern – und das Kennzeichen einer Epoche in Kafkas Dichten, die mit dem Scheitern dieses Versuchs für immer zu Ende war; denn gerade in der angestrengtesten Werbung um die Wirklichkeit überwältigten ihn übermächtig die inneren Visionen vom Lauf des Weltgeschehens. Wie im stilistischen Bereich die Krise des Naturalismus ergibt sich das Scheitern des

Unternehmens, die Wirklichkeit zu bewältigen, mit der unerbittlichsten Beweiskraft gerade aus dem verbissenen Ringen um sie. Mit welcher echten Hoffnung auf Erfolg und Bewährung begleitet doch Kafka seinen Karl ins Leben hinein, mit welcher Beharrlichkeit klammert er sich bis zuletzt an diese Hoffnung! Daß sich die äußere Welt wie ein eherner Ring um das Leben legt und alle Annäherungsversuche zurückweist, ist die letzte Erfahrung, die in ständigem Anrennen immer wieder gemacht wird. Das spielt sich auf zwei Ebenen ab: Der Held, als Stellvertreter des Dichters, macht diese Erfahrung im Bereich seiner Beobachtungsmöglichkeiten, im Reich der unerbittlichen Herrschaft der Einzelnenperspektive; und Kafka selbst, der Dichter, macht sie bei seinem eigenen Erfinden und Schildern. Der Ablauf der Ereignisse, die er entwirft, entzieht sich wie im Märchen den Eigengesetzen der Realität und gerät ihm in die Bahnen seiner Visionen – vom Gericht zum Beispiel, das unabwendbar auf ihn zukommt. (Aus dem Tagebuch: «Ich habe immerfort eine Anrufung im Ohr: 'Kämest du, unsichtbares Gericht!'» 20. Dezember 1910, S. 31).

Damit sind das Romangefüge und seine Bedeutung in Kafkas Bildungsgang ganz durchsichtig. Innerster Kern des Werks ist Karl Roßmanns Seelenleben, das unerschütterliche, aus tiefer Erfahrung gestaltete Bollwerk des Dichters. Er fühlt sich aber in dieser Bastion noch nicht autark und sucht mit tiefem Verlangen den Kontakt mit der Außenwelt. Die Konfrontation mit ihr spielt sich in zwei Gürteln ab, die sich um diesen Kern legen: Karl Roßmanns Sicht der Welt und die Gestaltung dieser Vorlage aus des Dichters eigener Vorstellungskraft. In beiden Zonen ist als fester Richtpunkt für alle Anstrengungen «die Wirklichkeit» in Kraft, ein virtuelles, ehrlich erstrebtes Ziel, das sich aber in ungezählten Anläufen als unnahbar erweist. An seiner Stelle errichten die inneren Bedingungen von Kafkas Existenz ihre Herrschaft, die Schranken der Einzelnenperspektive und der kämpfenden Isolation für Karl Roßmanns Werben um die Welt, das Weltgefühl des Schuldens für Kafkas Ausführung des Werkes. Von der Wirklichkeit bleibt in beiden Bereichen am Ende nur die Erfahrung übrig, daß sich ihre zusammenhanglosen Bruchstücke vor die Begegnung mit der Außenwelt legen und sich wie ein Wald von Lanzen gegen den Einsamen kehren, der sich an ihnen blutige Wunden holt. Das Bild ist von Kafka selbst entliehen, aus einem Fragment, das im Band «Hochzeitsvorbereitungen» (S. 252) publiziert ist.

«Ich liebte ein Mädchen, das mich auch liebte, ich mußte es aber verlassen.

Warum?

Ich weiß nicht. Es war so, als wäre sie von einem Kreis von Bewaffneten umgeben, welche die Lanzen nach auswärts hielten. Wann ich mich auch näherte, geriet ich in die Spitzen, wurde verwundet und mußte zurück. Ich habe viel gelitten.

Das Mädchen hatte daran keine Schuld?

Ich glaube nicht, oder vielmehr, ich weiß es. Der vorige Vergleich war nicht vollständig, auch ich war von Bewaffneten umgeben, welche ihre Lanzen nach innen, also gegen mich hielten. Wenn ich zu dem Mädchen drängte, verfing ich mich zuerst in den Lanzen meiner Bewaffneten und kam schon hier nicht vorwärts. Vielleicht bin ich zu den Bewaffneten des Mädchens niemals gekommen und wenn ich hingekommen sein sollte, dann schon blutend von meinen Lanzen und ohne Besinnung.

Ist das Mädchen allein geblieben?

Nein, ein anderer ist zu ihr vorgedrungen, leicht und ungehindert. Ich habe, erschöpft von meinen Anstrengungen, so gleichgültig zugesehn, als wäre ich die Luft, durch die sich ihre Gesichter im ersten Kuß aneinanderlegten.»

Wie ein Weg im Herbst: Kaum ist er rein gekehrt, bedeckt er sich wieder mit den trockenen Blättern.

An den immer noch skeptischen Leser

Manchem Leser mag es scheinen, als müßten eben jetzt, wo wir schließen, die entscheidenden Diskussionen über Kafka erst beginnen. Denn wir mögen jetzt wohl die heimlichen Gesetze seines Dichtens besser verstehen; allein die Frage, wie wir uns seinen Werken gegenüber verhalten sollen, ist mit keinem Wort angeschnitten – dabei ist sie es, welche das unendliche Gespräch über Kafka in Gang hält. Seine Werke sind eine Herausforderung an unsere Welt und ihr Selbstverständnis. Zwar weisen die Diskussionen deutliche Züge einer großen Mode auf. Daß das Gespräch diesen Umfang angenommen hat, ist jedoch gewiß nicht nur aus modischer Neigung zu erklären. Das nie erlahmende Interesse stammt zweifellos aus einer Betroffenheit, die in die tiefsten Gefühle des modernen Menschen gedrungen ist. Blieb, an dieser Betroffenheit gemessen, unser Herausarbeiten der Strukturen nicht im Ästhetisieren stecken?

Zwar hat der Verfasser im Vorwort an den skeptischen Leser entschieden deklariert, daß er seine Aufgabe auf das Abschreiten einer ersten Etappe auf dem langen Weg zu Kafka einschränke. Indessen sei freimütig gestanden, daß ihn diese unbequemen Fragen so stark wie zuvor bedrängen. Dem Bedürfnis, sich ihnen zu stellen und wenigstens andeutungsweise nach Antworten zu suchen, möchte er in einem Schlußwort genügen, das natürlich nicht mehr als ein skizzenhafter Ausblick sein kann.

*

Verglichen mit der elementaren Wirkung, die jede Begegnung mit Kafka auslöst, mag unsere vorsichtige Erkundungsfahrt durch das Amerikawerk freilich wie eine literaturwissenschaftliche Beschäftigung anmuten, die ihre Befriedigung im harmonischen Aufgehen aller Beobachtungen sucht und dem Engagement auszuweichen weiß. Indessen beruhte die ganze Anlage unserer

Untersuchung auf der Überzeugung, daß nicht an eine ernsthafte Antwort auf die provozierende Erscheinung Kafka zu denken sei, bis wir uns eine wesentlich größere Sicherheit im Umgang mit Kafka selbst angeeignet hätten, im schlichten Verständnis dessen, was er sagt und sagen will. Blicken wir jetzt zurück, so kommt es uns vor, als ob die Einsichten, welche wir dieser propädeutischen Beschäftigung verdanken, das ganze Klima der Diskussion doch so sehr verändert hätten, daß es sich wohl um mehr als bloß entbehrliche Gedankenspielereien handeln müsse.

Vergegenwärtigen wir uns nur die quälende Unsicherheit des Anfangs, so bemerken wir jetzt eine erstaunliche und befreiende Veränderung. Wie präzise dürfen wir Kafkas Aussagen fassen, und wie innig hängen sie untereinander zusammen! Verwundert stellen wir fest, wie durchsichtig unser Werk geworden ist – wie es den Schrecken des Fremden, Unheimlichen, des verstörend Esoterischen verloren hat.

Nun ist dieser Feststellung gewiß gleich beizufügen, daß sie zunächst nur für den «Sonderfall Amerika» Geltung beanspruchen darf. Jene Werke, die Kafka auf der Höhe seiner Meisterschaft geschrieben hat, in seiner «Gefängniszelle» – seiner «Festung», sind zwar offensichtlich ebenso fein und transparent durchgliedert, getragen von derselben Schöpferkraft, die das geringste Detail so instinktiv richtig setzt wie im «Verschollenen»; allein sie behalten dem zum Trotz eine Scheu gebietende Unnahbarkeit, sei es durch ihre tödliche Konsequenz wie in den beiden späteren Romanen, sei es durch Seltsamkeit des Einfalls wie in den rätselhaften Novellen, im «Landarzt» oder in der Geschichte von Odradek. Und gewiß sind es diese schweren, hohen Werke, mit denen Kafka ins Zentrum modernen Empfindens getroffen hat, und nicht der «Verschollene». Trotzdem, und das ist entscheidend, steht ohne Zweifel fest, daß die Erfahrungen aus dem Umgang mit dem Amerikaroman auch für unser Verständnis der Hauptwerke von mehr als oberflächlicher Bedeutung sind.

So bleibt von nachhaltiger Ausstrahlung auf das ganze Werk die Erkenntnis, wie präzis Kafkas Äußerungen genommen werden wollen. Drei Sätze müssen uns als kurze Beispiele genügen – jeder berühmtes Kronzeugnis vieler Interpretationen. Wir erinnern an jene Sentenz aus dem Schlußteil der Disputation

Josef K.s mit dem Geistlichen über die Parabel «Vor dem Gesetz»: «Die Lüge wird zur Weltordnung gemacht.» Ein sicheres Urteil über die Welt, vom kulturkritischen Zweig der Kafka-Deutung zum Nennwert genommen und eifrig über die ganze Welt verbreitet! Wir wissen, daß Kafka gleich im nächsten Satz beifügt: «K. sagte das abschließend, aber sein Endurteil war es nicht.» An dieser Nuance hängt der ganze Unterschied zwischen einem Kafka, der nur darauf lauert, der Welt das Urteil zu sprechen, und jenem wahrhaftigeren, der sich vor allem selbst betroffen fühlt und kein Urteil über die Lippen bringt, ohne es gleich zurückzunehmen. Ebenso steht es mit jenem Kernsatz aus dem «Fall Robinson»: «Es ist unmöglich, sich zu verteidigen, wenn nicht guter Wille da ist»; wir verweisen dazu auf Seite 187 bis 88. Die indrücklichste Lehre erteilt uns aber jener Satz vom «traumhaften innern Leben», das alles andere ins Nebensächliche gerückt hat. Wie anders lesen wir ihn nur schon, wenn wir wissen, daß er aus den ersten Kriegstagen des August 1914 stammt und wohl eine Entschuldigung ist für die Gleichgültigkeit dem Kriegstaumel gegenüber, die Kafka in sich entdeckt! Und wie anders lesen wir den «Prozeß», der in ebendiesen Tagen begonnen wurde, wenn wir im Detail die ganze Entwicklung zur Innerlichkeit verfolgt haben, die in dieser Sentenz gipfelt!

Vor allem aber lesen wir «Amerika» anders, und das wirkt in diesem Falle zurück auf unsere Konzeption von Kafka überhaupt. Wenn wir bedenken, wie sehr alles in dem frühen Roman noch wirkt wie bloße Vorläufer der späteren Konzeptionen – der satte Realismus; oder die Gestalten, die erst in wolkigem Hintergrund die fadenscheinige Unfaßbarkeit der Prozeß- und Schloßbeamten gewinnen; oder die noch geheimnislos aufgebauten Kanzleien im Oklahomakapitel; und so auch alles andere, Großes und Kleines: dann werden wir uns hüten, den Amerikaroman und Karls Idealismus als Eckpfeiler einer Kafka-Deutung zu nehmen, wie es nicht nur Max Brod, sondern auch Wilhelm Emrich noch getan hat.

*

Wir sehen, wie eng damit die zweite Erfahrung unseres propädeutischen Weges zusammenhängt: Wie sehr man bei Kafka auf die Entfaltung seines Innern achten muß. Kafkas Entwicklung wurde bisher von der Forschung fast ganz vernachlässigt, seine Produkte weitgehend wie Einzelstücke einer festen Welt behandelt; dabei verändern sich die innern Bedingungen, unter denen seine Dichtungen entstehen, mit zwingender Gewalt: teils langsam, von Jahr zu Jahr (ein Beispiel: die Amerikamotivwelt von früh an bis 1914), teils sprunghaft, fast von Tag zu Tag (Beispiel, natürlich: die Entstehung des «Urteils» – aber auch das «Oklahoma»-Stück und der Beginn des «Prozesses»). Wir wagen die Behauptung, alles an Kafka entwickle sich bis ins Detail organisch. Wie unsagbar fein hängt doch weit Auseinanderliegendes zusammen! Wir brauchen nur zu erinnern an das reiche Netz von Beziehungen zwischen frühen, unausgeformten, wie sinnlos auftauchenden Motiven und reifen Fassungen späterer Zeit: Nicht nur an den Käfer in den «Hochzeitsvorbereitungen» und der «Verwandlung», sondern auch an den Maulwurf im Sommerbrief von 1904 und im «Bau»; an die Thematik des «Kampfes» vom frühesten Werk bis zum «Bau»; an die ganze Geschichte des Amerikamotivs, an Karl Roßmanns Eßunlust und den «Hungerkünstler», an «Die städtische Welt» und das «Urteil»; an Karls Zurücksinken in den Schlaf im Kreislauf des Verkehrs und den Schlußsatz des «Urteils», an Karls schwindenden Widerstand gegen die Verurteilung im Hotel und die Apotheose des Verurteilten in der «Strafkolonie» – und so weiter ins Hundertfältige: Sind einmal alle diese Motive gesammelt und gesichtet, so läßt sich der Moment absehen, wo aus den feinen Beziehungen ein Netz zusammenwächst, in dem sich alles gegenseitig stützt und trägt und wir nicht mehr hilflos auf eine chaotische Welt von Scherben starren.

*

Die folgenreichste unserer Erfahrungen ist aber zweifellos die, wie mißtrauisch wir gegen alle jene Äußerungen Kafkas sein müssen, die faszinierend und scheinbar unproblematisch an der Oberfläche seiner Dichtung liegen. Wie sank doch überall, sobald wir auf die Untertöne horchten, der erste Eindruck vom Geschehen in sich zusammen! Immer wieder begegnete uns an den entscheidenden Punkten dasselbe: Die erste, zunächst so strahlende Deutung wurde zweifelhaft, verlor alle Kraft und wurde plötzlich zu einem einzelnen Impuls, der neben anderen, hintergründigeren und stärkeren eine höchst prekäre Stellung in einem Kräftespiel einnahm, welches wesentlich anderen, tief ambivalenten Motiven gehorchte. Noch einmal erinnern wir an den Fall Butterbaum. Butterbaum, der Kofferwächter, gehört am Anfang des Romans, zusammen mit Schubal, den Schiffsoffizieren, dem Kapitän, mit all den «feindlichen Menschen» auf den Schiffsgängen zu jener Phalanx von Feinden, die Karl umgeben. – Zu umgeben scheinen, wie wir jetzt sagen müssen: Denn wir merkten ja plötzlich, daß Butterbaum, dieser Dieb, den Koffer höchst ordnungsgemäß und vollständig bei der Schiffsverwaltung abgegeben hat. Genau so ging es bei den Idealen, als sie ihren Glanz verloren, beim Naturalismus, dessen Stoßkraft sich am Trümmerhaufen der Welt brach, und bei Green, dessen Bosheit sich plötzlich im Unbeweisbaren verlor.

Das alles deutet auf den einen, entscheidenden Punkt. Kafkas hellere Kräfte, die sich in Karls Idealismus sammeln (und der Dichter ist dabei offensichtlich ganz mitengagiert!) – sie werden alle von stärkeren, dunkleren Mächten überwältigt, und das geschieht so zwingend, daß der Eindruck eherner Ausweglosigkeit entsteht. Und hier steckt wohl die Quelle der größten Mißverständnisse um Kafka. Denn mit diesen Vorgängen trifft er ins Zentrum moderner Lebenserfahrungen. Das spürt jeder empfängliche Zeitgenosse – sogar jene, die bloß einer Modeströmung erliegen. Und so auch die prominenten Deuter. Wie nahe lag der Schluß, Kafkas Verdienst eben in der Darstellung dieser modernen Dilemmen zu sehen! Damit kam es zur verhängnisvollen Fehlhaltung: Kafka «ist» der Deuter unserer Zeit, Kafka «hat» den modernen Pessimismus auf unübertreffliche Weise ausgedrückt ... Bei Emrich vor allem «enthüllt» und «entlarvt» Kafka ohne Pause alle möglichen Sünden unseres Zeitalters.

Das aber erniedrigt Kafka zum Programmpoeten, der bloß eine Weltanschauung in Kunstprosa umsetzt, und das wäre keine Leistung. Die ungeheure, direkte, erschütternde Überzeugungskraft gewinnt Kafka daher, daß seine Gesichte kein Verdienst, sondern eben Gesichte sind, die ihn überfallen – ohne Überlegung, ohne Begründung, gegen seinen Willen. Darum trieb es ihn mit seinen sozial empfindlichen Gefühlen zuletzt in die dumpfsten Regionen, wo nichts mehr bewiesen werden kann! Es gehört wohl zum Geheimnisvollsten an aller hohen Dichtung, daß sie uns eben dann erst ganz erschüttert, wenn sie uns unvorbereitet trifft, wenn ein Dichter unsere eigenen Empfindungen – in unserem Falle die dumpf verspürte Zwangslage, in welche sich das Gefühl des modernen Menschen verrannt hat – so unprogrammatisch, so spontan, aus so unbegreiflichem Antrieb mitteilt, mitteilen muß. Wohl können wir den Konstellationen, die sich im Dichter und seinem Zeitalter begegnen, mit analysierendem Verstand ein schönes Stück weit in die inneren Strukturen hinein folgen; doch sobald wir dem Eindruck erliegen, wir hätten damit die Gesetze entdeckt, denen der Dichter bloß gefolgt sei, gleichsam weil er uns eine Nasenlänge voraus war, dann nehmen wir seiner Schöpfung die ganze urtümliche Wucht, mit der sie uns getroffen hatte.

Wenn man dagegen mit feinen Sinnen hinhorcht auf die Untertöne, das Auge schärft für die schummerigen Zwischenfarben in den Hintergrundkulissen, dann wird einem das Wesentliche an Kafka, dieses Fragwürdig-, Brüchigwerden alles Festen (auch allen Festhaltens dieses Brüchigwerdens) nicht entgehen; und dann erst wird einen die einzigartige Gewalt dieser Weltsicht ganz erschüttern, ohne daß der Verstand ganz dahinterkommt: weil hier eben ein Mensch spricht, den die Gewalt seiner Bilder ohne alle Überlegung mit in den unergründlichen Strudel moderner Haltlosigkeit reißt. Dieses Buch versuchte dem Leser dabei mit Hinweisen am Weg behilflich zu sein, ohne allzu starre Theorien und Deutungen aufzutischen, die sein Empfinden ungebührlich eingeengt hätten – als eine Art Einübung im Umgang mit Kafka. Die Aufgabe, seine Hellhörigkeit für Kafkas verschlungene Seelenharmonie zu schärfen, kann dem Leser kein Handbuch abnehmen.

*

Damit ist das begrenzte Ziel umschrieben, das der Verfasser anstrebte. Offen bleibt noch immer die Frage, wie wir uns bei der Begegnung mit einer so erschütternden Welt verhalten wollen. Das Thema wäre freilich ein Vorwurf für ein ganz neues, anders geschriebenes Buch über Kafka. Der Verfasser möchte wenigstens noch andeuten, in welcher Richtung er die Antwort suchen würde.

Wir sind im Laufe unseres Gedankengangs der Frage unsrer Haltung hie und da nahe gekommen: An jenen Stellen – der Leser wird sich erinnern –, wo sich gebieterisch der Eindruck meldete, wir hätten es nicht mit einer Welt zu tun, deren Struktur ein für allemal feststehe, sondern mit einem Strudel drängender Gesichte und Erfahrungen, die den Dichter selbst mit sich fort in immer neue Umgebungen rissen. Der Einsicht, daß wir uns nicht an einer einmal gewonnenen Erkenntnis festhaken dürften, sondern selbst in diesem Strome mitgleiten müßten, begegneten wir gleich am Anfang, als wir mit dem «Befremden» eine Grunderfahrung Kafkas angetroffen hatten, aber sogleich spürten, daß er sich mit keiner je erreichten Fassung dieses Befremdens zufriedengeben werde. In einer grundsätzlichen Betrachtung legten wir dann unsere Haltung am Übergang zum dritten Teil fest: mit dem Vorschlag, die Forscher sollten sich nicht in einen Disput über abstrakte Formulierungen von Kafkas Kunst verlieren, sondern sich mit dem gemeinsamen Grundmuster, das dahinter durchschimmere, wieder auf die Entdeckungsfahrt durch das weite Feld von Kafkas Erlebnissen begeben.

Es gibt in der Kafka-Forschung einen heimlichen Zweig von Deutern, die sich solchermaßen, weit mehr ihrem Instinkt als systematischer Denkarbeit vertrauend, an die Arbeit gemacht haben. Ihr Ahnherr ist Walter Benjamin, der schon in den dreißiger Jahren Beobachtungen sammelte, die in ihrer Empfindsamkeit bis heute nicht übertroffen worden sind – etwa jene, daß Kafka in der ersten Skizze, mit der er an die Öffentlichkeit trat («Kinder auf der Landstraße» aus der «Betrachtung»), die Welt von einer schwankenden Schaukel aus betrachte[1]. Zu dieser Gruppe (es sind alles einzelne, die keine «Schule» darstellen) möchte ich auch Erich Heller zählen; dann auch, bei aller philologischen Strenge, Friedrich Beißner; und schließlich Heinz Politzer, der eben erst in einem Wünschelrutengang von unglaublicher Sensibilität zum erstenmal den ganzen Kafka ohne Zwang und doch zwingend darzustellen gewußt hat. Politzers Buch ist im übrigen auch die erste Gesamtdarstellung des Dichters, die sich organisch seiner Entwicklung anschmiegt.

[1] Walter Benjamin, Schriften II, Suhrkamp Verlag Frankfurt am Main, 1955, S. 218. – Die beiden ersten Teile dieses Absatzes erschienen 1934 in der «Jüdischen Rundschau», Nr. 102–104.

Nun liegt allerdings bei diesem Verfahren die Gefahr nahe, daß es sich in ein Ästhetisieren hinein verliert. Es wurde uns, wir erinnern uns wohl (Kapitel «Einzelnenperspektive»), bei Beißner unbehaglich, als er des Dichters Hauptleistung in den Worten zusammenfaßte, daß ihm die Verwandlung einer seelischen Wirklichkeit in ein «lückenlos strukturiertes Kunstgebilde der Sprache» gelungen sei. Und sogar Politzer faßt dort, wo er sich theoretisch ausdrückt (Einleitung S. 12), seinen Eindruck so zusammen: «Kafkas Ziel war das geglückte Sprachbild, nicht die konsequente Weltanschauung»; er findet in der «Präzision seiner Bildsprache» «die hohe Tröstung künstlerischer Meisterschaft».

Dagegen wendet sich nun Emrich mit Vehemenz. Emrich aber, wie wir an vielen Stellen erfahren haben, vergewaltigt Kafka beim konkreten Nachweis im an sich verdienstlichen Bestreben, sein «Engagement» nachzuweisen.

Wo liegt da der richtige Weg?

Es gilt wohl, etwas Einfaches und doch unendlich schwer Faßbares anzuerkennen – daß Kafka ein Dichter ist. Und Dichter heißt: nicht Verfasser von kulturanalysierenden und kulturreinigenden Thesen (wie es bei Emrich immer aussieht). Aber auch nicht Verfasser eines «vollendeten Sprachkunstwerks». Kafkas Dichtung bewegt sich mit ihren Bildern, mit seinem Wollen und Gezwungenwerden, mit seiner Sprache, mit der ganzen facettenreichen Innerlichkeit dieses künstlerischen Menschen im transparenten Raum der Gefühle, diesem schwer faßbarem Kraftfeld von Gewichten und Gegengewichten, das der Verstand nie ganz durchschauen wird – wo uns jede Wendung, jedes Satzfragment, jede Anspielung wie ein Wink aus einer Welt durchzuckt, in der alles unaufhörlich knisternd zerbricht. – «Was ich berühre, zerfällt.»

Das ist wohl ein erstes Gebot beim Umgang mit Kafka: Uns dieser tiefen, von allem bloß Literarischen weit entfernten Brüchigkeit ohne Umschweife aussetzen; den Weg suchen zwischen ästhetischem Genießen der Vollkommenheit, mit der dieser Zerfall dargestellt ist, und der Versuchung, Kafkas Werk zu einer Art kulturpessimistischer Programmusik zu degradieren, die linear aus einer Weltanschauung abgeleitet werden kann; uns immer wieder ganz erschüttern lassen. Dann – und wohl nur dann – erfahren wir die Gewalt einer Weltsicht, die auf geheimnisvolle Weise in uns selbst schon mächtig zu sein scheint.

Kafka scheint an die Gewalt eines Schicksals zu rühren, das den modernen Geist, das Selbstverständnis jedes um Klarheit ringenden Menschen unserer Zeit in eine scheinbar ausweglose Situation geführt hat; eine Situation, die sich in vielen dichterischen und anderen Zeugnissen unserer Epoche ausdrückt und die wohl in Kafka ihren mächtigsten Ausdruck gefunden hat. Angst, Einsamkeit, Bedrängnis, Verfremdung, Ausweglosigkeit – das sind ein paar Leitbegriffe eines Geschicks, das im Gefolge einer hier nicht zu beschreibenden Revolution über so viele empfindliche Menschen gekommen ist, daß man wohl von einer epochalen Erscheinung sprechen darf.

Kafka trägt als Einzelner diese Kainszeichen in geballter Häufung. Mit seinen beredt und in zuckenden Bildern, aber unendlich scheu vorgetragenen Geschichten von Angst und Ausgestoßensein trifft er den Nerv dieses modernen Empfindens. Diese Begegnung einer Welt, die dumpf spürt, wie sie ins Labyrinth gerät, mit einem in dieser Hinsicht extrem überempfindlichen Einzelnen ist ein Vorfall von höchster geistesgeschichtlicher Bedeutung. Es brauchte diesen Einzelnen, diesen scheuen, unauffälligen Menschen Franz Kafka in Prag, es brauchte seine hohe Begabung und seinen unermüdlichen Willen, seine Gesichte immer wieder beschreibend zu bannen, und es brauchte das geradezu synchronisierte Zusammentreffen dieses Einzelnen mit der gleich ihm empfindenden Welt, damit daraus das dichterische Ereignis Franz Kafka entstand. Nur weil die Gesichte dieses Einzelnen so unprogrammatisch, so geistesgeschichtlich ungestellt, so subjektiv sind, nur deswegen sind sie so mächtig. Alles andere wäre modische Zeitgeistdichtung. Wenn ich Kafka lese, erschüttert mich nicht eine «Darstellung der Nöte meiner Zeit» – es erschüttert mich, der ich in solcher Zeit lebe, die Flut der Angstvisionen eines Einzelnen, dieses einen Menschen Kafka vor mir.

Ein letztes Mißverständnis gilt es noch auszuräumen. Weitherum hat man, von der Gewalt dieser Visionen bezwungen, von Kafka auf die Welt geschlossen. Unsere Zeit, heißt es, unsere Welt *ist* so; schaut nur auf Kafka! Auch dafür ist Emrich das Kronbeispiel: Er starrt gebannt auf die Schlange – sein engagierter Kulturpessimismus läßt uns (wohl gegen seine Absicht) nirgends Freiheit, nirgends Ausgang. Demgegenüber ist unbeirrt festzuhalten: *Kafka* ist so; ein einzelner kann so sein; viele Menschen unserer Zeit waren es – so viele, daß wir wohl von einem Grundzug unserer Epoche sprechen müssen. Das enthebt uns aber nicht der Pflicht, nach Wegen aus dieser Verlorenheit zu suchen. Gewisse Anzeichen scheinen darauf hinzudeuten, daß sich unsere europäische Geisteswelt, so lange verstrickt in ihre eigenen Fallen, langsam herauszufinden sucht, in einer Art gelassener Koexistenz mit dem Schrecklichen, die eine begrenzte Freiheit zu milderem Menschsein zuließe. Kafka zeigt uns, wie tief die Verstrickung drang, wie mächtig sie uns beherrscht. Es wäre leichtfertig und hoch gefährlich, ihn einfach beiseite zu schieben; er zeigt uns, *was* wir überwinden müssen. Von der Aufgabe, die Weltsicht zu überwinden, für deren Übermacht er wie kaum ein anderer zeugte, kann er uns nicht dispensieren.

Es sollte möglich werden, bei der Begegnung mit Kafka das Wunder zu erleben, daß wir von ihm zutiefst erschüttert werden, ohne daß wir an ihn gebunden bleiben.

ANHANG:

WERKGESCHICHTE – TEXTKRITISCHES – BIBLIOGRAPHISCHES

Die Entstehung des Amerikaromans – Zur Textgestalt
Die Ausgaben von «Amerika» – Unausgeführte Werkpläne Kafkas
Die Sekundärliteratur – Personen-, Werk- und Sachregister

Der Hauptteil dieser Untersuchung entstand als Dissertation in den Jahren 1960 bis 1962; sie wurde Mitte 1962 von Professor Emil Staiger angenommen. In jener Fassung war aber das Oklahoma-Stück im IV. Teil nur kurz behandelt. Auf Empfehlung von Professor Staiger überarbeitete der Verfasser 1965 den IV. Teil mit dem Ziel, auch dem Theaterfragment gerecht zu werden. Die Ergebnisse dieser Beschäftigung strahlten jedoch so stark auf den ganzen IV. Teil aus, daß er mit in die Umarbeitung hineingeriet und schließlich nur noch sein Anfangskapitel über die Handlung ganz unverändert blieb. Die übrigen drei Teile wurden im gleichen Arbeitsgang stilistisch überarbeitet und zum Teil gestrafft. In den vier Hauptteilen ist aber nur Literatur berücksichtigt, die bis 1962 zugänglich war.

Das Vorwort und das Nachwort an den skeptischen Leser wurden eigens für die Buchausgabe geschrieben.

Die Werkgeschichte des Amerikaromans

Die drei Hauptteile der Entstehungsgeschichte des Amerikawerks haben wir in die Untersuchung eingeflochten, allerdings an weit auseinanderliegenden Stellen, weil bestimmte Schlüsse erst bei der Behandlung bestimmter Themen gezogen werden konnten. Kafkas Niederschrift des Romankernstücks, der ersten sechs

Kapitel im Herbst 1912, ist auf den Seiten 55–57 beschrieben, mit einem ersten Ausblick auf die Vorstudien (Sommer 1912) und das sporadische Weiterrieseln in den zwei folgenden Jahren. Der Vorgeschichte des Amerikamotivs im Innern des Dichters gilt die zweite Hälfte unseres «Traumland»-Kapitels im vierten Teil (S. 228–234). Im Oklahomakapitel (S. 211–216) forschten wir der Frage nach, auf wann die Eruption dieses abzweigenden Fragments anzusetzen sei. – Wir wollen hier im Anhang die Werkgeschichte im Zusammenhang und chronologisch rekonstruieren; dabei werden wir aber die schon früher behandelten Fragen nur noch zusammenfassend rekapitulieren und dafür die Details nachtragen, welche in der Untersuchung selbst allzusehr vom roten Faden des Gedankengangs weggeführt hätten.

Im «Traumland»-Kapitel wurde sichtbar, wie das Amerikabild als Antithese zur Vorstellung vom eingeengten Europa jenem Schatz von Motiven angehört, den schon der junge Kafka in unklarem Wollen und Empfinden im Innern hegt. Wir fassen über Kafkas erinnernde Aufzeichnung im Tagebuch (19. Januar 1911, S. 39/40) gerade noch an einem Zipfel die erste schriftliche Niederlegung des Motivs: jene wohl in der Gymnasiastenzeit entstandene Skizze zu einem Roman zweier Brüder, von denen der eine nach Amerika flüchtet und den andern in einem europäischen Gefängnis zurückläßt. Dann verschwindet das Motiv in jenem Gewölk unklarer Regungen, das für Kafkas Frühzeit von 1904 bis 1912 charakteristisch ist; einmal taucht es kurz auf wie die scheue Knospe einer noch unbekannten Blume in der Skizze «Wunsch, Indianer zu werden», die der Dichter in das Bändchen «Betrachtung» aufgenommen hat.

Wie wir in unserem letzten Kapitel ausführten (vergleiche S. 250–51), zeigt dann der Roman, an dem Kafka im Frühling und Sommer 1912 (vor allem in den Ferien von Jungborn) schrieb, in seiner Struktur Analogien zur Unbestimmtheit und Weite der «Amerika»-Konzeption. Kafka selbst bezeichnet in keinem der uns bekannten Zeugnisse irgend etwas Konkretes vom Inhalt dieses Romanversuchs; an jener Stelle im Brief vom 10. Juli aus Jungborn («Briefe» 96), wo er am deutlichsten wird, schreibt er bloß: «Der Roman ist so groß, wie über den ganzen Himmel hin entworfen (auch so farblos und unbestimmt wie heute) ...» Brod meint in seiner Anmerkung zu dieser Stelle lakonisch: «*Roman:* 'Amerika'» («Briefe», 502). Man kann sich aber kaum vorstellen, daß es sich dabei um die definitive Fassung handelt, die Brod nach dem erhaltenen Manuskript herausgegeben hat. Kafka ist mit seinem Werk keineswegs zufrieden. Er fährt im gleichen Brief nach der Klammer fort: «... wie heute) und ich verfitze mich beim ersten Satz, den ich schreiben will. Daß ich mich durch die Trostlosigkeit des schon Geschriebenen nicht abschrecken lassen darf, das habe ich schon herausgebracht und habe von dieser Erfahrung gestern viel Nutzen gehabt.» In der erregten Tagebuchnotiz am frühen Morgen nach dem Gelingen des «Urteils» (23. September 1912, T. 293/94) nimmt er diese Kritik auf und verschärft sie bis zur bitteren Verwerfung: «Die bestätigte Überzeugung, daß ich mich mit meinem Romanschreiben in schändlichen Niederungen des Schreibens befinde.» Ein so hartes Urteil ist zumindest gegenüber dem Heizerkapitel undenkbar, das Kafka zeitlebens zu seinen wenigen gelungenen Werken zählte (im Gegensatz zur Fortsetzung des Romans). Darum ist es wahrscheinlich, daß die sechs ersten Kapitel des Amerikaromans erst nach dem «Urteil» entstanden sind. Kafka schreibt ja auch den ganzen Herbst über in fliegender Hast und liest den Freunden im Oktober und November die ersten beiden Kapitel vor (nach Brods Biographie, S.156–57). Möglich ist es freilich, daß der Sommerroman einen ersten Versuch im Raum des Amerikamotivs darstellt; in Briefen und Tagebüchern gibt es einige auffällige Assoziationen: Am 2. Juni 1912 (vergleiche Tagebuch 279) hört Kafka einen Vortrag über Amerika (politisch, über die Parteien, eine «Wahlversammlung Roosevelts», «Straßenredner, die als Podium eine kleine Kiste mit sich tragen»); am 9. Juli wird der erste Eindruck aus dem Kurort Jungborn in einem Brief an Brod (S. 95) folgendermaßen zusammengefaßt: «Es gefällt mir hier ganz gut, die Selbständigkeit ist so hübsch und eine Ahnung von Amerika wird diesen armen Leibern eingeblasen» – ohne weitere Erläuterung dieser Anspielung: Meint Kafka seine Romangestalten? – Dann am 10. August im Tagebuch (S. 282): «Nichts geschrieben. In der Fabrik gewesen und im Motorraum zwei Stunden lang Gas eingeatmet. Die Energie des Werkmeisters und des Heizers vor dem Motor ...» Alles das können Anspielungen sein, doch kann es ebensogut sein, daß sich diese Erlebnisse erst später im Werk niederschlagen. Denn mit keinem einzigen Wort deutet Kafka an diesen Stellen auf einen Zusammenhang mit dem Gegenstand seines «Schreibens» hin, so daß wir ganz im ungewissen bleiben. Jede solche Andeutung fehlt auffälligerweise auch noch bei jenem Traum im New-Yorker Hafen, der seinem Inhalt nach eindeutig dem Beginn des «Heizer»-Kapitels entspricht und nur elf Tage vor dem Entstehen des «Urteils» aufnotiert wurde (11. September, T. 288/89). Der Traum wirkt so frisch, so als erste Eingebung wie später die «Oklahoma»-Vision mit den Engeln und Teufeln. Man kann das Fehlen aller Anspielungen auf eigene Werke nicht etwa auf eine Scheu des Dichters zurückführen, solche Beziehungen im Tagebuch festzuhalten; denn in der Notiz über die Niederschrift des «Urteils» notifiziert er ausdrücklich, daß es ihn an seine Skizze «Die städtische Welt» erinnere.

Das spricht also eher wieder dagegen, daß Kafka schon vor dem September Amerikaskizzen niedergelegt hätte. Aber ein sicheres Argument ist es natürlich nicht. Mit absoluter Gewißheit können wir nicht einmal ausschließen, daß einzelne Kapitel oder Partien schon in jenem Zeitraum ihre endgültige Form gefunden haben. Man wäre Max Brod dankbar, wenn er zu diesen Problemen präzisere Angaben machen könnte als die heute vorliegenden, die bloß unseren mühsamen und nicht restlos befriedigenden Indizienschluß erlauben. Brods knappe und vage Formulierung in der Biographie (S. 156) stimmt übrigens einigermaßen mit unserer Darstellung überein: «Gleich nach dem 'Urteil' setzt Franz die Arbeit an dem ersten Kapitel des Romans fort, den er wohl schon etwas früher begonnen hatte, der aber erst jetzt in Schwung kam.»

Absolut sicher ist jedenfalls, daß sechs Kapitel des Romans Ende November 1912 vorlagen, denn das «sechste Kapitel» erwähnt Kafka selbst in dem schon oft zitierten Brief an Brod vom 13. November. Daß er dort von den «zwei Figuren» spricht, die noch darin hätten vorkommen und die Fäuste ballen sollen, bestätigt die Annahme, daß es sich um die Erledigung des Zwischenfalls mit Robinson im Hotel handelt. Allerdings hat ja Kafka eben diese zwei Figuren, unter denen man sich niemand anderen als den Oberkellner und den Oberportier vorstellen kann, nach seinen Worten unterdrückt und das Kapitel «roh und schlecht beendet»; von da her legt sich auch über den genauen Abschluß der Arbeit vom Herbst 1912 ein Moment der Ungewißheit, denn es handelt sich um Kafkas letzte Äußerung aus dieser Zeit. Wann er die «zwei Figuren» noch ins sechste Kapitel gebracht hat, ist also nicht mehr festzustellen. Aus der Prägnanz des Kapitels möchte man schließen, das sei noch in der schöpferischen Aufwallung der Herbstmonate 1912, also ungefähr bis Ende November geschehen.

Schwieriger haben wir es mit dem siebenten Kapitel. Direkte und absolut sichere Zeugnisse Kafkas dazu finden sich nicht. Man darf annehmen, daß es identisch ist mit dem in der Silvesterbilanz von 1914 im Tagebuch (S. 453) erwähnten «Kapitel des 'Verschollenen'», das «während des vierzehntägigen Urlaubs» (5. bis 19. Oktober nach dem Tagebuch) entstanden sei; da es Kafka ausdrücklich zum «Fertigen» zählt, das er geschrieben hat, könnte es sich sonst nur noch um ein unbekanntes Kapitel handeln oder um die Vollendung des sechsten mit den zwei «Figuren». Letzteres ist eher unwahrscheinlich, auf ein weiteres vollendetes Kapitel gibt es keinerlei Hinweise; so möchte man annehmen, Kafka habe 1913 und 1914 sporadisch am siebenten Kapitel mit Brunelda und Delamarche herumlaboriert – jedenfalls in Gedanken, möglicherweise auch in Skizzen; denn wieder geistern durch die Tagebuchnotizen dieser beiden Jahre allerlei Assoziationen an das «Asyl»-Kapitel. Am 23. Juli 1913 (Tagebuch 314) findet sich vielleicht das Urbild Bruneldas in einer Notiz aus dem Sommerferienabstecher nach Rostock: «Mit Felix in Rostock. Die geplatzte Sexualität der Frauen. Ihre natürliche Unreinheit. Das für mich sinnlose Spiel mit dem kleinen Lenchen. Der Anblick der einen dicken Frau, die zusammengekrümmt in einem Korbstuhl, den einen Fuß auffällig zurückgeschoben, irgend etwas nähte ...» Deutliche Vorstufen der Begegnung Karl Roßmanns mit dem Studenten auf dem Balkon sind fünf Skizzen über einen Jungen, der nachts einen Studenten aufsucht: eine davon am 15. Oktober 1913 (T. 322), drei am 9. März 1914 (T. 363/64, 364, 369/70) und eine am 27. März 1914 (T. 372).

Hinweise auf die Entstehung der zwei Fragmente, welche die Bruneldahandlung noch ein Stück weiter führen, sind nirgends zu finden.

Was schließlich das Oklahomastück angeht, so verweise ich auf die Darstellung im betreffenden Kapitel (vergleiche S. 211–216).

Es sei bloß festgehalten, daß es sich auch dort nur um einen Indizienbeweis handelt – allerdings um eine durch den Tagtraum von den Engeln im Tagebuch recht gut gestützte Hypothese. Nur eine weitere Skizze im Tagebuch gibt uns noch ein Rätsel auf, weil sie aus unerwartet später Zeit stammt: vom 6. Juli 1916 (Tagebuch 504/05).

«Ausgelacht zu werden kümmerte Karl unbeschreiblich wenig. Was waren das für Burschen und was wußten sie. Glatte amerikanische Gesichter mit nur zwei, drei Falten, diese aber tief und wulstig eingeschnitten in diese Stirn oder auf einer Seite der Nase und des Mundes. Geborene Amerikaner, deren Art festzustellen förmlich ein Behämmern ihrer steinernen Stirnen genügte. Was wußten sie» (abgebrochen).

Der Abschnitt gehört eindeutig zu einer Stelle des Oklahomafragments kurz vor seinem Abbrechen; es ist eine andere Fortsetzung nach dem drittletzten Abschnitt, wo Karl und Giacomo im Eisenbahnzug durch Amerika fahren:

«... Als der Zug zu fahren begann, winkten sie mit den Händen aus dem Fenster, während die Burschen ihnen gegenüber einander anstießen und es lächerlich fanden.» (Hier fährt das Original mit neuem Absatz fort: «Sie fuhren zwei Tage und zwei Nächte ...», S. 331.)

Es scheint wenig wahrscheinlich – wir bewegen uns mangels weiterer Anhaltspunkte wieder ganz in Hypothesen –, daß diese Skizze noch in lebendigem Zusammenhang mit der Arbeit am Oklahomafragment entstand. Theoretisch ist denkbar, daß dieses erst 1916 entstanden wäre; aber dann müßte Kafka den frischen Eindruck vom Engelwunschtraum zwei Jahre lang konserviert haben, bevor er ihn niederschrieb. Zudem will der tiefe Groll, der in der Skizze gegen die amerikanischen Burschen durchbricht, nicht zum forciert leichten und versöhnlichen Ton des Oklahomafragments passen. So handelt es sich wohl um einen späteren, sogleich wieder abgebrochenen Einfall Kafkas, das Theaterkapitel fortzuführen, wofür auch spräche, daß er so kurz vor dem Ende ansetzt. Die Tagebücher sind ja voll von solchen flüchtig hingeworfenen Ansätzen und abgerissenen Versuchen.

Gegen die Hypothese, Kafka habe sich noch 1916 ernsthaft mit dem Amerikathema abgegeben, sprechen schließlich alle anderen Zeugnisse aus den Jahren nach 1914. Die Notiz über das «Kapitel des 'Verschollenen'» in der Silvesterbilanz 1914 ist der letzte sichere Hinweis auf die Werkgeschichte des Amerikaromans, der bei Kafka zu finden ist, und vieles spricht dafür, daß mit der Vollendung des siebenten Kapitels im Oktober 1914 die Arbeit am Roman überhaupt abgeschlossen ist – mit Ausnahme vielleicht der beiden Bruneldafragmente, die wenig später entstanden sein mögen. Jedenfalls sind außer der Skizze über die amerikanischen Burschen alle späteren Notizen Kafkas von der Rückschau auf ein schon lange versunkenes Werk geprägt. Schon am 14. Mai 1915 blickt Kafka wie aus weiter Ferne zurück:

«Heute alte Kapitel aus dem 'Heizer' gelesen. Scheinbar mir heute unzugängliche (schon unzugängliche) Kraft» (T. 477).

Am 30. September 1915 folgt die Notiz «Roßmann und K ... strafweise umgebracht ...», am 8. Oktober 1917 der große Dickens-Vergleich. Die letzten Zeugnisse Kafkas über seinen «Heizer» sind die direkten und indirekten Geständnisse, die ihm Janouch entlockte: «Gespräche mit Kafka», Seiten 23–25 («'Der Heizer' ist die Erinnerung an einen Traum ...»), 89 («Zauberland unbeschränkter Möglichkeiten») und 90 («Kapitalismus der Welt und der Seele»).

Zusammengefaßt ergibt sich, gemischt aus Gewißheit und Wahrscheinlichkeit, folgende Werkgeschichte vom frühen Amerikabild bis zum Manuskript, das Brod die Grundlage für seine Publikationen abgab:

Das Motiv der Sehnsucht des eingeengten Europäers nach dem weiten Land Amerika liegt, zusammen mit anderen, geheimnisvoll verwandten Motiven (Käfer, Maulwurf, schuldiger Sohn), schon früh im Bilderschatz von Kafkas unruhiger Seele. Im Sommer 1912 begann er wohl mehr und mehr mit Ideen aus diesem Motivraum zu spielen, hat möglicherweise schon versucht, sie in einem Roman niederzulegen, der aber blaß und unbefriedigend blieb. Nach dem Ausbruch im «Urteil» warf er sich mit überschäumender Schaffenskraft auf die Ausführung des Amerikaromans und schrieb von Ende September bis Ende November den Block der ersten sechs Kapitel – das Kernstück des Werkes. Vielleicht hat er am siebenten Kapitel sporadisch während der folgenden zwei Jahre gearbeitet, vielleicht hat er es auch erst im Urlaub vom Oktober 1914 niedergeschrieben –

jedenfalls hat er in diesem Monat die heutige Fassung dieses Kapitels vollendet. Unter dem Druck besonderer Inspiration hatte Kafka schon im Juni-Juli 1914 das Oklahomafragment geschrieben. Das Hauptwerk der zweiten Jahreshälfte 1914 bildete allerdings der «Prozeß», der in den ersten Augusttagen begonnen wurde; der Durchbruch zu diesem reifen Romanwerk hat wohl entscheidend daran mitgewirkt, daß Kafka schließlich den frühen Roman und das ganze Amerikathema beiseite schob und nach 1914 nicht wieder aufgriff.

Zur Textgestalt

Seit Uyttersprot 1953/54 seinen großen Angriff auf Max Brods Edition lanciert hat, begegnet man der Textgestalt von Kafkas Werken in der Fischer-Ausgabe mit je nach Temperament größerem oder geringerem Mißtrauen. Im Mittelpunkt der Attacke stand die Kapitelreihenfolge im «Prozeß» (vergleiche Uyttersprot, «Zur Struktur von Kafkas 'Der Prozeß'. Versuch einer Neuordnung», in: «Revue de Langues Vivantes», 19, 1953). Was den Amerikaroman angeht, der gleich nachher ins Schußfeld geriet («Zur Struktur von Kafkas Romanen», in: «Revue de Langues Vivantes», 20, 1954/55), so wurde die Reihenfolge der Kapitel nicht in Frage gestellt, allein es galt den großen Einschnitt ins Bewußtsein zu heben, der den Oklahomaexkurs vom Hauptstück des Romans trennt. (Herbert Tauber etwa hat in seinem Kapitel über «Amerika» Karl Roßmanns Leben über diesen Einschnitt hinweg verfolgt, ohne ihn anzudeuten.) – Wir haben dieses Problem in unserem Oklahomakapitel untersucht (S. 197–202; vergleiche auch Entstehung des Oklahomastücks, S. 211–222) und möchten hier nur den Wunsch beifügen, daß in einer nächsten Ausgabe, sei es durch die Anordnung oder durch einen eindeutigen Hinweis im Nachwort, auch noch die Stellung der zwei Bruneldafragmente klargemacht würde: Das erste (Waschung und Speisung Bruneldas) schließt, als Beginn eines achten Kapitels, an das siebente Kapitel unmittelbar an; das zweite (Ausreise Bruneldas) folgt nach einer Lücke in der Handlung, aber ebenfalls noch im Motivkreis Delamarche-Brunelda.

Auch die Textgestaltung der Fischer-Ausgabe im einzelnen ist angegriffen worden. Vergleiche von Brod-Ausgaben mit Manuskripten, die in Einzelfällen freigegeben wurden, ergaben textliche Abweichungen. Zum Beispiel im «Dorfschullehrer» (Brod nennt ihn «Der Riesenmaulwurf»), nach der Handschrift herausgegeben von Fritz Martini im «Jahrbuch der deutschen Schillergesellschaft», 1958; im «Urteil», wo Friedrich Beißner (in: «Der Erzähler Franz Kafka», 2. Auflage 1952, S. 44–48) Brods Edition in den «Gesammelten Schriften», Bd. I (1946 bei Schocken) mit dem Erst- und Zweitoriginaldruck bei Kurt Wolff, 1913 und 1916, verglich.

Das Manuskript zum Amerikaroman ist bisher nur Max Brod unter die Augen gekommen und von niemandem sonst kontrolliert worden. Um wenigstens einen Anhaltspunkt für die Marge der Abweichungen zu bekommen, mit denen man bei Brods Ausgaben rechnen muß, habe ich mir Beißners Vergleich der drei «Urteil»-Ausgaben angesehen und gefunden, daß sich die kritischen Fälle auf leichte Retuschen beschränken, die zu bedauern sind, daß aber ein generelles Mißtrauen gegen die Textgestalt fehl am Platz sein dürfte. Abweichend von beiden zu Lebzeiten Kafkas gedruckten Fassungen hat Brod fünfmal zusammen statt auseinander geschrieben («aufrechterhalten» statt «aufrecht erhalten»), dreimal Kommas nach Dudenregeln gesetzt und gestrichen, zweimal Anführungszeichen gestrichen (bei der Wiedergabe von Georg Bendemanns Gedanken), zehnmal Wörter leicht verändert («im Dunkeln» statt «im Dunkel», «sich befindlich» statt «sich befindend», «hier und da» statt «hie und da»); seine zwei schärfsten Eingriffe sind die Eliminierung zweier ganzer Wörter: Gestrichen ist das «noch» in «Denk doch noch einmal nach, Vater», und das «ja» in «Da war ja mein Freund bei uns zu Besuch». So zusammengestellt, tönt das natürlich gravierend, und selbstverständlich sind solche Eigenmächtigkeiten nicht zu entschuldigen; man wird aber, wenn man sich das fünfzehnseitige Werk und diese Korrekturen vor Augen hält, nicht der Meinung sein, daß seine Gestalt schwerwiegenden Eingriffen unterworfen worden sei. Es handelt sich um bedauerliche Störungen des ursprünglichen Sprachflusses an Einzelstellen, aber nicht um Veränderungen, welche das Erlebnis des Lesers wesentlich beeinträchtigen würden.

So dürfen wir wohl annehmen, daß unsere Untersuchung auch textlich einigermaßen auf sicheren Füßen stehe. Die Fälle, wo unsere Belege durch ein versetztes Komma oder ein ausgelassenes «doch» entwertet würden, dürften selten sein. Natürlich richten sich diese Ausführungen nicht etwa gegen die Forderung, Kafkas Werke sollten bald einmal in einer kritischen Ausgabe vorliegen.

Kafkas Werke. Die benützten Ausgaben

Gesamtausgabe S. Fischer Verlag, Frankfurt am Main 1946–1958: Franz Kafka. Gesammelte Werke, herausgegeben von Max Brod.

Beschreibung eines Kampfes. Novellen, Skizzen, Aphorismen aus dem Nachlaß. (Erschienen 1954.)
Enthält unter anderem die besprochenen Werke: Beschreibung eines Kampfes (darin eingelegt das «Gespräch mit dem Beter», Manuskriptfassung); Der Jäger Gracchus; Der Schlag ans Hoftor; Der Kübelreiter; Blumfeld, ein älterer Junggeselle; Der Bau; Der Dorfschullehrer (von Brod «Der Riesenmaulwurf» genannt); Forschungen eines Hundes; «Er» (Titel von Brod; Aphorismen).

Hochzeitsvorbereitungen auf dem Lande und andere Prosa aus dem Nachlaß. 1.–6. Tausend. 1953.
Enthält unter anderem: Hochzeitsvorbereitungen auf dem Lande (Romanfragment); Aphorismen 1–109 (Brods Titel: «Betrachtungen über Sünde, Leid, Hoffnung und den wahren Weg»); die acht «Oktavhefte»; Fragmente aus Heften und auf losen Blättern.

Erzählungen. 1.–8. Tausend. 1946.
Enthält: Gespräch mit dem Beter (Druckfassung in der Zeitschrift «Hyperion»); Betrachtung (Skizzenreihe, mit dem «Wunsch, Indianer zu werden»); Das Urteil; Die Verwandlung; Ein Landarzt (Novellensammlung, darin unter anderem: Ein Landarzt; Vor dem Gesetz; Eine kaiserliche Botschaft; Die Sorge des Hausvaters [Odradek]; Ein Bericht für eine Akademie); In der Strafkolonie; Erstes Leid (Trapezkünstler); Ein Hungerkünstler; Josefine, die Sängerin, oder Das Volk der Mäuse.

«Amerika» (Titel von Brod). 1.–8. Tausend. 1953.
Mit dem ersten Kapitel «Der Heizer» (Druckfassung von 1913) und dem Fragment über die Aufnahme Karls ins «Theater von Oklahoma». – Drei Nachworte von Brod.

Der Prozeß. 14.–21. Tausend. 1953.
Mit der ins Domkapitel eingelegten Parabel «Vor dem Gesetz» und der langen Exegese darüber.

Das Schloß. 1.–8. Tausend. 1951.

Tagebücher 1910–1923. 6.–10. Tausend. 1954.
Mit den in unserer Untersuchung erwähnten Skizzen «Die städtische Welt» (S. 45–52), über Kaufmann Meßner (S. 333–35, 346–47), Student

Rense (S. 322, 363, 364, 369, 372), Erinnerung an die Kaldabahn (S. 422–35).

Briefe 1902–1924. Erschienen 1958.

Der oft erwähnte «Sommerbrief» vom 28. August 1904 (S. 28–30).

Briefe an Milena. 1.–6. Tausend. 1952. Herausgegeben von Willy Haas.

Handschriften und Urdrucke: Erst in zwei Fällen allgemein zugänglich.

«Der Dorfschullehrer»: Manuskriptfassung des langen Anfangsabschnitts, herausgegeben von Fritz Martini im «Jahrbuch der Schillergesellschaft» II, 1958.

Das Urteil: Ein Vergleich der beiden Erstdrucke 1913 und 1916 mit der Fassung in der heutigen Fischer-Gesamtausgabe, Band «Erzählungen». Im Anhang zu Friedrich Beißners «Der Erzähler Franz Kafka».

(Genaue Angaben in der Rubrik «Sekundärliteratur über Kafka» unter den Stichwörtern «Martini» und «Beißner».)

Gespräche mit Kafka. Erinnerungen und Aufzeichnungen von Gustav Janouch. 1.–5. Tausend. S. Fischer Verlag, Frankfurt am Main 1951.

Unausgeführte Werkpläne Kafkas, die in unserer Untersuchung erwähnt werden

«Früher Bruderroman».

Einige Seiten über zwei Brüder; der gute Bruder in Europa im Gefängnis, der andere wandert nach Amerika aus. Stammt aus Kafkas Jugendzeit ohne genaue Zeitangaben, vermutlich aus der Gymnasiastenzeit. Kafka erinnert sich an diesen Schreibversuch im Tagebuch (S. 39–41) am 19. Januar 1911.

«Das Kind und die Stadt», 1903.

Sammlung von frühen Skizzen. Erwähnt im Brief an Oskar Pollak vom 9. November 1903 («Briefe», S. 21).

«Die städtische Welt». Februar/März 1911.

Roman- oder Novellenskizze im Tagebuch (S. 45–52). Einzelnen Motiven nach ein Vorläufer des «Urteils» (Auseinandersetzung eines Studenten mit dem Vater und Ratsuchen beim Freund).

«Sommerroman» von 1912.

In den Briefen aus den Sommerferien in Jungborn (Harz) oft erwähnt, 9.–22. Juli 1912 («Briefe», S. 95–100). Ein «Roman» wird in den Tagebüchern schon am 9. Mai erwähnt; am 16. März 1912 (Tagebücher 269) heißt es: «Morgen, heute fange ich eine größere Arbeit an ...» Es kann nicht mit Gewißheit entschieden werden, ob es sich hier um ein eigenes Werk oder um die ersten Arbeiten am Amerikathema handelt (vergleiche S. 250–51 und 277–79).

«*Die Söhne*», Frühjahr 1913.
Ein Band mit den drei Novellen «Urteil», «Heizer» und «Verwandlung»; Vorschlag an den Verleger Kurt Wolff in den Briefen vom 4. und 11. April 1913 («Briefe» 115 und 116).
«*Strafen*», Herbst 1915.
Novellenband mit «Urteil», «Verwandlung» und «Strafkolonie». Vorschlag an den Verlag Wolff im Brief vom 15. Oktober 1915 («Briefe» 134).

Amerikaroman. Ausgaben

Nach der Bibliographie Hemmerle. Immer unter dem Titel «Amerika».

1927. Kurt Wolff, München. – Einzelausgabe, 392 Seiten. Nach Brods Nachwort zur Ausgabe von 1935 ohne die zwei Bruneldafragmente; Oklahomakapitel am Schluß leicht gekürzt.
1935. Schocken Verlag, Berlin. 315 Seiten. Band II der sechsbändigen «Gesammelten Schriften» von Schocken, Berlin/Heinrich Mercy, Prag. (Mercy: Tarnverlag für Schocken aus politischen Gründen.)
1946. Schocken Books New York, Gesammelte Schriften, Band II, «Amerika», 315 Seiten.
1953. S. Fischer Verlag, Frankfurt am Main (Lizenz von Schocken). Gesammelte Werke, Band III, 361 Seiten.
1956. Fischer-Bücherei 132 (Taschenbuch).

Der Heizer. Ein Fragment

1913. Kurt Wolff, Leipzig. Reihe «Der jüngste Tag. Neue Dichtungen», 3. Band.
1947. Berlin, Der neue Geist-Verlag.

Werke anderer Dichter

Der Verfasser benützte folgende Ausgaben:

Dickens Charles: David Copperfield. Drei Bände. Musarion Verlag, München, ohne Jahrgang. Übersetzer: Meyrink.
Vergleiche S. 69 in unserem Naturalismuskapitel. Stellennachweis: Davids schwarzer Anzug, Band I, S. 147–150; Koffer und Flucht durch London, I, 206–208; David als Laufbursche, I, 180–181; verlorene Jacke, I, 212–215; Geliebte auf dem Landgut, II, 100–112.
Heym Georg und *van Hoddis Jakob* («Weltende») suche man unter Pinthus, Menschheitsdämmerung.
Holz Arno: Zola als Theoretiker. – In: «Freie Bühne», 1890. Erweitert in: «Die Kunst», Berlin 1891, S. 68–146.
Auseinandersetzung mit den Kritikern dieser Gedankengänge in: «Die Kunst», Neue Folge, Berlin 1892.

Lichtenstein Alfred («Nebel») siehe unter Pinthus.
Pinthus Kurt (Herausgeber): Menschheitsdämmerung. Ein Dokument des Expressionismus. Mit Biographien und Bibliographien neu herausgegeben. (Rowohlts Klassiker der Literatur und der Wissenschaft, Band 4). Hamburg 1959. 381 S. – Zum erstenmal erschienen: Ernst Rowohlt Verlag, Berlin 1920, mit dem Titel «Menschheitsdämmerung. Symphonie jüngster Dichtung». – In dieser Sammlung unter anderem Gedichte von Trakl, Heym, Alfred Lichtenstein («Nebel»: S. 59 in der Ausgabe von 1959) und Jakob van Hoddis («Weltende»: S. 39). – Vergleiche unser Kapitel über die expressionistische Zeitströmung S. 30–31.
Trakl Georg siehe unter Pinthus.
Zola Emile: Le roman expérimental. Charpentier, Paris. 6. Auflage 1881. 369 Seiten. – Sammlung verschiedener Aufsätze, die zuerst im «Messager de l'Europe» in Rußland erschienen waren. – Vergleiche in unserem Naturalismuskapitel die Seiten 71–73 und weiter bis 85.

Sekundärliteratur über Kafka

Die Kafka-Forschung findet sich in der angenehmen Lage, mit mehreren gründlichen Bibliographien versehen zu sein. Ich darf mich darum hier darauf beschränken, die prominentesten Werke über Kafka, die Sekundärliteratur zum «Verschollenen» im besonderen und schließlich alle jene Werke zusammenzustellen, die ich für die Untersuchung benützt und darin zitiert habe. Für alles Weitere ist es zur Zeit (Frühjahr 1966) am besten, sich an Hemmerles oder Järvs Bibliographie und die Ergänzungen dazu in den Büchern Emrichs und Politzers zu halten. – Da ich meine Arbeit mit Ausnahme der Überarbeitung des vierten Teils Mitte 1962 abgeschlossen habe, sind die Bücher, die seither erschienen sind, nicht darin berücksichtigt, unter anderem die gewichtigen von Klaus Hermsdorf, Walter H. Sokel, Hermann Pongs und Kurt Weinberg. Vor allem aber bedaure ich es, daß ich damals Heinz Politzers feinsinnigen Führer durch Kafkas Gedankenwelt noch nicht kennen konnte.

Anders Günther: Kafka. Pro und Kontra. Die Prozeß-Unterlagen. – C. H. Becksche Verlagsbuchhaltung, München 1951. 110 Seiten.
Günther Anders geht mit Kafkas Haltung zur Welt ins Gericht: Man muß ihn «zutode denken». Ein sicherlich angreifbarer, aber höchst bedenkenswerter Versuch, auf die Herausforderungen zu antworten, die Kafkas Existenz für den aufmerksamen Menschen der Moderne bedeutet.
Beckmann Heinz: Die hilfreichen Mächte. Kafkas Romanfragment «Amerika». – Besprechung im «Rheinischen Merkur», 8. Jahrgang, 1957, Nr. 45, S. 7.
Beißner Friedrich: Der Erzähler Franz Kafka. – W. Kohlhammer Verlag, Stuttgart 1952. 51 Seiten.
Beißners verdienstvoller Nachweis der Einzelnenperspektive (von ihm

«Einsinnigkeit der Erzählerhaltung» genannt) ist in unserem entsprechenden Kapitel ausführlich gewürdigt worden; vergleiche S. 94 und 100–102. – In Beißners Anhang die wertvolle Zusammenstellung der Varianten zwischen den beiden «Urteil»-Drucken 1913 und 1916 und Brods Text in den Gesammelten Werken.

Beißner Friedrich: Kafka, der Dichter. – W. Kohlhammer Verlag, Stuttgart 1958. 44 Seiten.

Beißner Friedrich: Der Schacht von Babel. Zu Kafkas Tagebüchern. – W. Kohlhammer Verlag, Stuttgart 1963. 48 Seiten.

Benjamin Walter: Franz Kafka. – In: Jüdische Rundschau 39, 1934, Nrn. 102–104. – Wiederholt in: Schriften Band II, Suhrkamp, Frankfurt am Main, 1955.

Borchardt Alfred: Kafkas zweites Gesicht. Der Unbekannte. Das große Theater von Oklahoma (alles ein Buch). – Glock und Lutz Verlag, Nürnberg 1961. 203 Seiten.
Mit unhaltbaren Spekulationen versucht Borchardt nachzuweisen, Kafka habe im Amerikaroman das Gesuch um Aufnahme in die katholische Kirche gestellt und niemand habe das bis jetzt gemerkt. Hie und da findet man eine kluge Beobachtung; der Aufmerksamkeit Borchardts verdanke ich jenen Satz, der ganz in Goethes Altersstil gehalten ist (vergleiche S. 79), und die wichtige Entdeckung, daß im ganzen Text Kafkas nirgends von einem *Natur*theater die Rede ist.

Brod Max: Franz Kafka. Eine Biographie. – S. Fischer Verlag, Frankfurt am Main 1954. 3., erweiterte Auflage. 362 Seiten.
Über den Amerikaroman: S. 156–157, 165–169, 183.

Brod Max: Franz Kafka als wegweisende Gestalt. – Tschudy, St. Gallen 1951. 83 Seiten.
Kafkas Weg von der Unsicherheit bis zum endlich erkämpften, wenn auch nicht dauernden Ruhen in Gott. «Man lese doch etwa das Schlußkapitel des Romans ‚Der Verschollene' (‚Amerika'), das von Erlösung und nichts als Erlösung singt» (S. 42).

Brod Max: Franz Kafkas Glauben und Lehre. Kafka und Tolstoi. Eine Studie. – Mondial-Verlag, Winterthur 1948. 141 Seiten.

Brod Max: Nachworte zum Amerikaroman. Zur 1. Ausgabe (ausführliche Auseinandersetzung) S. 356–360 im heute vorliegenden Band; zur 2. Ausgabe S. 360 (Notizen zur Textgestalt); zur 3. Ausgabe S. 361 (Bemerkungen zur Kapiteleinteilung und zu den Kapitelüberschriften sowie zum Gesamttitel).

Brod Max: Zu Franz Kafkas Roman «Amerika». – In: «Die Literarische Welt», 3, 1927, Nr. 44, S. 3.
Identisch mit dem Nachwort zur 1. Ausgabe des Romans.

Brod Max: Zur Deutung von Kafkas «Amerika». – In: «Neue Zürcher Zeitung» vom 13. März 1958, Nr. 711.
Brod sucht hier sein Urteil über das Oklahomakapitel zu modifizieren.

Emrich Wilhelm: Franz Kafka. – Athenäum Verlag, Frankfurt am Main/Bonn. 4. Auflage 1965 (1. Auflage 1957). 445 Seiten.
Über den «Verschollenen»: S. 227–258.

Unsere Emrich-Kritik: S. 18–19, 105–107 und ff, 110, 127, 147, 154 und Anm., 155, 236 (Anm.), 268, 270, 273, 274–75.

Emrich Wilhelm: Die Bilderwelt Franz Kafkas. – In: «Akzente», 2. Heft, April 1960, S. 172–191.

Fürst Norbert: Die offenen Geheimtüren Franz Kafkas. Fünf Allegorien. – Rothe, Heidelberg 1956. 86 Seiten. S. 53–71: «Amerika» oder die soziale Allegorie.

Groethuysen Bernard: The endless labyrinth. – In: «The Kafka Problem», Sammlung herausgegeben von Angel Floris, «New Directions», New York 1946, S. 376–390.

Haas Willy: Meine Meinung. – In der Kafka-Gedenknummer der «Literarischen Welt», 2. Jahrgang, 1926, am 4. Juni, Nr. 23.

Heller Erich: Enterbter Geist. Essays über modernes Dichten und Denken. – Suhrkamp, Frankfurt am Main 1954. S. 281–329: Die Welt Franz Kafkas.

Hemmerle Rudolf: Franz Kafka. Eine Bibliographie. – Verlag Robert Lerche, München 1958. 140 Seiten.
Enthält: Ein Verzeichnis aller Werke Kafkas mit ihren Erscheinungsdaten; ein Verzeichnis der Sekundärliteratur an Büchern und Zeitschriften (Bücher: Nrn. 13–268, Zeitungs- und Zeitschriftenbeiträge: Nrn. 269–1024); ein Verzeichnis der Dramatisierungen, musikalischen Bearbeitungen und Illustrationen.

Holz Arno (zur Theorie des Naturalismus) suche man unter «Werke anderer Dichter».

Janouch Gustav (Gespräche mit Kafka) suche man unter «Werke Kafkas».

Järv Harry: Die Kafka-Literatur. Eine Bibliographie. – Bo Cavefors, Malmo/Lund 1961.

Kaiser Joachim: Glück bei Kafka. – In: «Frankfurter Hefte», Jahrgang 9, 1954, Nr. 4, S. 300–303.
Eine Rezension des Amerikaromans.

Klee Wolfhart Gotthold: Die charakteristischen Motive der expressionistischen Erzählungsliteratur. – Dissertation in Leipzig, erschienen in Berlin 1934. S. 15–35: Kampf gegen den «Bourgeois»; darin S. 21–22: Franz Kafka: «Der Heizer».

Martini Fritz: Franz Kafka. – Im Buch «Denker und Deuter im heutigen Europa», herausgegeben von Hans Schwerte und Wilhelm Sprengler, 1. Band, S. 191–201. Stalling Verlag, Oldenburg/Hamburg 1954.

Martini Fritz: Ein Manuskript Franz Kafkas: «Der Dorfschullehrer». Nach der Handschrift herausgegeben. – In: «Jahrbuch der deutschen Schillergesellschaft», II, 1958.

Pinthus Kurt (Herausgeber der Expressionistensammlung «Menschheitsdämmerung») suche man unter der Rubrik «Werke anderer Dichter».

Politzer Heinz: Franz Kafka, der Künstler. – S. Fischer Verlag, 1965. 536 Seiten. Über den Amerikaroman: S. 179–240.

Reiß Hans Siegbert: Franz Kafka. Eine Betrachtung seines Werkes. – L. Schneider, Heidelberg 1953. 195 Seiten. Über den Amerikaroman: S. 113–121.

Spielhagen Friedrich: Beiträge zur Theorie und Technik des Romans. – Leipzig 1883 (zitiert nach Beißner: «Der Erzähler Franz Kafka»). Vergleiche unser Kapitel über die Einzelnenperspektive, S. 101.

Staiger Emil: Die Kunst der Interpretation. Studien zur deutschen Literaturgeschichte. – Atlantis Verlag, Zürich, 3. Auflage 1961 (1. Auflage 1955). 273 Seiten.
Eine Sammlung von Interpretationen. Am Anfang als methodische Grundlegung der Aufsatz, der dem Buch den Titel gab: «Die Kunst der Interpretation», S. 9–33. In diesem Aufsatz sind an einem konkreten Beispiel die Grundzüge der literaturwissenschaftlichen Schule dargelegt, durch die der Verfasser dieser Kafka-Untersuchung gegangen ist.

Tauber Herbert: Franz Kafka. Eine Deutung seiner Werke. – Zürcher Dissertation (bei Robert Faesi); erschienen bei Oprecht, Zürich/New York 1941. 239 Seiten.

Uyttersprot Herman: Zur Struktur von Kafkas «Der Prozeß». Versuch einer Neuordnung. – In: «Revue des Langues Vivantes», Jahrgang 19, 1953, S. 333–376.

Uyttersprot Herman: Zur Struktur von Kafkas Romanen. – In: «Revue des Langues Vivantes (Tijdschrift voor Levende Talen)», Jahrgang 20, 1954, Nr. 5, S. 367–383.

Uyttersprot Herman: Eine neue Ordnung der Werke Kafkas? Zur Struktur von «Der Prozeß» und «Amerika». – C. de Vries-Brouwers, Antwerpen 1957. 84 Seiten.
Vergleiche unsere Behandlung des Problems der Romanstruktur auf den Seiten 64–66, 197–222, 283.

Uyttersprot Herman: Franz Kafka, der «Aber-Mann». In: «Revue des Langues Vivantes», Jahrgang 20, 1954, Nr. 6, S. 452–457. (Vergleiche unser Kapitel «Kafka steigert den Naturalismus ...», S. 88.)

Vašata Rudolf: «Amerika» and Charles Dickens. In: «The Kafka Problem», herausgegeben von Angel Floris, «New Directions», New York 1946, S. 134–139.

Wagenbach Klaus: Franz Kafka. Eine Biographie seiner Jugend, 1883 bis 1912. – Francke Verlag, Bern 1958. 345 Seiten.

Zola Emile (Naturalismus-Essays) suche man unter «Werke anderer Dichter».

Personenregister

Stichwörter aus dem Werk- und Literaturverzeichnis wurden nicht in die Register aufgenommen.

Werkregister

Mit «Hochzeitsvorbereitungen auf dem Lande» ist immer nur das Romanfragment gemeint, nicht der Sammelband mit dem gleichen Titel; ebenso bei «Beschreibung eines Kampfes». Bei den Tagebüchern und Briefen sind nur Stellen verzeichnet, wo sie thematisch behandelt werden; soweit sie nur Ortsangabe für Zitate sind, figurieren sie nicht im Register. Mit «Heizer» ist immer nur das (selbständig erschienene) 1. Kapitel des Amerikaromans gemeint.

Sachregister

Ausgewählte Stichwörter, nach Sachgruppen geordnet

Zeitströmungen

Epochen in Kafkas Werk

Stilistisches und Inhaltliches

Formales

Motive